Acústica Medioambiental

Vol. I

Dr. Robert Barti Domingo

Acústica Medioambiental vol I

© Dr. Robert Barti Domingo

ISBN: 978-84-9948-020-6
Depósito legal: A–921-2010

Edita: Editorial Club Universitario. Telf.: 96 567 61 33
C/. Cottolengo, 25 – San Vicente (Alicante)
www.ecu.fm

Printed in Spain
Imprime: Imprenta Gamma. Telf.: 965 67 19 87
C/. Cottolengo, 25 – San Vicente (Alicante)
www.gamma.fm
gamma@gamma.fm

ÍNDICE

INTRODUCCIÓN.

Desde hace muchos años los hombres viven rodeados de sonidos y ruidos. Los ruidos que nos rodean han servido desde tiempos ancestrales, para alertar de los peligros. Nótese que el oído es el único sentido que no se puede desconectar voluntariamente. Las funciones primarias del oído son alertar de los peligros y de la presencia de otros seres u animales, y la comunicación con nuestros semejantes. Podemos considerar sonidos aquellos que son agradables al oído y/o que aportan información útil, mientras que los ruidos son aquellos que no aportan en principio, información. Cuando un sonido molesta se considera ruido, para indicar que no solamente molesta, sino que además no es deseado. Desde un primer momento hay que tener en cuenta la gran subjetividad cuando se evalúa cualquier sonido. Un mismo sonido puede tener diferentes interpretaciones para cada persona; el rock agrada a un determinado público, mientras que el foxtrot agradará a otro bien distinto. Incluso nuestra canción preferida escuchada al mediodía, no se valora de la misma manera cuando se escucha de madrugada durante el descanso nocturno. Al mediodía no molesta, bien al contrario seguramente la tentación es subir el volumen, y en cambio de madrugada molesta mucho. En este ejemplo, aunque el nivel sonoro sea apreciablemente menor de madrugada, nos molesta mucho más. La molestia que un sonido genera no siempre va ligada a un mayor nivel sonoro.

En los vuelos aéreos siempre algunas personas se duermen. El nivel de ruido dentro de la aeronave se sitúa sobre los 85 dB(A). Las personas están vestidas y sentadas en sillas incómodas, y a pesar de todo se duermen. Esas mismas personas es probable que en su cama en una posición mucho más cómoda y con un ruido de fondo de solo 35 dB(A) no puedan dormir. ¿Es eso normal? ¿Por qué ocurre? El no poder dormir no tiene porqué ser una cuestión únicamente de nivel de ruido, los nervios, la excitación, y otros factores pueden incidir en la falta de sueño.

Notemos que existen ruidos naturales, como los truenos, la caída de la lluvia, las olas de mar, y los sonidos de origen humano generalmente asociado a máquinas. Ambos tienen unos aspectos diferenciales: los naturales no son considerados molestos, a excepción del estruendo de los truenos que por los elevados niveles sonoros y sobre todo por su brusquedad resultan altamente molestos. Por otro lado los ruidos "artificiales" son generalmente molestos. El ruido de la lluvia puede llegar a ser superior al generado por la lavadora del vecino, y en cambio éste último nos molesta mucho más. La contaminación acústica es, en todos los casos, el resultado de la actividad humana.

El ruido afecta por igual a todas las personas independientemente de su lengua, estudios o nivel económico. No distingue clases sociales, culturales o étnicas. Hay ruido, molesto o infernal, en la calle. Hay ruido en los restaurantes, bares, cafés, donde hay que gritar para poder superar las voces de los vecinos. El ruido es un contaminante asociado inevitablemente al proceso de industrialización y que está asumido por la sociedad como una cuestión "de facto". El ruido de las industrias, es un hecho considerado "normal", incluso resulta necesario en algunos casos. En las ciudades, en los hogares, el ruido es un elemento más con el que se debe aprender a convivir obligatoriamente.

Los efectos negativos que el ruido produce sobre la salud están bastante documentados. Los efectos fisiológicos son los más fáciles de detectar, la pérdida de audición, o los efectos sobre el aparato respiratorio, sistema vascular o gástrico son algunos de los más conocidos. Pero los más devastadores y con diferencia, son los efectos psicológicos, mucho más difíciles de detectar y de diagnosticar. Las secuelas psicológicas son difíciles de cuantificar, y eso las hace aparentemente menos importantes. El ruido puede llegar a ser más letal que cualquier otro contaminante, porque afecta a la conducta de las personas, su estado de ánimo, aumenta la agresividad y la intolerancia y aumenta el cansancio y la apatía. El ruido afecta a millones de personas. Algunos estudios indican la tendencia a la concentración de la población en grandes ciudades las próximas décadas. El elevado precio de la vivienda, la necesidad de ganar espacio reduciendo al mínimo el grosor de las estructuras, la proliferación de equipos de sonido con mejores prestaciones, deja entrever que presumiblemente aumentará el número de quejas por motivos de ruido. Asímismo las previsiones en materia de ruido ambiental en las ciudades del futuro no es clara. La expansión de las grandes ciudades genera la aparición de zonas de influencia urbana sobre el campo. El ruido de la gran ciudad se va expandiendo por las proximidades como una mancha de aceite. Eliminar el ruido existente es difícil y siempre es mejor prevenir "a priori" que actuar "a posteriori". Deberá tenerse presentes ciertos aspectos urbanísticos que pueden modificar este nivel de ruido. Las costumbres de la sociedad, los hábitos adquiridos y la movilidad, son algunos de los aspectos a tener en cuenta.

La lucha contra el ruido es un tema que cada día preocupa más a la sociedad. Las asociaciones de vecinos, y otros colectivos, surgen ante la pasividad de la Administración para defender sus intereses, se informan y se documentan sobre las leyes en materia de control de ruido. Su sorpresa es mayúscula cuando comprueban que quien padece ruido debe demostrar ante la justicia que padece ruido y que eso ocasiona molestias y muchas incomodidades, mientras que quien contamina sigue con su tarea. La Legislación no es suficientemente eficaz para solucionar los problemas de contaminación acústica. El descanso nocturno no es simplemente un derecho, es una necesidad vital para la vida humana. Por desgracia en nuestro país, el ruidoso lamentablemente siempre impone su ley, y quien se queje, ha de saber que puede ser motivo de burla, porque a los problemas de ruido se los considera, por ignorancia, un mal menor. En ocasiones es difícil poder hacer una evaluación correcta del problema. Algunas denuncias y reclamaciones relacionadas con el ruido quedan sin resolver satisfactoriamente por no enfocar el problema correctamente. Con frecuencia se tiende a unificar criterios y considerar que todos los problemas son iguales, cuando en acústica cualquier situación siempre es distinta de otras. Buena parte de culpa procede de una legislación poco eficaz y que tiende a simplificar en exceso los procesos de evaluación del ruido. Últimamente, algunas sentencias judiciales van generando jurisprudencia, cambiando poco a poco la sensación de impunidad del ruidoso.

La contaminación acústica es, hoy por hoy, la asignatura pendiente de las Administraciones, las cuales disponen, en general, de pocos recursos para afrontar las soluciones correctas. Pocos medios técnicos y sobre todo poco personal especializado es lo que echan en falta los responsables técnicos de algunos municipios. Una de las principales fuentes de ruido en las ciudades es la originada por el tráfico. Cerrar las calles al tráfico como apuntan algunos trabajos pretendidamente "avanzados" tampoco es la solución. Si se elimina el tráfico se elimina el ruido, es obvio. Es un razonamiento bastante pueril. Puede ser muy bonito en una maqueta, pero el ciudadano debe desplazarse dentro de la ciudad. Algún estudio propone crear mega-islas de casas, para disminuir el ruido en las ciudades. Si restringimos el tráfico dentro de estas islas obviamente conseguiremos reducir el nivel de ruido de las fachadas interiores, aunque los vecinos tendrán problemas de movilidad. Estrechar el espacio de circulación de vehículos tampoco es la solución a los problemas de ruido. Todas estas medidas no atacan al foco de ruido. Son medidas con efectos discutibles pero que en algún caso incrementan el riesgo de accidente. Debe actuarse sobre las fuentes que originan el ruido. La circulación de vehículos privados es inevitable, aunque un buen transporte público, rápido, cómodo y eficiente es la mejor solución para las ciudades. El problema no está dentro de las ciudades sino fuera de ellas, es decir: el cómo se accede y se sale de una ciudad. Actualmente el transporte público es mucho más lento y caro que el transporte privado en los accesos a las ciudades. Invertir esa tendencia precisará de medidas que no sean coercitivas o coaccionantes, como facilitar el acceso a las ciudades a vehículos que vayan llenos en detrimento de otros. En ocasiones el transporte público existe pero con trayectos que no van en la dirección adecuada. Por ejemplo, para desplazarse de un domicilio situado en la zona del Maresme hacia un polígono industrial del Vallés Occidental, que dista no más de 20 Km, hay que pasar por Barcelona capital y hay que coger entre 3 y 5 medios de transporte distintos. Dependiendo del punto de partida y de llegada, el tiempo destinado al desplazamiento diario utilizando el transporte público, es en estos casos prohibitivo.

En algunas zonas urbanas donde se han cubierto las vías de circulación, los vecinos siguen quejosos con el ruido, a pesar de haber reducido éste en más de 15 dB(A). La molestia no es únicamente una cuestión de nivel sonoro sino de variabilidad de niveles. Muchas ideas que tienen por objetivo hacer una ciudad menos ruidosa, castigan en exceso al vehículo privado, cuando es el transporte público terrestre el más ruidoso. El coche es el vehículo que actualmente menos contamina acústicamente y con mucha diferencia. Pero los vehículos urbanos deben adecuar los niveles de ruido para una circulación urbana utilizando propulsores basados en sistemas silenciosos como el uso de la energía eléctrica.

Los vehículos de transporte urbano, especialmente el transporte público, deberían incorporar en sus criterios de selección el ruido emitido. El autobús urbano es un vehículo comercial convencional que hace el mismo ruido que el autobús que circula por la autopista. La comodidad del pasaje ha mejorado, pero el ruido emitido sigue siendo la asignatura pendiente. El uso de combustible alternativo, como el gas, biodiésel o hidrógeno, tampoco son elementos que por sí solos reduzcan el nivel de ruido generado. Los vehículos especiales destinados a la recogida de basura deberían ser extremadamente silenciosos, para que pudieran circular de noche causando las mínimas molestias. Los nuevos modelos cambian los colores y algunos elementos externos, pero mantienen el mismo problema: se utiliza un vehículo comercial convencional. Los niveles máximos de ruido emitido por un vehículo los fija la Unión Europea. No se trata de cambiar estos niveles sino que, en el proceso de contratación de los nuevos vehículos, se requieran unos valores más bajos de emisión sonora. En definitiva debe tenerse en cuenta el vector de contaminación acústica.

La potencia y el tipo de motor de los vehículos del futuro serán probablemente diferentes a los cánones actuales, donde el consumo energético está más controlado y en consecuencia un menor ruido emitido sea posible.

El transporte público debería dar ejemplo de contaminación acústica neutra, aquella que se mantiene dentro de los límites de ruido ambiente admisibles, muy por debajo de los actuales. El motor eléctrico tiene muchas posibilidades de ser realmente el elemento a tener en cuenta en un futuro muy cercano. Respecto de los vehículos privados, los conceptos estrella actuales, como la potencia y la velocidad, dejarán paso a otros como la funcionalidad, consumo energético y la contaminación. El coche, con el paso del tiempo, dejará de ser un mecanismo de placer para pasar a ser un elemento de movilidad restringida. No tiene mucho sentido encontrar en el mercado vehículos con potencias que los permite ir a más de 200 Km/h, cuando hay una limitación de velocidad en este sentido. Nótese que los vehículos en las últimas dos décadas han mantenido la cilindrada y el consumo, pero han aumentado espectacularmente el rendimiento, obteniendo mayor potencia. A mayor potencia mayor solicitud de la mecánica, mayor sección de neumáticos, más ruido, más elementos de seguridad, más peso y mayor consumo energético, y todo para ir, como mucho, a 120 Km/h.

Con una cilindrada menor, y con unas potencias netamente inferiores a las actuales, se podría reducir considerablemente el ruido en las ciudades, y la contaminación ambiental y el consumo energético también se reducirían drásticamente. La industria del automóvil ofrece aquellos productos que el público demanda. Mayor potencia, mejores acabados, más tecnología, más seguridad, son los valores que los compradores exigen en este momento.

La Unión Europea mantiene el mismo nivel de ruido máximo permitido en las homologaciones de vehículos desde el año 1995. Probablemente aún se tarde un cierto tiempo en reducir los niveles de emisión sonora de los vehículos, ya que el ruido de los neumáticos es excesivamente elevado y no puede reducirse con la tecnología actual.

Los vehículos automóviles, por su parte, deben pasar unas pruebas de control de ruido durante la homologación. Estas pruebas se realizan en condiciones que no tienen nada que ver con la circulación real de un vehículo. Además de no ser unas pruebas representativas de la conducción habitual, los valores medidos en la homologación son valores instantáneos máximos, mientras que las mediciones en ciudad son valores promedios. El caso más evidente de la inutilidad de la homologación de ruido, es la prueba que debe superar un vehículo pesado, donde el nivel de ruido para ser homologado, se mide con el vehículo sin carga.

Sin una reducción del nivel de ruido máximo permitido de cada vehículo individualmente, el ruido en las ciudades va a seguir manteniéndose aunque durante más horas cada día, ya que muchas calles se encuentran al borde del colapso diariamente. Para contrarrestar esta tendencia se pueden hacer acciones sobre el asfalto o el cubrimiento de calles, pero el coste económico en este segundo caso es prohibitivo.

Si realmente se desea reducir el ruido de tráfico en las ciudades, las mediciones de homologación deben armonizarse con las mediciones en la ciudad. Se ha comprobado con unas mediciones de ruido realizadas en una céntrica calle de Barcelona los años 1985 y 1995, que el nivel de ruido en esos 10 años ha bajado una media de 1 dB(A), mientras que en el mismo período, los vehículos han reducido su nivel de ruido de manera individual en unos 6 dB(A) de promedio. El número de vehículos que pasó por delante del micrófono era prácticamente el mismo, y las características del punto de medida (anchura de la calle, número de carriles, etc.) son los mismas. No es el mayor número de vehículos lo que mantiene el nivel de ruido, nótese que la densidad de tráfico era la misma. Es el ruido de los neumáticos el responsable de la "congelación" del nivel de ruido máximo permitido para un vehículo desde el año 1995. La tecnología del neumático durante más de cinco décadas no ha tenido en cuenta el parámetro ruido en su desarrollo.

Otro foco de contaminación acústica que genera cada vez mayor número de quejas, especialmente en entornos urbanos, son las actividades musicales. Tanto el sonido interior de la actividad que puede llegar a las viviendas cercanas, como el ruido de los clientes que entran y salen del local, son motivo de queja. Estas molestias siempre están relacionadas con la dificultad para poder dormir. Los horarios en que estas actividades trabajan coincide plenamente con el horario de descanso nocturno. La proximidad de la actividad con las viviendas dificulta mucho encontrar soluciones efectivas.

En general los locales disponen de medidas correctoras. Se dice entonces que el local está "insonorizado", entendiendo que el local está acondicionado acústicamente y que presenta un aislamiento acústico suficiente. Nótese que la supuesta "insonorización" no siempre se basa en un proyecto acústico realizado por un profesional cualificado, sino que en demasiadas ocasiones, se siguen las directrices de un profesional no cualificado, cuyo interés no es resolver el problema sino "coger la pasta". Las grandes inversiones realizadas por algunas actividades no siempre producen los resultados esperados, el problema persiste para desesperación tanto de la actividad como de los vecinos afectados.

Es pues de vital importancia seguir un protocolo que dictamine donde está el problema, haciendo unas mediciones acústicas que realmente valoren la molestia que reciben las personas. La evolución de un suceso acústico viene determinada por numerosos parámetros. La actitud subjetiva del individuo, el entorno físico en el que se percibe el ruido, el nivel de presión acústica percibido, su espectro en frecuencia, y su evolución temporal son algunos de los factores que determinan la forma de evaluar los sonidos. Un suceso acústico únicamente puede ser evaluado correctamente utilizando parámetros multidimensionales. Estos parámetros están basados en un conjunto de factores que interaccionan entre ellos y con la propia percepción subjetiva del individuo.

Debido a la notable dispersión de los aspectos subjetivos de la percepción acústica por parte de las personas, éstos únicamente se pueden definir en términos estadísticos. Esta complejidad motiva la necesidad de disponer de un sistema de medida que se ajuste lo más posible a la realidad, para valorar de una forma lo más eficiente posible el grado de molestia que ocasiona el ruido. A pesar de ello, las sensaciones subjetivas de la población están muy influenciadas por los aspectos culturales y fisiológicos. Así pues se ha encontrado que las preferencias acústicas sobre un ruido de automoción de los jóvenes varones japoneses se asemeja mucho al de las chicas españolas. El ruido generado por los vehículos nórdicos es distinto del generado por los vehículos del área Mediterránea. Incluso el mismo modelo lleva distinto tubo de escape en función del país al que va destinado. Y todo ello es para satisfacer unas expectativas que el cliente deposita sobre un producto. Esto dificulta y complica mucho encontrar un indicador universal del grado de molestia.

La solución ideal debería pasar por un sistema de medición binaural que permita el cálculo de parámetros indicativos de las sensaciones asociadas a los diferentes aspectos que caracterizan el sonido. El análisis y la comparación de sucesos acústicos, desde un punto de vista de confort, requieren el uso de técnicas de reproducción capaces de reproducir las sensaciones acústicas espaciales y temporales asociadas a los sucesos en estudio. Las técnicas de grabación y análisis binaural están íntimamente vinculadas a la definición de los parámetros psicoacústicos y en este contexto, el nivel sonoro, la duración del suceso acústico, el espectro en frecuencia, la estructura temporal y el número y disposición de fuentes sonoras, son aspectos que influyen notablemente en la percepción y evaluación del confort acústico asociado a un sonido.

La mayoría de fenómenos acústicos que podemos encontrar, están asociados a ruidos generados por fuentes múltiples actuando simultáneamente y distribuidas en diferentes puntos del espacio. En estos casos únicamente con un análisis y un procesado binaural de la señal se pueden obtener unos resultados cercanos a la realidad. Estos sistemas requieren la grabación del sonido con HATS (Head And Torso System), y la utilización de algoritmos de procesado similares a los utilizados por el sistema auditivo humano. Actualmente no se dispone del conocimiento para implementar un sistema de estas características, aunque diversos investigadores de prestigio están trabajando en ello actualmente. Algunos estudios llegan a cuestionar la utilización de los HATS substituyéndolos por pares de micrófonos en la grabación de señales. El margen de frecuencia restringido que ofrecen los sistemas digitales actuales, también es motivo de discusiones. A pesar de que el margen de audio va de 20 Hz a 20 KHz, un sistema que se ciñe a este margen parece insuficiente para reproducir ciertos matices sonoros. El efecto "distancia" sólo se puede reproducir con sistemas que no limitan a los 20 KHz.

Los indicadores utilizados actualmente para evaluar el nivel de sonido no se ajustan a la percepción auditiva humana. Cuando los niveles de ruido son elevados, lo más importante es el nivel de presión acústica, ya que un nivel elevado puede resultar peligroso. Pero en los casos donde los niveles de ruido son bajos, realmente las medidas "clásicas" utilizando el Leq y el dB(A) se apartan mucho de la realidad. Por ejemplo evaluando el nivel de ruido en ambiente interior producido por una actividad musical cercana, generalmente implica unos niveles de presión acústica bastante bajos. El oído es capaz de detectar la información de la música por debajo del nivel del ruido de fondo. Con una medición del Leq (dB(A)) se llega a la conclusión equivocada de que no existe ninguna contaminación acústica, cuando de hecho, la persona afectada no puede dormir. Algunos expertos en acústica a nivel mundial como Per Brüel, o Karl Kryter, cuestionan seriamente el uso abusivo del dB(A). La legislación en general no incorpora las novedades y avances técnicos, que hace unas décadas que existen y sigue utilizando los indicadores creados en los años 60 con los conocimientos y tecnología de los años 30.

El silencio es un signo de respeto, cultura y educación hacia nuestro entorno, si deseamos un entorno más saludable y menos contaminado, debemos conocer como se origina el ruido para poder atacarlo allí donde se produce.

Capítulo 1
PROPIEDADES DEL SONIDO

1.1. El Sonido.

El sonido nos permite comunicarnos con otras personas. Es el único sentido que no se puede desconectar voluntariamente, siempre trabaja. Es el sentido que nos alerta de los peligros. El oído realiza algunas funciones muy potentes que no son muy conocidas pero necesarias para el buen desarrollo de nuestras funciones. Gracias al oído podemos centrarnos en una tarea sin dejar de "percibir" lo que hay a nuestro alrededor. El desconocimiento de la importancia que este sentido tiene en la vida cotidiana, hace que en muchos casos se le considere un sentido de "segunda categoría". El sentido del oído está "diseñado" para funcionar en espacios con aire a su alrededor. La ausencia de aire imposibilita la propagación del sonido, y por tanto no es posible percibir ningún sonido. La gran pantalla muestra en ocasiones explosiones en el espacio con gran estruendo, deformando la realidad y creando confusión al respecto. La capacidad auditiva es limitada tanto en nivel como en frecuencia. La percepción del sonido es muy subjetiva e influenciable por las condiciones de contorno. Algunas son fácilmente medibles, como las condiciones acústicas, presencia de obstáculos u objetos, tipo de superficies, etc. Otras no son tan fáciles de medir, como el estado de ánimo cuando se produce el sonido.

Usualmente se mide el sonido para evaluar su capacidad contaminante. Sin embargo la mayoría de mediciones no tienen en cuenta los aspectos subjetivos del sonido. Las mediciones sonométricas empleadas actualmente por las legislaciones vigentes son muy simplistas y carentes de realismo, por lo que en muchas ocasiones su valoración no refleja la situación real. Es necesario hacer mediciones del sonido que aporten toda la información del problema, y de esta manera poder emitir un juicio más fundamentado.

El oído presenta un margen dinámico excepcional, que supera al de cualquier equipo electrónico. Pero también tiene muchas limitaciones, como la memoria acústica, que es muy limitada. Esto hace que no se pueda comparar el nivel de dos sonidos con unas horas de diferencia, es decir, no podemos recordar con exactitud el nivel de un sonido. Podemos reconocer la voz de una persona que hace unas semanas, meses o incluso años que no escuchamos con una precisión que ninguna máquina consigue, y en cambio no podemos recordar si un sonido era más o menos fuerte, siempre que las diferencias no sean muy elevadas, claro. Parece que nuestro sentido auditivo es capaz de realizar potentes funciones, y en cambio falla en aquellas cosas aparentemente más simples.

El aire es el medio más habitual de propagación del sonido. Éste también se puede propagar por otros medios como líquidos o sólidos. El oído está sometido a una presión atmosférica estática. Esta presión incide sobre la membrana timpánica del oído, aunque realmente no es que ésta soporte toda la presión, cosa que hundiría la membrana, sino que las dos caras de la membrana timpánica se encuentran a la misma presión estática, gracias a la trompa de Eustaquio, un conducto que se abre esporádicamente en los procesos de deglutición o bostezo y que permite igualar las presiones a ambos lados de la membrana timpánica entre el oído externo y el oído medio. Gracias a este mecanismo el oído se adapta a la altitud o a los cambios de presión atmosférica, para no perder sensibilidad. Cuando el oído cambia de altura de forma rápida, se pierde sensibilidad. El sonido se percibe como las minúsculas variaciones de presión que el tímpano puede detectar. La figura 1.1. muestra, de una forma gráfica, como el sonido está a caballo de la presión atmosférica.

Como se puede ver, las variaciones de la presión atmosférica son lentas y por tanto no aportan información de frecuencia ni de nivel al oído. Las variaciones audibles representan una mínima parte (5.000 millones de veces más pequeña) en comparación con la presión atmosférica.

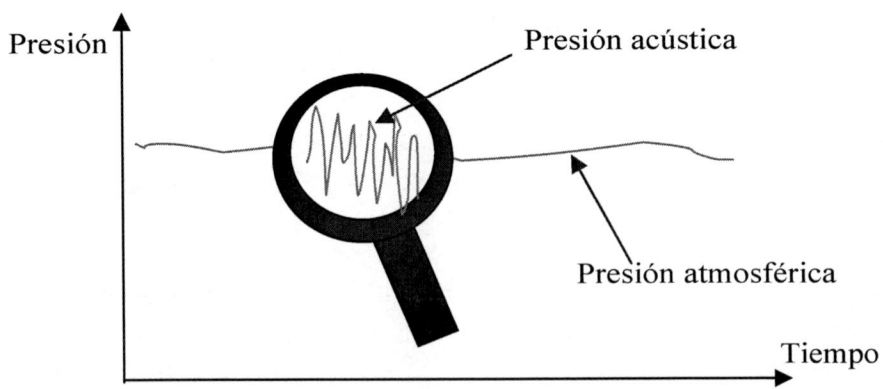

Fig. 1.1. La presión acústica (información audible) está a caballo de la presión atmosférica. Nótense las lentas variaciones de la presión atmosférica, que no son audibles.

Estas sobrepresiones y depresiones alrededor de la presión atmosférica, es lo que el sentido auditivo interpreta como sonido. La amplitud de estas variaciones de presión muestran el nivel sonoro, y su cadencia o repetición, la frecuencia o tonalidad del sonido. La forma de propagarse el sonido en el aire es por ondas llamadas de densidad. En el aire las partículas están separadas unas de las otras, de manera que pueden vibrar sin llegar a colisionar, pero interactuando entre sí. En las ondas de densidad, la vibración de una partícula hace vibrar a las más cercanas, las cuales a su vez hacen vibrar a otras y así progresivamente. De esta manera se consigue que la vibración inicial de la superficie del objeto se transmita a las partículas de aire más cercanas hasta llegar a otros puntos alejados del espacio. Las partículas de aire vibran con una cierta intensidad, dependiendo del nivel sonoro. Esta vibración se va atenuando con la distancia recorrida, y por tanto no tiene capacidad de recorrer grandes distancias. Sólo las fuentes sonoras de gran potencia pueden llegar a grandes distancias, como el ruido de aviación, una explosión, un trueno, o un equipo de sonido de gran potencia. Las partículas de aire vibran a una velocidad proporcional al nivel sonoro. No debe confundirse la velocidad de vibración de las partículas de aire (v) con la velocidad de la onda acústica (c). Esta última depende entre otros factores, de la temperatura, y es de unos 345 m/s a 22 ºC. Las partículas de aire que transmiten el sonido no se desplazan por el espacio, únicamente vibran alrededor de un punto de equilibrio. Su desplazamiento sería posible en presencia del viento, por ejemplo. Durante el proceso de propagación de la onda acústica, se forman sobrepresiones y depresiones, estos cambios de presión viajan por el medio (generalmente aire) expandiéndose desde el punto donde se crearon. La presencia de viento favorable a la dirección de propagación, generalmente posibilita que el sonido pueda llegar más lejos que si el viento sopla en contra.

1.2. Atributos básicos del sonido.

Nivel o amplitud del sonido. Se interpreta como el nivel sonoro, a mayor amplitud mayor sensación auditiva, y se mide en Pascal. Existe un nivel umbral mínimo de percepción auditiva, por debajo del cual no es posible percibir ningún sonido. También existe un nivel máximo que no se puede superar sin correr el riesgo de perder de forma permanente la capacidad auditiva. Ambos umbrales se obtienen de forma estadística. Esto hace que algunas personas puedan percibir sonidos por debajo del umbral auditivo y también soportar presiones superiores.

Frecuencia. Es el número de vibraciones o de variaciones de la presión acústica por segundo, dando la sensación de tonalidad. Un sonido de baja frecuencia es un sonido de tonalidad grave. Un sonido de alta frecuencia es un sonido de tonalidad aguda. Los sonidos que nos rodean tienen muchas frecuencias mezcladas, formando los llamados sonidos complejos. La mayoría de estos sonidos presentan un mayor contenido de baja frecuencia. Esto es debido a que las vibraciones de baja frecuencia son por un lado más fáciles de producir y por otro lado su capacidad de propagación es superior. Los ruidos que podemos percibir de origen natural o generados por el hombre tienen más del 95% de la energía concentrada en las bajas frecuencias. La frecuencia se mide en Hz (Hertz), donde 1 Hz es 1 ciclo por segundo. El margen de frecuencias que se considera en audiofrecuencia va de 20 Hz a 20.000 Hz, que coincide aproximadamente con la sensibilidad en frecuencia del oído.

Longitud de onda. Es sin duda el parámetro más importante en acústica. Aparentemente redundante, ya que erróneamente se considera que la frecuencia o el nivel son propiedades más importantes. La longitud de onda es la distancia en metros que una onda acústica ocupa en el medio por donde se propaga. Esta distancia depende de la velocidad del sonido en el medio de propagación y de la frecuencia. Generalmente el medio de propagación es el aire, pero como se ha dicho anteriormente también puede ser un líquido o un sólido.

La expresión que relaciona la frecuencia, la longitud de onda y la velocidad del sonido es la ecuación (1.1):

$$c = \lambda \cdot f \qquad\qquad (1.1)$$

Donde:

c es la velocidad del sonido en el medio por donde se propaga y se expresa en m/s.
Para el aire a una temperatura ambiental de unos 22 ºC la c = 345 m/s.
Para el agua dulce a temperatura similar c = 1.500 m/s.
Para un sólido a temperatura similar la velocidad c puede oscilar entre 100 m/s para los aerogels y los 6.100 m/s para el acero.

λ es la longitud de onda del sonido, expresada en m.

f es la frecuencia en Hz, de la onda acústica.

Así pues, un sonido con una frecuencia de 100 Hz que se propaga por el aire a una temperatura de unos 22 ºC, tiene una longitud de onda de 3,45 m, mientras que una onda de 1.000 Hz tiene una longitud de onda de 0,345

m. Nótese que la baja frecuencia presenta una mayor longitud de onda. Esta propiedad le permite penetrar estructuras con mayor facilidad. Así, el ruido de tráfico en las ciudades que está formado principalmente por componentes de baja frecuencia puede entrar con facilidad en las casas por la fachada. En general las estructuras con grosores muy pequeños comparados con la longitud de onda presentan una atenuación a la onda acústica de baja frecuencia, muy moderada. Es el caso del cristal de una ventana que con una densidad muy similar a la de la pared de cerámica, presenta un grosor de pocos milímetros comparado con la decena de centímetros de la pared. Su aislamiento acústico a bajas frecuencias será sin duda muy moderado. Las láminas y otros artilugios no consiguen mejorar este aislamiento. Nótese que el doble cristal ofrece el mismo aislamiento que un cristal equivalente a la suma de ambos. La cámara de aire de pocos milímetros que suelen tener estos cristales dobles, apenas mejora el rendimiento acústico. El cristal doble es ventajoso por aspectos de aislamiento térmico, y para evitar el efecto de condensación.

Para una frecuencia de 20 Hz la longitud de onda en el aire es de 16,5 m. aproximadamente y para 20.000 Hz es solo de 16,5 mm. En acústica se trabaja con señales con longitudes de onda decamétricas y milimétricas. Esto crea un grave problema no solo al realizar mediciones con garantías, sino a la hora de controlar con métodos de ingeniería el nivel sonoro. Este margen en frecuencia equivale en radiofrecuencia a las ondas de radio llamadas "largas" y las ondas de los radio enlaces por microondas. En ambos casos las antenas para captar y enviar las señales son totalmente distintas, así como los circuitos electrónicos asociados. En acústica se utiliza el mismo equipo de medida con el mismo micrófono y con los mismos procedimientos de medida para cualquier frecuencia. Evidentemente los resultados obtenidos, en muchas ocasiones no se ajustan a la realidad. Con demasiada frecuencia se olvida que algunos fenómenos físicos no se producen por igual a todas las frecuencias. Las soluciones a adoptar pueden ser radicalmente distintas en función del origen del problema. Materiales y soluciones constructivas correctas para unas frecuencias pueden ser ineficaces para otras, por los distintos comportamientos que un material ofrece para distintas frecuencias.

1.3. Medida del nivel sonoro. El decibelio.

Como se ha comentado anteriormente, la presión acústica es la magnitud física que indica si un sonido es más fuerte que otro. La unidad de medida de presión es el Pascal, pero es una magnitud que resulta excesivamente grande para indicar los niveles que el oído puede captar. Se pueden utilizar los submúltiplos, el mPa o el μPa. Al margen de la escala de niveles, el oído puede detectar variaciones de presión acústica entre los 20 μPa como un umbral auditivo y los 200 Pa como un umbral máximo de audición. La presión atmosférica normal se sitúa entorno a los 10.000 Pascal. Representar en una escala lineal estos niveles resulta imposible ya que la gran diferencia de orden de magnitud precisaría de una escala imposible de representar gráficamente. Weber sugirió que un cambio en la respuesta subjetiva R es proporcional a un cambio en la respuesta del estímulo S.

$$\delta R \propto \frac{\delta S}{S}$$

(1.2)

Integrando la expresión (1.2) se obtiene que la respuesta es proporcional al logaritmo del estímulo.

$$R = k \cdot \log S$$

(1.3)

En consecuencia, la sensibilidad auditiva no sigue una ley lineal con la presión acústica sino una relación logarítmica. Este aspecto es el que conduce a utilizar una escala de medida del nivel sonoro logarítmica, el Belio. Pero el Belio también es una magnitud muy grande y se utiliza un submúltiplo: el decibelio (décima parte del Belio). Así pues los niveles de sonido se miden en decibelios (dB). El decibelio pues es la relación logarítmica del cociente de presión recibida respecto de la presión de referencia, como muestra la expresión (1.4).

$$dB = 20 \cdot \log\left(\frac{P}{p_0}\right)$$

(1.4)

Donde:
P es la presión acústica percibida en el punto de medida.
P_0 es la presión de referencia.

Cuando la presión de referencia es de 20 μPa entonces los decibelios se llaman SPL (Sound Pressure Level). Normalmente los decibelios de sonido siempre son SPL, ya que en las mediciones acústicas se utiliza siempre la misma referencia (20 μPa). En la práctica normalmente no se suele indicar que los decibelios son SPL, ya que asume que siempre la referencia es la misma. La expresión (1.4) queda como:

$$dB_{SPL} = 20 \cdot \log\left(\frac{P}{p_0}\right) \tag{1.5}$$

Pero cuando se mide la presión acústica en un medio que no sea el aire, por ejemplo dentro del agua, la referencia pasa a ser de 1 µPa. Esto hace que los niveles de presión acústica dentro de un líquido expresados en decibelios sean 26 dB más elevados que los niveles en el aire. Los decibelios de nivel sonoro medidos en un líquido evidentemente no son SPL. Con frecuencia se lee en algún medio de comunicación que los niveles de ruido en el mar son muy elevados. Eso es totalmente cierto, pero se confunde al lector con las cifras mostradas, ya que estos niveles son con referencia a 1 µPa y no 20 µPa.

1.4. La intensidad sonora.

La intensidad sonora hace referencia a la energía acústica que recibe el oído. Esta magnitud depende del nivel y de la superficie afectada. Para un mismo nivel sonoro, a mayor superficie, menos intensidad. La intensidad acústica es proporcional a la presión cuadrática.

$$I \propto p^2 \tag{1.6}$$

El nivel de intensidad sonora expresada en decibelios será pues:

$$dB = 10 \cdot \log\left(\frac{P}{p_0}\right)^2 = 10 \cdot \log\left(\frac{I}{I_0}\right) \tag{1.7}$$

Donde:
I es la intensidad acústica en el punto de medida.
I_0 es la intensidad acústica de referencia.

La intensidad acústica se expresa en W/m². Esta potencia es la de la fuente acústica expresada en Watts acústicos.

Para ondas planas la intensidad acústica es:

$$I = \frac{P^2}{\rho c} \qquad (1.8)$$

Donde:

P es la presión acústica en el punto de medida.

ρ es la densidad del aire a la temperatura ambiente.

c es la velocidad del sonido.

Cuando el medio de propagación del sonido es el aire, al producto ρc se le llama impedancia característica del aire. A partir de la expresión anterior se puede determinar cual es la referencia en la medida de intensidad acústica. A partir del umbral auditivo del oído de 20 μPa y de la impedancia característica del aire ρc = 411 Rayls a 22 °C, se obtiene:

$$\text{Intensidad}_{referencia} = \frac{(20 \mu Pa)^2}{411} = 10^{-12} \, W/m^2 \qquad (1.9)$$

1.5. La potencia sonora.

La fuerza o capacidad de hacer ruido de una máquina se evalúa con su potencia sonora. Esta magnitud nos permite calcular el nivel de presión acústica en cualquier punto situado ya sea en un espacio cerrado o abierto. La potencia sonora es una propiedad de cada fuente sonora y es medida en Watts acústicos, que no deben confundirse con los Watts eléctricos. Un amplificador puede ser de 200 W, y la voz humana tiene una potencia del orden de 0,001 W, pero las dos potencias no son lo mismo aunque que el símbolo sea el mismo. En el primer caso son Watts eléctricos, mientras que en el segundo caso son Watts acústicos.

Normalmente la potencia acústica de una fuente sonora se indica en decibelios. Para pasar de Watts acústicos a decibelios se utiliza la expresión (1.10).

$$L_w = 10 \cdot \log\left(\frac{W}{W_0}\right) \qquad (1.10)$$

Donde:

W es la potencia acústica de la fuente en Watts.

W_0 es la potencia de referencia.

La mayoría de máquinas de uso exterior, llevan una etiqueta donde se indica el nivel de potencia acústica L_w expresado en decibelios. Este nivel no debe confundirse con la presión acústica que recibe el usuario o personas cercanas. Esta presión acústica deberá ser determinada por cálculo o medida y depende de las condiciones de contorno en los que trabaje la máquina.

1.6. Operaciones con decibelios.

Los decibelios no pueden sumarse o restarse algebraicamente, ya que son magnitudes logarítmicas, por tanto 30 dB + 30 dB no dan 60 dB. La forma más simple para sumar, es pasar los decibelios a intensidades, sumar éstas y hacer la conversión a logaritmo. Por ejemplo: Se suman tres fuentes de ruido una de 55 dB una de 58 dB y una tercera de 57 dB.

El nivel global se halla con la expresión:

$$Nivel\_total = 10 \cdot \log\left(10^{\left(\frac{55}{10}\right)} + 10^{\left(\frac{58}{10}\right)} + 10^{\left(\frac{57}{10}\right)} \right) = 61,6dB \qquad (1.11)$$

En la operación de la suma de decibelios, algunos cálculos pueden realizarse de forma simple para valores que cumplan unas determinadas condiciones. Así si una fuente presenta un nivel 10 dB inferior a la más cercana en valor, su contribución al nivel SPL total es despreciable. Por ejemplo, una fuente de ruido de 63 dB es despreciable ante una fuente de 73 dB o superior. Además, si dos fuentes sonoras tienen el mismo nivel de presión acústica, el nivel total se incrementa en 3 dB. Por ejemplo, dos fuentes de ruido de 58 dB cada una, producen un valor juntas de 61 dB.

La suma de decibelios en los casos expuestos anteriormente, suponen que las fuentes sonoras consideradas son incoherentes (ver capítulo 2, punto 2.4), aspecto que en general suele ser cierto en la mayoría de casos. La gran mayoría de fuentes sonoras son incoherentes, y la suma de dos fuentes que radian la misma presión acústica incrementa el nivel sonoro en 3 dB. Nótese que aunque el nivel sonoro en un punto sea el mismo, no significa que la potencia acústica de las fuentes sea la misma, ya que una de ellas podría estar más cercana al punto de medida.

1.7. Promediado de decibelios.

En ocasiones es útil promediar valores de nivel de presión sonora expresados en decibelios. A la hora de promediar podemos utilizar dos métodos: el aritmético y el geométrico (llamado también promedio energético). El promediado aritmético es el más utilizado, pero el geométrico suele ser el más adecuado. Usar uno u otro método depende del tipo de señal que se está promediando. Las diferencias entre ambos métodos son muy pequeñas cuando los valores son cercanos. Pero cuando los valores presentan mayor dispersión el valor final tiene una mayor influencia del valor mayor, ya que se trata de un promedio energético. El problema de los promedios está en la selección o validación de las mediciones. Una medición o mediciones incorrectas pueden hacer que el resultado promediado quede muy distante del valor real, cometiendo un error muy importante. La validación de los resultados de una medida es una tarea frecuentemente olvidada pero fundamental a la hora de hacer un informe.

Por ejemplo, la medida del ruido de fondo con una integración de 1 minuto, dentro de una habitación en período nocturno da como resultado:

	Medida 1	Medida 2	Medida 3	Medida 4
Nivel dB	28,2	27,1	28,6	27,9

El valor promediado queda:

Promediado	Aritmético	Geométrico
Nivel dB	27,950	27,984

Se han expresado en este ejemplo los valores en decibelios con 3 decimales para mayor claridad. El número de decimales no significa que la medida sea más precisa, sino que más bien pone en evidencia el desconocimiento de quien recurre a ello pensando en qué tiene mayor precisión. Debe tenerse siempre presente a qué corresponden los valores de ruido medidos. En el ejemplo anterior, se trata de ruido de fondo. ¿Realmente el ruido de fondo será de 28 dB? ¿Hasta qué punto el valor más bajo 27,1 dB indica realmente el ruido de fondo? Siendo el ruido de fondo conceptualmente el ruido residual en el punto de medida, debería considerarse al valor más bajo como el valor probablemente más cercano a la realidad. En el ejemplo el nivel de integración de 1 minuto puede ser excesivo para determinar el valor real del ruido de fondo, ya que probablemente, durante ese minuto, aparecen ruidos ajenos que elevan el nivel de ruido medido. Las mediciones donde se da un solo valor como resultado de una medición acústica de una duración preestablecida, son en ocasiones erróneas. Ese valor obtenido puede estar contaminado por ruidos ajenos que se produzcan durante el tiempo de medida. Únicamente con una selección de muestras temporal de la señal será posible verificar la exactitud y veracidad de dichas mediciones. Esto obliga a hacer un post-procesado de la señal y una validación del fragmento de señal medido. No todo lo que se mide durante un intervalo de tiempo es válido. En ocasiones debe desecharse parte de la medición.

El ejemplo siguiente muestra un caso hipotético donde tres de los cuatro valores son iguales. Se muestran dos casos complementarios, un valor elevado y el resto bajos y viceversa.

	Medida 1	Medida 2	Medida 3	Medida 4
Nivel dB	27	35	27	27

El valor promediado queda:

Promediado	Aritmético	Geométrico
Nivel dB	29,000	30,669

Para el caso complementario:

	Medida 1	Medida 2	Medida 3	Medida 4
Nivel dB	35	35	27	35

El valor promediado queda:

Promediado	Aritmético	Geométrico
Nivel dB	33,000	33,974

Es remarcable la influencia devastadora de un valor más elevado sobre el resultado final, mientras que el caso contrario no es tan influyente. En el primer caso el valor más probable es el 27, y sin embargo el promedio energético da 30,7 dB, un error de 3,7 dB al alza.

En el segundo caso el valor más probable es el 35 dB, y el promedio energético da 34 dB, un error de 1 dB por debajo.

En los dos casos expuestos anteriormente sería necesario realizar una selección de datos, empleando cualquier técnica estadística como la desviación típica para establecer un margen de aceptación o rechazo de la medida. Dicha selección debe realizarse teniendo en cuenta a qué corresponden los niveles de ruido. Por ejemplo si es ruido de fondo, deberían prevalecer los niveles más bajos. Caso de ser nivel de inmisión sonora procedente de una actividad será más adecuado el promedio geométrico, siempre que la fuente de ruido tenga un nivel variable.

Capítulo 2
PROPAGACIÓN DEL SONIDO

2.1. Ondas transversales y longitudinales.

La figura 2.1. muestra el fenómeno de la formación de una onda acústica en el aire en dos dimensiones. Se trata de una onda longitudinal. En una onda longitudinal, el desplazamiento de las partículas es paralelo a la dirección de desplazamiento de la onda acústica. La figura 2.1. ilustra el efecto de accionar un pistón dentro de un tubo. El pistón tiene un movimiento vibratorio horizontal, y ajusta perfectamente en el tubo. Cuando el pistón se desplaza a la derecha "comprime" las partículas de aire. De hecho las junta, formando los máximos de presión. Cuando el pistón se desplaza hacia la izquierda, se forma una depresión y esto origina el mínimo de presión. Estos máximos y mínimos de presión se van desplazando, conservando su distancia, de izquierda a derecha en este caso y no se quedan estáticos en una posición. Este desplazamiento no implica que las partículas se desplacen sino que es la onda acústica la que lo hace. Se muestra en un instante T la distribución de presiones dentro del tubo. El desplazamiento de la onda acústica, a la temperatura ambiental, es de unos 345 m/s. Cabe destacar que las partículas de aire realmente no se desplazan de izquierda a derecha, sino que vibran alrededor de un punto de equilibrio.

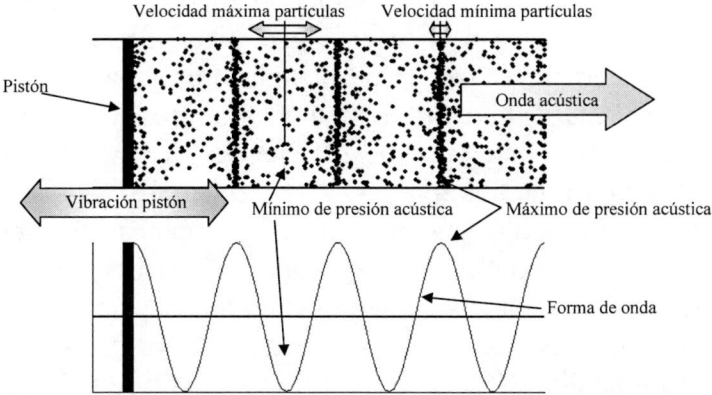

Fig. 2.1. Onda acústica longitudinal. Los puntos representan partículas de aire. Nótese como los máximos de presión coinciden con la proximidad de partículas y corresponden a un mínimo de velocidad de las partículas.

La onda acústica es un fenómeno asociado a una vibración, pero no comporta ningún desplazamiento físico de materia. En una onda transversal, el desplazamiento de las partículas sobre su punto de equilibrio es perpendicular al sentido de propagación de la onda acústica. Un ejemplo sería una cuerda atada por un extremo a una pared rígida. Si el otro extremo se desplaza arriba y abajo, se genera una onda que se desplaza hacia el punto de fijación. Las ondas en la superficie del agua son una combinación de ondas transversales y ondas longitudinales. Si nos fijamos atentamente en un punto situado en la superficie, veremos que éste sube y baja, pero al mismo tiempo también avanza y retrocede en la dirección de propagación de la onda. Esta trayectoria como podemos observar en la figura 2.2. es un círculo.

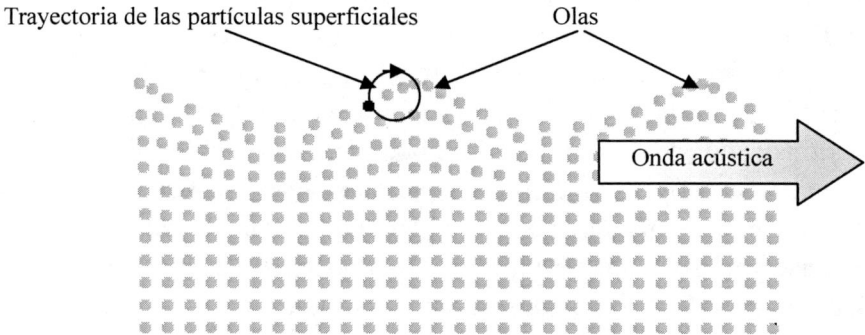

Fig. 2.2. Movimiento de una partícula sobre la superficie del agua. Nótese que su movimiento describe una trayectoria circular.

2.2. Tipo de fuentes acústicas.

Se llama fuente acústica a cualquier elemento que radia sonido. Si escuchamos un sonido, es porque en algún lugar alguna cosa vibra. Las vibraciones son siempre el origen del sonido. Las vibraciones pueden ser perceptibles por el cuerpo humano en función de su amplitud y frecuencia. Las bajas frecuencias si son de amplitud suficiente se pueden detectar fácilmente a través del cuerpo, mientras que las altas frecuencias no son perceptibles corporalmente, pero si que podemos llegar a escuchar su efecto, cuando una superfície está vibrando. Una fuente acústica puede ser un altavoz, una lavadora, etc. Las vibraciones, generalmente, se asocian a fenómenos que "se perciben" con el cuerpo, por ejemplo un temblor. En este caso es una vibración llamada de baja frecuencia, que probablemente no será audible por vía ótica (por el oído) sino por vía corpórea. Si se observa el movimiento de un altavoz de una caja acústica (bafle), se podrá ver vibrar el cono del altavoz de baja frecuencia. En cambio el altavoz pequeño, el de los agudos, no se llega a ver que vibre. Las vibraciones de alta frecuencia generalmente llevan asociados niveles de desplazamiento muy pequeños, imperceptibles a simple vista y no detectables en contacto con los dedos. Sin las vibraciones el sonido no podría existir. Es necesario tener presente que la vibración de un elemento genera el sonido, y que es necesaria alguna cosa que permita que nos llegue. Este elemento generalmente suele ser el aire que nos rodea, aunque también podría ser un líquido o un sólido. Para que un objeto que vibra radie sonido es necesario que éste presente una determinada superficie y pueda desplazar un buen número de partículas de aire. A mayor superficie, mayor nivel sonoro radiado, pero también mayor inercia y en consecuencia menor contenido de frecuencias altas. Por otro lado, a mayor superficie existe una mayor dificultad para que ésta pueda vibrar. Las placas metálicas de un tren cuando vibran, radian principalmente baja frecuencia. Las superficies de una aspiradora también vibran pero no pueden radiar esas bajas frecuencias.

Las fuentes sonoras pueden ser direccionales o bien omnidireccionales. Las primeras radian el sonido en una dirección preferente del espacio, por ejemplo una bocina. Las segundas radian el sonido en todas las direcciones del espacio. Esta propiedad de la fuente depende de sus dimensiones, de las frecuencias radiadas y de su ubicación. El caso más sencillo es el de la fuente omnidireccional. La mayoría de fuentes, a bajas frecuencias, suelen ser de este tipo. Por ejemplo: una caja acústica, una persona, un coche parado, etc. El frente de ondas que genera la fuente se propaga en todas las direcciones posibles de manera uniforme. Este tipo de fuentes acústicas se llama fuente puntual.

Fuente puntual quiere decir que se substituye la fuente real por un punto en el espacio. Este punto da la referencia para evaluar distancias y trazar trayectorias del sonido. Una fuente omnidireccional radia ondas esféricas. Pero esto no quiere decir que la forma de estas ondas sea realmente esférica. La figura 2.3. muestra el ejemplo de dos fuentes esféricas. A la izquierda una fuente acústica que radia en forma esférica, a la derecha una que radia en forma de elipsoide.

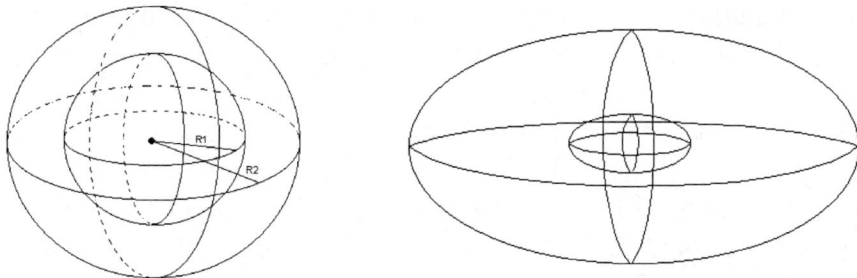

Fig. 2.3. A la izquierda una radiación en forma esférica. A la derecha en forma de elipsoide. En ambos casos se trata de radiaciones de ondas esféricas.

El tipo de fuente acústica nos indica cómo es la propagación del sonido hacia el espacio que lo rodea. Esto es muy importante de cara a saber predecir con exactitud el nivel que una fuente de ruido puede generar sobre un punto receptor situado a una cierta distancia. Aunque hay excepciones que se irán indicando más adelante, las fuentes que radian bajas frecuencias son generalmente omnidireccionales, mientras que las que radian a frecuencias medias y altas son más directivas. Podemos poner por ejemplo una caja acústica. Los agudos se escuchan en toda su intensidad cuando se está delante del eje de radiación principal. Las bajas frecuencias en cambio se perciben por igual.

La directividad Q de una fuente es el cociente entre la presión al cuadrado de la fuente problema respecto de una fuente de referencia. Esta variable es adimensional, y su valor oscila entre 1 y ∞. Cuanto más elevado sea su valor más directiva es la fuente. La Q también puede ser inferior a cero, aunque no tiene mucho sentido práctico. La directividad de una fuente acústica viene dada por la expresión 2.1.

$$Q = \frac{p_\theta^2}{p_s^2} = \frac{I_\theta}{I_s} \tag{2.1}$$

Si expresamos la Q en decibelios, obtenemos el índice de directividad DI.

$$DI = 10 \cdot LogQ \tag{2.2}$$

Si la fuente omnidireccional está suspendida en el espacio, radia sonido en todas las direcciones. La Q de la fuente nos indica si ésta es o no directiva. Si Q = 1 la fuente es omnidireccional. Si Q > 1 la fuente acústica es direccional. Si la misma fuente está apoyada en una superficie reflectora, tendrá una radiación semiesférica. En este caso la pared proyecta hacia adelante el sonido que debería ir hacia atrás. De esta manera el nivel de sonido obtenido es más elevado, es decir, la pared hace de refuerzo acústico. La presión acústica, manteniendo la misma distancia a la fuente, se duplica y el nivel de presión sube 3 dB. Como el espacio donde radia la fuente es la mitad que el anterior (todo el espacio), se dice que el factor de espacio es 2, y entonces la Q=2. Si la fuente omnidireccional se sitúa en una arista de dos superficies reflectoras, el factor de espacio es de 4 y la Q=4. En este caso se cuadruplica la presión acústica, y por tanto el nivel de presión sube

6 dB. Si la fuente omnidireccional se sitúa en un vértice, el factor de espacio es 8 y la Q=8. Esto hará aumentar la presión acústica 8 veces y por tanto el incremento del nivel de presión será de 9 dB. Todo esto queda resumido gráficamente en la figura 2.4.

Como fuente de sonido para el ejemplo se ha utilizado una caja acústica. Manteniendo constante la potencia eléctrica aplicada a la caja acústica, el nivel de sonido obtenido a una distancia constante de la caja depende de la ubicación de ésta dentro de la sala. El nivel puede llegar a aumentar hasta 9 dB. Asímismo, las características acústicas de la sala pueden hacer variar estos valores, ya que si las superficies no reflejan todo el sonido que les llega, los incrementos obtenidos serán inferiores a los indicados anteriormente.

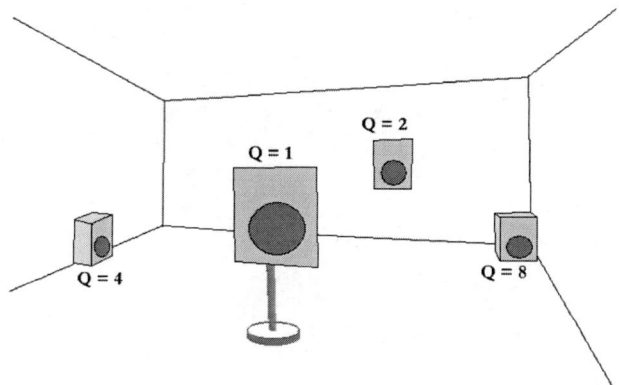

Fig. 2.4. Influencia de la ubicación de una caja acústica sobre su directividad.

En la mayoría de casos reales los focos sonoros pueden aproximarse a una fuente puntual. Aunque este tipo de fuentes englobe a una gran mayoría, no permite estudiar la totalidad de ellas de una manera única. Será necesario tener en cuenta sus características particulares, dimensiones, frecuencias radiadas. Por ejemplo un avión, una máquina de tren o un barco, no pueden considerarse como fuentes puntuales si la distancia de medida no es suficientemente grande. Las fuentes acústicas tienen otras particularidades, por ejemplo, nos permiten conocer su comportamiento a la hora de buscar la causa de un ruido.

El nivel de presión sonora para una fuente no direccional es:

$$L_{p_s} = 10 \log \frac{p^2}{4 \cdot 10^{-10}}$$

(2.3)

Considerando que:

$$I = \frac{p^2}{\rho c}$$ (2.4)

Como $\rho c = 400$, el área de una esfera $= 4\pi r^2$ y que $I = W/\text{área}$, queda:

$$L_{p_s} = 10\log\left(\frac{W \cdot 10^{12}}{4\pi r^2}\right)$$ (2.5)

El nivel SPL para una dirección θ depende del valor de Q_θ y la ecuación 2.5 queda:

$$L_{p_\theta} = 10\log\frac{W \cdot Q_\theta \cdot 10^{12}}{4\pi r^2}$$ (2.6)

Finalmente aplicando logaritmos:

$$L_{p_\theta} = L_W + D \cdot I_\theta - 20\log r - 11$$ (2.7)

2.3. Patrón de radiación de las fuentes acústicas.

Las fuentes acústicas pueden clasificarse, según el patrón de propagación, en tres tipologías distintas:

- Fuentes puntuales o esféricas.
- Fuentes lineales o cilíndricas.
- Fuentes planas.

Cualquier fuente sea natural o artificial ha de estar englobada en uno de estos grupos. Cuando ésta es compleja, pueden surgir dudas sobre el patrón que sigue la ley de propagación. Hay que tener presente además que en el caso de fuentes lineales o planas las dimensiones consideradas siempre son infinitas. En el caso de una fuente de dimensiones finitas, su ley de propagación puede variar en función de la distancia de separación considerada. Así, un tren se podría considerar una fuente lineal, pero visto desde 1 Km. de distancia, se puede considerar puntual.

2.3.1. Fuentes puntuales o esféricas.

Una fuente puntual es cualquier fuente acústica que cumpla:

1. Sus dimensiones son mucho menores que la distancia de medida.
2. Sus dimensiones son mucho menores que λ.
3. El Ka $\ll$ 1.

K es el número de onda. (K = $2\pi/\lambda$).
a es el diámetro de la fuente.

Del primer punto se deduce que para realizar correctamente una medida de nivel de ruido, es necesario situarse a una distancia que sea al menos 2 ó 3 veces mayor que las dimensiones de la fuente. Nótese que esta condición no depende de las características de la fuente sino de la posición de medida. En general, las fuentes pequeñas no pueden radiar bajas frecuencias. El fenómeno vibratorio asociado a las superficies de la fuente permite que ésta pueda emitir ruido.

La segunda condición también es cierta en la mayoría de casos. La longitud de onda a que hace referencia este apartado es la más baja que puede radiar la fuente, o bien la que queremos analizar si es que la fuente puede radiar diversas frecuencias.

La tercera es de vital importancia en electroacústica para valorar la capacidad de radiación de un altavoz.

La intensidad de la fuente puntual a una distancia r, sabiendo que la ley de propagación es esférica, se puede obtener a partir de la potencia acústica W con la expresión siguiente:

$$\left|\vec{I}\right| = \frac{W}{4\pi \cdot r^2} \qquad (2.8)$$

Para una distancia recorrida de r_1 a r_2, la relación de intensidades será:

$$\frac{\left|\vec{I}_1\right|}{\left|\vec{I}_2\right|} = \frac{r_2^2}{r_1^2} \qquad (2.9)$$

Esto permite encontrar la atenuación de las intensidades a las distancias r_1 y r_2:

$$10 \cdot \text{Log} \frac{I_1}{I_2} = 10 \cdot \text{Log} \frac{\dfrac{I_1}{I_0}}{\dfrac{I_2}{I_0}} = L_1 - L_2 = 10 \cdot \text{Log} \frac{r_2^2}{r_1^2} \tag{2.10}$$

$$L_1 - L_2 = 20 \cdot \text{Log} \frac{r_2}{r_1} \tag{2.11}$$

Si hacemos que $r_2 = 2\, r_1$, entonces la atenuación es de –6 dB/dd (doble distancia).

Las fuentes puntuales constituyen la gran mayoría de fuentes que podemos encontrar en cualquier parte. Las fuentes puntuales son las que se han comentado en el apartado anterior. Un aspecto a considerar es la forma de propagación acústica. Todas las fuentes puntuales tienen la particularidad de que la propagación sigue la ley de atenuación de -6 dB/dd. Esta característica es independiente de otras características de la fuente.

Hay que tener en cuenta que este valor de atenuación es válido en campo libre, y evidentemente estando suficientemente alejados de la fuente. Cuando la fuente sonora se encuentra dentro de una sala, las condiciones acústicas de ésta son las que determinaran los niveles sonoros dentro de la sala. Normalmente la reverberación asociada hace que la ley de atenuación quede alterada. La figura 2.5. ilustra la ley de propagación para una fuente puntual en campo libre.

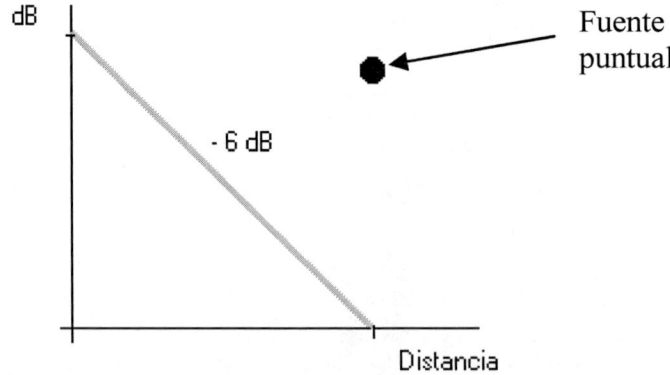

Fig. 2.5. Atenuación de 6 dB al doblar la distancia de una fuente puntual en campo libre. El origen de coordenadas no está sobre la fuente sino a una distancia prudencial.

2.3.2. Fuentes lineales o cilíndricas.

Cuando la fuente sonora presenta en una dimensión unas magnitudes más grandes que el resto, se llama fuente lineal o cilíndrica. Su frente de ondas no se propagará de forma esférica, sino de forma cilíndrica. Un ejemplo de este tipo de fuente puede ser un tren, una carretera, etc.

En una fuente lineal, conocida la ley de propagación cilíndrica, se puede obtener la intensidad a una distancia r con la expresión:

$$\left|\vec{I}\right| = \frac{W}{4\pi \cdot r} \qquad (2.12)$$

La relación de presiones a dos distancias de la fuente r_1 y r_2 nos conduce a la expresión:

$$L_1 - L_2 = 10 \cdot Log\frac{r_2}{r_1} \qquad (2.13)$$

Si hacemos que $r_2 = 2\,r_1$, entonces la atenuación es de –3 dB/dd.

La atenuación por distancia de este tipo de propagación, es de -3 dB/dd. Por tanto, a igualdad de nivel de potencia de la fuente, el nivel de sonido radiado por una fuente lineal llega más lejos que el de una fuente puntual, ya que la atenuación de la lineal es de -3 dB/dd en lugar de los -6 dB/dd de la fuente puntual. La forma de radiación es cilíndrica, por tanto si nos desplazamos de forma paralela a la línea de la fuente, el nivel de sonido permanece constante. La figura 2.6. muestra un ejemplo de propagación cilíndrica. Destacamos que se puede hablar de propagación lineal o cilíndrica indistintamente.

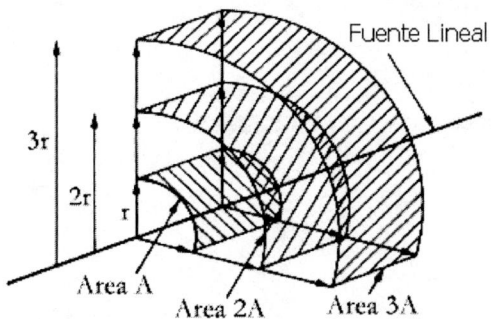

Fig. 2.6. Ejemplo ilustrativo de una sección de la propagación acústica de una fuente lineal. El área aumenta proporcionalmente al radio.

Pero las fuentes reales no son infinitas, tienen dimensiones finitas. Un caso bastante común lo constituyen las carreteras. Si estamos a distancias cercanas de la fuente, por ejemplo, a unos 10 metros de una carretera, podemos considerar a ésta como una fuente lineal infinita, ya que el observador (mirando perpendicularmente a la carretera) no puede ver dónde empieza y dónde termina la carretera. Pero si nos alejamos unos 100 m, seguramente que veremos únicamente una parte de la carretera, ya que muy probablemente algún obstáculo o la topografía del terreno, y en última instancia la curvatura de la tierra, nos impedirán la visión total hasta el infinito.

En este segundo caso, la fuente que inicialmente era lineal, la podemos considerar como una fuente puntual, ya que sus dimensiones reales respecto de la distancia de separación son pequeñas. La figura 2.7. nos muestra el tipo de propagación de una fuente lineal en función de la distancia de separación entre la fuente y el observador. Para distancias inferiores a A/π, la ley de propagación es de –3 dB/dd. Para distancias superiores a A/π, la fuente lineal se comporta como una fuente puntual y la ley de propagación pasará a ser de –6 dB/dd. Por tanto, la parte más afectada por el ruido de una carretera es la zona más cercana a ésta, sin poder precisar más, ya que será necesario saber su situación exacta con obstáculos y otros elementos para hacer un cálculo preciso. Esta distancia dependerá evidentemente del "ángulo de visión acústico" sobre la carretera. A mayor ángulo de visión, más lejos queda la zona de propagación esférica. Nótese pues que considerar que la ley de propagación de una carretera es siempre de -3 dB/dd puede conducir a resultados totalmente erróneos. En principio las zonas cercanas a las vías de comunicación deberían estar consideradas como zonas de servicios, tal como se contempla en la Directiva 2002/49/CE del Parlamento Europeo.

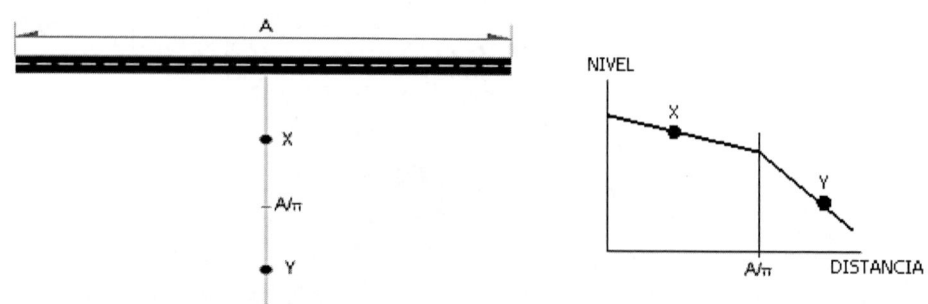

Fig. 2.7. Una fuente lineal de dimensión A se comporta como tal hasta una distancia entre fuente y receptor A/π.

La extensión de estas zonas dependerá no solamente de las condiciones climáticas de la zona, sino de la topografía y ángulo de visión del receptor sobre la carretera. Una fuente lineal real puede estar formada por diversas fuentes puntuales en movimiento, como es el caso de una carretera.

2.3.3. Fuentes planas.

Estas fuentes se pueden encontrar en condiciones controladas de laboratorio o en determinadas aplicaciones. Representan un pequeño porcentaje de las que se pueden encontrar en situaciones reales. En principio, una onda plana se puede formar si limitamos el espacio de propagación dejando a la onda una sola dirección de propagación. Por ejemplo, con un tubo, el sonido es "obligado" a avanzar por el interior del tubo. En un extremo se pone la fuente de ruido y la onda generada se propagará hacia el extremo opuesto. La propagación por tubos o guías de onda es una aplicación muy empleada en algunos barcos para comunicar las órdenes del comandante a la sala de máquinas por ejemplo. Al hablar por un extremo, el sonido va conducido hasta llegar al otro extremo. El tubo introduce coloraciones al sonido y por tanto falsea la calidad de la voz, pero el mensaje se entiende perfectamente. Las ondas planas ideales tienen una atenuación de propagación de 0 dB/dd, por tanto no se atenúan con la distancia. Una aplicación de laboratorio es el tubo de Kundt. Se utiliza para medir las características de materiales acústicos, y también es conocido como tubo de impedancias. La propagación acústica en su interior es mediante ondas planas. En un extremo del tubo se pone la muestra de material acústico y en el extremo opuesto está el altavoz que es la fuente de señal. Con este sistema se puede medir el grado de absorción acústica de un material, para incidencia normal. Para hacer una fuente plana en campo libre, ésta debería tener unas dimensiones infinitas. Las fuentes de dimensiones muy grandes presentan esta particularidad en sus cercanías, aunque en esos casos se está en campo próximo donde el patrón de radiación de la fuente no está conformado.

La figura 2.8. muestra la evolución del tipo de propagación de una fuente plana de dimensiones finitas AxB. Si éstas son bastante importantes, podemos asegurar proyectar el sonido a grandes distancias. Nótese que para los puntos cercanos de la fuente, la ley de atenuación es de 0 dB/dd. Superada la influencia de la menor dimensión, en este caso B, la fuente pasa a ser lineal, y por tanto la ley de propagación ahora es de -3 dB/dd. Cuando la mayor dimensión A, también se hace relativamente pequeña respecto de la distancia de separación, se considera fuente puntual. A partir de la distancia A/π, la ley de propagación es de -6 dB/dd.

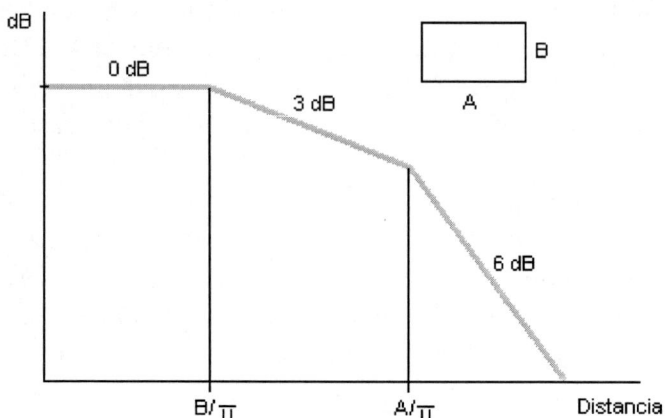

Fig. 2.8. Evolución de la propagación de una fuente plana en función de las dimensiones de ésta.

No se debe confundir la ley de propagación acústica que corresponde al tipo de fuente, con su directividad. En función de la ubicación de la fuente, y de las frecuencias radiadas, ésta será más o menos directiva, pero la ley de propagación se mantiene invariable. En el caso mostrado en la figura 2.4, la ley de propagación siempre sería de –6dB/dd suponiendo que estamos en una sala sin reflexiones, o sea anecoica. Realmente la ley de propagación depende de la fuente en sí misma y es invariante, no depende de las condiciones de contorno. Si la sala presenta algunas reflexiones, entonces la ley de atenuación queda diluida por efecto de la sala. Este efecto se manifiesta con una menor atenuación al doblar la distancia. Estamos entonces dentro del llamado campo reverberante de la sala.

2.4. Fuentes coherentes. Fuentes incoherentes.

La coherencia o no de una fuente acústica está relacionada con el tipo de señal emitido por la fuente. Una señal donde la fase es importante (caso de un tono puro), entonces la fuente se llama coherente. Esto es importante porque únicamente en este caso se pueden producir cancelaciones parciales o totales del sonido, y por tanto el nivel de presión acústico en un punto puede variar extraordinariamente. Las fuentes coherentes emiten siempre tonos puros. En la vida real, la mayoría de fuentes no emiten tonos puros, sino señales complejas formadas por una mezcla de múltiples frecuencias con diferentes amplitudes. Estas fuentes son las llamadas fuentes incoherentes, donde el término fase ya no es tan importante. En este caso, la predicción del nivel de presión acústico en un punto receptor no puede representar sorpresas.

Un caso interesante es averiguar el nivel de presión acústica cuando más de una fuente está actuando de forma simultánea sobre un mismo punto de inmisión acústica. Si se consideran dos fuentes con unas presiones $p_1(t)$ y $p_2(t)$ respectivamente en un punto del espacio, la presión total de las dos será:

$$p_{tot}(t) = p_1(t) + p_2(t) \qquad (2.14)$$

Y la presión cuadrática promedio será:

$$\overline{p_{tot}^2(t)} = \frac{1}{T}\int_0^T [p_1(t) + p_2(t)]^2 dt \qquad (2.15)$$

Entonces nos queda:

$$\overline{p_{tot}^2} = \overline{p_1^2} + \overline{2p_1p_2} + \overline{p_2^2} \qquad (2.16)$$

En la mayoría de casos tendremos fuente incoherente, donde el promedio temporal del producto $2p_1p_2$ será cero.

Para fuentes incoherentes pues:

$$\overline{p_{tot}^2} = \overline{p_1^2} + \overline{p_2^2} \qquad (2.17)$$

En el caso de dos fuentes iguales, que radian con la misma presión acústica:
$p_1 = p_2$

$$\overline{p_{tot}^2} = \overline{2p_1^2} \qquad (2.18)$$

$$SPL = 10 \cdot Log\left(2\frac{p_1^2}{p_0^2}\right) = 10 \cdot Log\left(\frac{p_1^2}{p_0^2}\right) + 3 \qquad (2.19)$$

Por lo tanto el incremento del nivel de presión acústica, para dos fuentes incoherentes con la misma presión acústica, será de 3 dB tal como indica la expresión (2.19).

La figura 2.9. muestra cómo se puede realizar la suma de niveles de fuentes incoherentes de forma gráfica. Cuando la diferencia de nivel de presión entre las fuentes es superior a 10 dB, se puede despreciar la más pequeña.

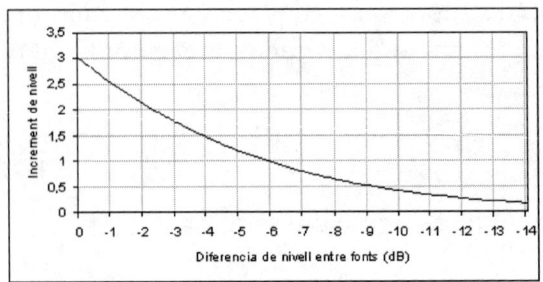

Fig. 2.9. Incremento de nivel de presión acústica al sumar dos fuentes incoherentes de diferente nivel SPL.

En caso de tener dos fuentes coherentes de la misma presión acústica, p_1 = p_2, se pueden producir sumas constructivas y destructivas. En el caso de ser constructivas, las señales estarán en fase y entonces tendremos:

$$p_1 p_2 = p_1^2 \qquad (2.20)$$

Y por tanto la presión cuadrática promedio es:

$$\overline{p_{tot}^2} = \overline{4 p_1^2} \qquad (2.21)$$

$$SPL = 10 \cdot Log\left(4 \frac{p_1^2}{p_0^2}\right) = 10 \cdot Log\left(\frac{p_1^2}{p_0^2}\right) + 6 \qquad (2.22)$$

Donde es evidente que el incremento de presión en el punto de inmisión acústica será de 6 dB. Por tanto, en el caso de fuentes coherentes los incrementos pueden ser importantes, también los mínimos de presión, que en caso de cancelación de la señal sería de nivel cero, es decir, el silencio. Este es en principio básico de la famosa cancelación activa del ruido. En un recinto cerrado por ejemplo, si aplicamos a un altavoz una señal de frecuencia de unos 2 KHz, podremos encontrar máximos y mínimos de presión moviendo la cabeza a un lado y otro. Esto es importante en la sonorización de espacios cerrados. Si un micrófono se coloca cercano de un punto donde hay un máximo de presión, tendrá mucha facilidad para acoplarse (efecto Larsen). Desplazando este micrófono de su posición original, se consigue minimizar (no eliminar) este problema. Existen sistemas que cancelan electrónicamente este acoplamiento.

2.5. Agrupación de fuentes.

Como su nombre indica, una agrupación de fuentes acústicas es un conjunto de fuentes generalmente puntuales, agrupadas adoptando diversas formas geométricas. Su disposición y separación, juntamente con las frecuencias radiadas, modifican el patrón de radiación. Las máquinas se pueden considerar siempre como una agrupación de fuentes simples (puntuales). La dificultad está en saber exactamente como están distribuidas estas fuentes, para saber cual será el patrón de radiación.

Las formas planas son relativamente simples de analizar y prever cuales serán las frecuencias de radiación principales. Estructuras más complejas, conducirán a una agrupación de fuentes puntuales desconocida. En otros casos, como un refuerzo de sonido con altavoces, la agrupación de éstos permite dirigir de forma más eficiente el sonido en una dirección preferente. En acústica ambiental generalmente se encuentran agrupaciones de fuentes puntuales.

2.5.1. Fuentes Discretas en Línea.

Este tipo de fuentes se modelan suponiendo la existencia de n fuentes sonoras idénticas, situadas sobre una línea y separadas entre ellas por una distancia b, como muestra la figura 2.10. Cada punto podría corresponder por ejemplo a la situación de un vehículo sobre una carretera.

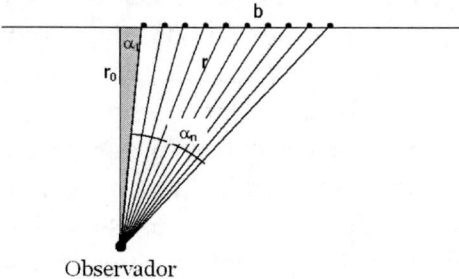

Fig, 2.10. Agrupación infinita de fuentes puntuales en línea.

El nivel de presión sonora en el punto del observador situado en campo libre, viene dado por la ecuación 2.23:

$$L_p = L_{W_1} + 10 \cdot \log\left(\frac{\alpha_n - \alpha_1}{r_0 b}\right) + \Delta L - 8 \tag{2.23}$$

Donde:
L_{W1} es la potencia sonora de cada una de las fuentes sonoras.
$\alpha_n - \alpha_1$ es la diferencia de ángulos entre la primera y la enésima fuente.

r_0 es la distancia perpendicular del observador a la línea.

b la distancia entre dos fuentes consecutivas.

n es el número de fuentes.

ΔL viene dado por la expresión:

$$\Delta L = 10 \cdot \log\left[\frac{b}{r_0}\frac{\cos^2\alpha_1}{\alpha_n - \alpha_1}\sum_{m=1}^{n}\frac{1}{1 + (m+1)\dfrac{b}{r_0}\cos\alpha_1\left[(m-1)\dfrac{b}{r_0}\cos\alpha_1 + \sin\alpha_1\right]}\right]$$ (2.24)

La corrección ΔL es menor que 1 dB y por tanto despreciable, si se cumple que:

$$n \geq 3$$

$$\frac{r_0}{b\cos\alpha_1} \geq \frac{1}{\pi}$$ (2.25)

En la mayoría de casos la corrección ΔL se puede obviar. La expresión anterior parte de la hipótesis de que las fuentes son todas iguales y además, están separadas por la misma distancia. En la práctica esta situación no se produce, podemos encontrar más de una línea de paso de vehículos y con una distribución irregular de éstos que hace que las distancias no sean constantes. Asímismo, el ángulo de visión desde el punto de observación sobre la fuente se hace muy importante, obteniéndose más nivel para un ángulo concreto.

Suponiendo un número infinito de fuentes tendremos que $\alpha_n - \alpha_1 = \pi$, y entonces el nivel SPL en el punto observador se obtiene substituyendo en la ecuación (2.23) que tendrá dos posibilidades en función de la distancia de separación entre el observador y la trayectoria de paso de las fuentes, respecto de la separación entre éstas.

Para: $r_0 < \dfrac{b}{\pi}$

El receptor recibe la influencia principalmente de la fuente más cercana en cada instante, ya que el resto están alejadas y queda:

$$L_p = L_{W_1} + 10 \cdot \log\left[\frac{\pi}{r_0 b}\right] - 8$$ (2.26)

36

Operando se obtiene la expresión 2.27:

$$L_p = L_{W_1} - 0 \cdot \log r_0 - 8 \tag{2.27}$$

Para: $r_0 \geq \dfrac{b}{\pi}$

El receptor recibe la influencia de diversas fuentes de forma simultánea, y queda:

$$L_p = L_{W_1} - 10 \cdot \log r_0 b - 3 \tag{2.28}$$

Podemos observar que en el primer caso, la propagación es esférica, mientras que en el segundo caso es cilíndrica.

2.5.2. Fuentes Lineales Finitas.

El caso de las fuentes de dimensiones grandes, como un tren, se puede hacer la hipótesis de considerar un número infinito de fuentes puntuales todas idénticas, agrupadas formando la fuente grande, de longitud d. El grosor de la fuente acústica no se considera. De hecho sería como una fuente lineal de dimensiones finitas.

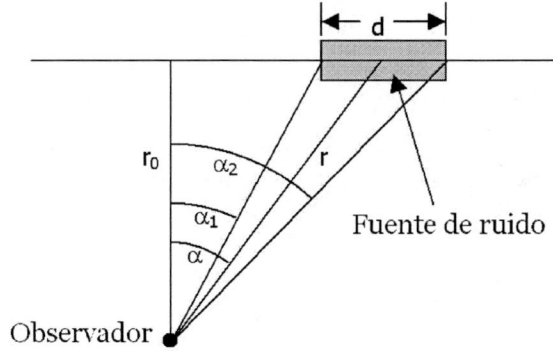

Fig. 2.11. Distancias y ángulos considerados en la ecuación (2.29) para evaluar el nivel SPL en el observador.

En la práctica el modelo real es mucho más complejo, ya que las fuentes son todas de diferentes características. La figura 2.11. muestra los ángulos y distancias consideradas para calcular el nivel SPL que radia y que vendrá dado por la expresión (2.29). En este caso el nivel de presión sonora en el observador viene determinado por:

$$L_p = L_{W_L} + 10 \cdot \log\left(\frac{\alpha_2 - \alpha_1}{r_0 d}\right) - 8 \tag{2.29}$$

Donde:

L_{WL} es la potencia acústica por unidad de longitud.

α_1 y α_2 son los ángulos indicados en la figura 2.11.

d es la longitud de la fuente considerada.

r_0 es la distancia normal entre el observador y la trayectoria que sigue la fuente.

El concepto de potencia acústica por unidad de longitud es un parámetro muy empleado por los simuladores en los cálculos de nivel SPL en exteriores producido por carreteras, trenes, etc. Este tipo de fuentes se suelen caracterizar por su potencia por unidad de longitud. Hay que recordar que las fuentes lineales finitas mantienen el comportamiento hasta una distancia d/π. Para distancias de separación mayores, la propagación pasa a ser esférica.

2.6. Factores ambientales.

En todos los casos tratados anteriormente se ha supuesto un medio de propagación homogéneo y sin absorción del aire, pero evidentemente la propagación del sonido en la atmósfera conlleva "per se" la pérdida de energía en forma de calor, y la presión acústica se va reduciendo durante la propagación de la onda de forma exponencial. Así pues, además de la atenuación por divergencia de la onda acústica, será necesario añadir la atenuación debida al medio (aire). Esta atenuación es variable y será en función de la climatología asociada a la zona de medida. Para una onda esférica esta disminución se puede cuantificar como:

$$\Delta L = 20 \cdot \log e^{-\alpha_a (r_1 - r_2)} \tag{2.30}$$

Donde:

α_a es una constante que caracteriza la atenuación del medio de propagación.

$r_1 - r_2$ es la distancia recorrida por el sonido.

Aplicando logaritmos se obtiene la expresión:

$$\Delta L = 8{,}7\alpha_a (r_1 - r_2) \tag{2.31}$$

De aquí podemos deducir que $8,7\alpha_a$ son los decibelios perdidos por metro recorrido debido a la absorción del medio. Esta relación es idéntica para todas aquellas pérdidas de energía debidas al carácter disipativo del medio.

2.6.1. Influencia de la Temperatura y de la Humedad.

Cuando la onda acústica se propaga por el aire, experimenta la influencia del medio. En espacios cerrados de dimensiones no demasiado grandes, fenómenos como la humedad y la temperatura tienen una importancia relativamente pequeña. Pero en espacios exteriores, la influencia de las condiciones climáticas juega un papel muy importante. Se constata experimentalmente que con unas condiciones climáticas similares, pero no iguales, las variaciones de nivel SPL recibido en un punto pueden llegar a los 30 dB. Es evidente que determinados aspectos relacionados con el medio son de vital importancia. También hay que tener presente que, en muchos casos, las previsiones basadas en un programa específico no dan una previsión ajustada a la realidad.

Dentro de los factores climatológicos que influyen sobre la propagación del sonido, se pueden distinguir los que se pueden cuantificar fácilmente, como la temperatura, la humedad y el viento. Considerando la influencia de únicamente la humedad y la temperatura sobre la absorción del sonido, la atenuación atmosférica a 20 °C puede ser calculada con la expresión (2.32).

$$\Delta L = 7,4 \frac{f^2 \cdot r}{h} 10^{-8} \tag{2.32}$$

Donde:

ΔL es la atenuación en dB que introduce el medio.

f es la frecuencia de la banda considerada en Hz.

h es la humedad relativa en %.

r es la distancia entre la fuente y el observador en metros.

Para otras temperaturas y considerando una humedad constante del 50%, la aproximación usada para el cálculo de la atenuación viene dada por la ecuación (2.33).

$$\Delta L(T, h = 50\%) = \frac{\Delta L(20°C, h = 50\%)}{1 + \beta f \Delta T} \tag{2.33}$$

Donde:

ΔT es la diferencia de temperatura respecto a la temperatura de referencia de 20 °C.

β es una constante de valor 4×10^{-6}.

La absorción equivalente debida al aire se puede expresar con la conocida ecuación, empleada en acústica de recintos:

$$\text{Absorción}_{aire} = 4 \cdot m \cdot V \qquad (2.34)$$

Donde:

m es el coeficiente de absorción $[m^{-1}]$

V es el volumen de la sala en m^3.

La energía del sonido se disipa en el aire principalmente por dos mecanismos:

a. Pérdidas por viscosidad debido a la propia fricción entre moléculas de aire, que resulta en un "calentamiento".

b. Procesos de relajación. La energía acústica es absorbida momentáneamente por las moléculas de aire haciéndolas vibrar y rotar. La energía no queda absorbida, sino retardada unos instantes. Cuando ésta es liberada, se producen efectos de interferencia, causando pérdidas a la onda acústica.

El coeficiente de absorción m se puede calcular utilizando las indicaciones del estándar PrEN 12354/6 *Building acoustics - Estimation of acoustic performance of building from the performance of elementos - parte 6 – "Sound absorption in enclosed spaces." Brussels, 2000.* En esta normativa se pueden encontrar unas tablas con los valores de m, en función de la temperatura, humedad relativa, y por bandas de octava. La expresión (2.34) es muy útil en espacios cerrados. Asímismo se pueden utilizar otras expresiones más adecuadas para espacios abiertos donde evidentemente no hay un volumen físico a considerar.

A partir de la norma ISO 9613-1 :1996 *Acoustics – "Attenuation of sound during propagation outdoors" - parte 1- "Calculation of the absorption by the atmosphere,"* se puede calcular el coeficiente de absorción atmosférico α (dB/100m) con la expresión (2.35).

$$\alpha = 869 \cdot f^2 \left[1,84 \cdot 10^{-11} \cdot \left(\frac{T}{T_0} \right)^{1/2} + \left(\frac{T}{T_0} \right)^{-5/2} \cdot A \right]$$

$$A = \left(0,1068 \cdot \frac{e^{\frac{-3352}{T}}}{f_{r,N} + \left(\frac{f^2}{f_{r,N}} \right)} + 0,0128 \cdot \frac{e^{\frac{-2239,1}{T}}}{f_{r,O} + \left(\frac{f^2}{f_{r,O}} \right)} \right)$$

(2.35)

Donde:

f es la frecuencia (Hz)

p es la presión acústica (Kpa)

p_0 es la presión acústica de referencia (101,325 Kpa)

T es la temperatura del aire (°K)

T_0 es la temperatura de referencia (293,15°K)

$f_{r,N}$ es la frecuencia de relajación del Nitrógeno (Hz)

$f_{r,O}$ es la frecuencia de relajación del Oxígeno (Hz)

Las expresiones de $f_{r,N}$ y $f_{r,O}$ se pueden encontrar con las expresiones (2.36) y (2.37) respectivamente.

$$f_{r,N} = \left(\frac{T}{T_0} \right)^{-1/2} \left(9 + 280 \cdot h \cdot e^{\left(-4,17 \left(\left(\frac{T}{T_0} \right)^{-1/3} - 1 \right) \right)} \right)$$

(2.36)

$$f_{r,O} = 24 + 4,04 \cdot 10^4 \cdot h \frac{0,02 + h}{0,391 + h}$$

(2.37)

Donde:

h es la humedad relativa en %.

La tabla 2.1 muestra los valores de atenuación prevista debido a la humedad y la temperatura del aire para dos frecuencias: 500 Hz y 4 KHz. Los valores de atenuación del sonido indicados son para cada 100 m. de distancia recorrida por el sonido. A frecuencias elevadas el efecto de atenuación del medio es mayor. El aumento de la absorción del aire debido a los fenómenos clásicos de relajación y rotación molecular es proporcional al cuadrado de la frecuencia. Los efectos de vibración molecular tienen una gran dependencia con la humedad.

Hz	°C	20	30	40	50	60	70	80	90	100
500	-10	0,75	0,56	0,41	0,32	0,26	0,22	0,2	0,18	0,17
	-5	0,62	0,4	0,29	0,23	0,2	0,18	0,17	0,16	0,16
	0	0,44	0,28	0,22	0,19	0,18	0,17	0,16	0,16	0,15
	5	0,34	0,24	0,21	0,19	0,18	0,17	0,16	0,15	0,15
	10	0,27	0,22	0,2	0,18	0,17	0,16	0,15	0,15	0,14
	15	0,25	0,22	0,19	0,18	0,17	0,16	0,15	0,14	0,14
	20	0,25	0,21	0,19	0,18	0,16	0,16	0,15	0,14	0,14
	25	0,24	0,21	0,18	0,17	0,16	0,15	0,14	0,14	0,13
	30	0,23	0,2	0,18	0,17	0,16	0,15	0,14	0,13	0,13
4000	-10	2,31	3,36	4,47	5,53	6,1	6,28	6,25	6,05	5,71
	-5	3,75	5,63	6,8	6,98	6,7	6,08	5,37	4,72	4,22
	0	6,2	7,7	7,41	6,34	5,22	4,45	3,9	3,43	3,08
	5	8,35	8	6,25	4,93	4,1	3,47	3,04	2,7	2,45
	10	9,1	6,58	4,9	3,85	3,21	2,76	2,46	2,28	2,16
	15	8,07	5,28	3,88	3,11	2,65	2,42	2,27	2,18	2,11
	20	6,3	4,12	3,12	2,65	2,44	2,31	2,22	2,14	2,06
	25	5,09	3,4	2,79	2,56	2,41	2,29	2,19	2,1	2,02
	30	4,19	3,06	2,72	2,53	2,38	2,25	2,15	2,07	2,01

Tabla 2.1. Absorción del aire a las bandas de 500 Hz y 4 KHz según ISO 9613-1.

La figura 2.12. muestra la relación entre la absorción del aire y la humedad. Es interesante notar que la absorción generalmente decrece con un aumento de la humedad. La excepción es el aire seco que ofrece la mínima absorción. No debe confundirse esta atenuación α con el coeficiente de absorción acústico de un material denotado con el mismo símbolo. El ejemplo mostrado tiene dimensiones de decibelios de atenuación para cada 100 m de distancia recorrida por el sonido. Como se aprecia, únicamente para frecuencias muy elevadas, las atenuaciones introducidas por la absorción energética del aire son apreciables.

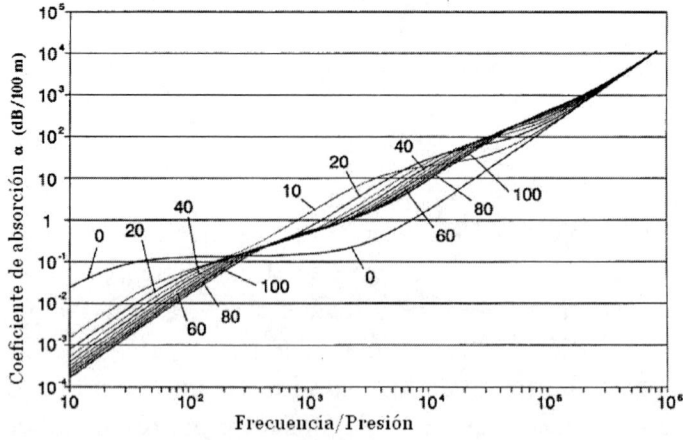

Fig. 2.12. Coeficiente de absorción acústica del aire (dB/100m) para diversos grados de humedad y a una temperatura de 20 °C.

La figura 2.13. muestra el comportamiento absorbente del aire en función de la humedad y la temperatura para una frecuencia de 4 kHz. Se observan valores de atenuación que no son demasiado elevados, ya que la atenuación indicada es para 100 m. de distancia recorrida por el sonido.

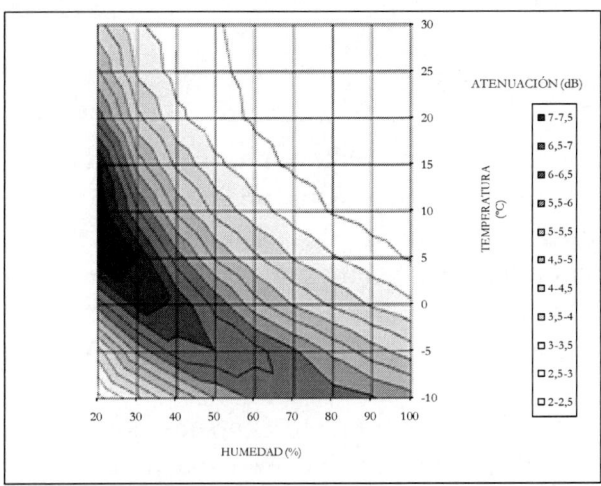

Fig 2.13. Atenuación del aire a 4 KHz, en función de la humedad y la temperatura.

Pero hay otro factor importante sobre los efectos de atenuación del sonido: el gradiente térmico. Este indicador no se puede medir de forma simple y además generalmente no se encuentra en las bases de datos climatológicos, por lo que las previsiones que se pueden realizar de propagación acústica siempre deben ser realizadas con mucha prudencia buscando en todo caso los casos más extremos que siendo significativos del lugar permitan una mayor protección del territorio.

2.6.2. Influencia del gradiente de temperatura. Refracción del sonido.

La velocidad del sonido en el aire, o dicho de otra manera, la velocidad con que se propagan las perturbaciones, depende de la relación entre la presión atmosférica p_0 y de la densidad específica ρ_0 del aire según la fórmula de Laplace (2.38).

$$c = \sqrt{\frac{1,4 \cdot p_0}{\rho_0}}$$ (2.38)

La densidad específica ρ_0 del aire es función de la temperatura del aire. A 22° C y una presión de 10 Pa el parámetro ρ_0 toma un valor de 1,18 Hg/m³, y la velocidad del sonido es de 344,4 m/s. A temperaturas ambientales usuales podemos suponer que la velocidad del sonido c es aproximadamente:

$$c = 331,4 + 0,607 \cdot T \qquad (2.39)$$

Donde:
T es la temperatura en °C.

La atmósfera real no es un medio uniforme, y la temperatura es variable en cada punto del medio. Aunque son posibles situaciones más complejas, se puede simplificar el estudio a dos casos donde existe una única relación entre temperatura y altura. Suponemos un primer caso en el que la temperatura decrece con la altura; éste es el comportamiento usual de la atmósfera que se conoce como gradiente de temperatura negativo. A medida que subimos en altura, el aire cada vez es más frío. En el segundo caso la temperatura aumenta con la altura, comportamiento conocido como de inversión térmica o de gradiente de temperatura positivo. Ésta es una situación poco frecuente, pero con una gran influencia sobre la propagación acústica.

Para entender lo que sucede en estos casos, supóngase una atmósfera homogénea en todas direcciones, la temperatura será la misma en cualquier punto, y consecuentemente la velocidad del sonido también. Esto provoca frentes de ondas esféricas y el rayo sonoro perpendicular al frente de onda serán líneas rectas que salen de la fuente. Entonces el frente de onda llega a los puntos equidistantes de la fuente en el mismo instante temporal, habiendo recorrido este frente de onda la misma distancia en todos los puntos equidistantes, y perdiendo la misma energía en todos ellos.

Si la temperatura no es constante, la velocidad del sonido tampoco lo será, apareciendo direcciones privilegiadas donde la velocidad de éste será mayor que en otras. Este hecho hace que el frente de onda se deforme y los rayos sonoros (perpendiculares al frente de onda) se curven, dejando de ser líneas rectas. Este hecho comporta que el frente de onda recorra más distancia para llegar a unos puntos que a otros, aunque todos estos puntos sean equidistantes de la fuente. Se pueden producir zonas de sombra acústica, donde el nivel sonoro es menor que el esperado. La figura 2.14. muestra una sección vertical de una propagación del sonido procedente de una fuente coherente situada en la parte inferior izquierda de cada imagen. Para el caso de un gradiente de temperatura negativo (temperatura del aire decreciente con la altura) la propagación sonora se muestra a la izquierda de la figura 2.14. Podemos observar que a la derecha de la fuente se genera una zona de sombra acústica (sin ondas), donde el sonido llega muy debilitado. El sonido tiende a curvarse hacia arriba. Es el caso que se produce habitualmente en un día soleado. En el centro se muestra la situación sin gradiente de temperatura (situación ideal) la temperatura del aire es la misma para cualquier altura. Nótese un pequeño efecto de sombra acústica debido al "efecto suelo". La imagen de la derecha, muestra la situación de inversión térmica (temperatura del aire creciente con la altura). Se puede observar que el nivel de sonido que llega al suelo es notablemente superior al de los casos anteriores. Se observa como el sonido que sube a las capas altas del aire tiende a curvarse hacia abajo. Esta situación suele producirse en algunas noches en verano principalmente.

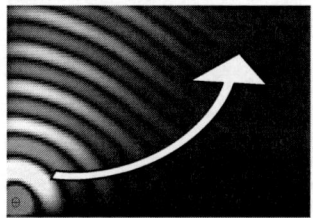  

Fig. 2.14. Izquierda: gradiente de temperatura negativo, situación diurna habitual.
Centro: situación sin gradiente de temperatura. (Situación ideal)
Derecha: gradiente de temperatura positivo, situación de inversión térmica. (Se produce
algunas veces).

La figura 2.14 centro muestra el caso para un gradiente térmico igual a cero y esto es imposible que se produzca en la realidad. Se considera que un gradiente térmico de –9,8° C/100 m es la situación "normal" que implica que el sonido no sufre ningún curvamiento ni en un sentido ni en otro, estaríamos pues en una situación neutral. Gradientes superiores a los –9,8 °C/100 m son considerados positivos o súper adiabáticos, mientras que los gradientes inferiores a los –9,8 °C/100 m son negativos o inversión térmica.

La refracción del sonido es uno de los principales motivos que propicia que los niveles de sonido medidos difieran notablemente de las previsiones teóricas. La refracción puede ser producida por gradiente de temperatura o de viento. Las desviaciones de nivel de ruido entre las previsiones y las mediciones reales pueden llegar a los 30 dB. En muchas ocasiones, las condiciones climáticas observadas cerca del suelo son muy similares, pero en cambio las condiciones en las capas más altas del aire pueden presentar signos diferentes. Es muy importante entender los fenómenos de refracción del sonido para medir correctamente en espacios exteriores. Quien desconozca este fenómeno puede equivocarse con el resultado de unas mediciones aparentemente bien realizadas. Pero quien conoce estos fenómenos también puede alterar "involuntariamente" los resultados obtenidos. Por ejemplo, si queremos que los niveles de ruido medidos sean inferiores a los habituales, en general es suficiente hacer las mediciones por la tarde de un día bien caluroso.

2.6.3. Influencia del Viento.

El comportamiento del viento en la climatología es igual de variable que el comportamiento de la temperatura, pero aunque teóricamente sea posible estudiarlo deben realizarse grandes simplificaciones. La influencia del viento en la propagación tiene el mismo origen que la influencia de la temperatura. La presencia de un gradiente de viento modifica la velocidad del sonido en cada una de las direcciones de propagación. Este hecho, como ya ocurría con la temperatura, modifica la trayectoria de los rayos sonoros.

La velocidad del viento, en ausencia de turbulencias, aumenta con el logaritmo de la altura entre los 30 m y los 100 m. Para alturas superiores, prácticamente no varía. Como la velocidad del viento aumenta con la altura, la curvatura de los rayos sonoros hace que se genere una zona de sombra en el lado donde el viento sopla. Este hecho explica que cueste escuchar una fuente cuando el viento sopla en sentido contrario a la dirección del sonido. En cambio si el viento sopla de forma favorable a la propagación de éste (de la fuente al receptor) entonces el nivel de sonido recibido aumenta. (Ver figura 2.15.).

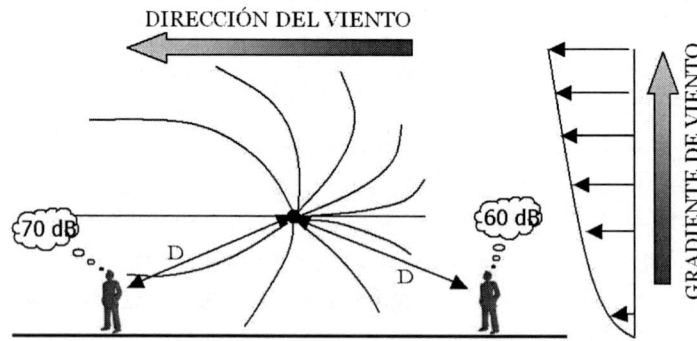

Fig. 2.15. La propagación acústica está altamente influenciada por el viento.

A la derecha de la fuente se genera una zona de sombra acústica, con menos nivel sonoro. A la izquierda de la fuente el nivel de ruido aumenta.

2.6.4. Influencia del Suelo.

La absorción debida al suelo es función de la estructura y las características acústicas de la superficie. Aunque es tremendamente complicado estudiar teóricamente el comportamiento del suelo ante la propagación del sonido, en una primera aproximación podemos suponer que la influencia es menospreciable a distancias cortas (entre 30-70 metros), mientras que a distancias más grandes (70-700 metros) la atenuación puede expresarse en términos de dB/100 metros, siempre y cuando la atenuación total no exceda de los 30 dB.

Existen leyes semiempíricas que tratan de simular la propagación en diferentes tipos de suelo. Aunque sus valores son aproximados, pueden dar una idea del orden de magnitud de esta absorción.

$$\Delta L_{hierba} = (0,18\log f - 0,31)\cdot r \qquad (2.40)$$

$$\Delta L_{bosque} = 0,01\cdot f^{1/3}\cdot r \qquad (2.41)$$

Donde:

f es la frecuencia del sonido en Hz.

r es el camino recorrido por el sonido.

Otro método basado en la impedancia del suelo permite obtener unos resultados más precisos. La medida de la impedancia del suelo está normalizado (UNE-EN ISO 10534-2:1998), y por tanto es un método de medida bastante fiable. La figura 2.16. muestra una situación muy usual, la trayectoria directa del sonido entre fuente y receptor, y la reflexión con el suelo. Nótese que en principio únicamente un punto en el suelo es el responsable de la reflexión. Realmente esto no es del todo cierto y supone una primera aproximación. La teoría de los rayos sonoros es una aproximación válida en general pero con reservas.

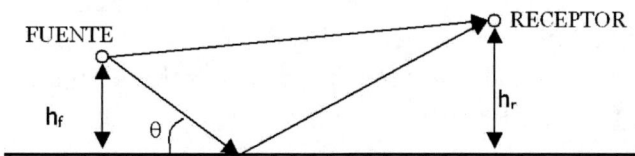

Fig. 2.16. Geometría para el estudio de la reflexión sobre un suelo de impedancia finita.

Como se observa en la figura 2.16., la reflexión procedente del suelo llegará con un cierto retraso respecto de la onda directa y por tanto aparecen fenómenos de interferencia constructiva o destructiva del sonido. Como el retardo está ligado a un desfase entre la onda directa y la reflejada, se producirá una mayor o menor reflexión dependiendo de la frecuencia. En un caso extremo, cuando fuente y receptor están muy cercanos al suelo, y menospreciando los efectos atmosféricos, para una reflexión perfecta, aparecen unas variaciones de +3 dB en el receptor. Desde el receptor se ven dos fuentes, la original y la imagen, y por tanto en un caso límite, la presión se podría doblar (+3 dB). Estos datos son ciertos para fuentes incoherentes. Pero ante fuentes sonoras con cierta coherencia, como el caso de actividades musicales, estos valores pueden llegar a ser superiores para determinadas bandas de frecuencia.

2.6.5. Propagación sonora cerca del suelo.

Cuando el camino de propagación se realiza cerca del suelo existen factores que aumentan la absorción respecto de la que se produce en caminos más elevados. Esta zona de atenuación extra abarca desde pocos centímetros a algunos metros. En esta franja los objetos, la vegetación y barreras naturales cercanas al suelo aumentan la atenuación. Debe tenerse en cuenta que se trata de absorciones pequeñas, y en todo caso más importantes para las altas frecuencias. Estas absorciones pueden disminuir el camino reflejado sobre la superficie del suelo, y por tanto atenuar ligeramente su nivel total. Contrariamente a la creencia popular, la vegetación, árboles, arbustos, etc. no introducen atenuaciones del sonido significativas.

El efecto del suelo puede considerarse desde dos puntos de vista diferentes. Por un lado las reflexiones que se producen en el suelo entre la fuente y el receptor pueden reforzar el nivel SPL que llega al receptor en mayor o menor medida. Pero también se puede estudiar el caso del efecto de dispersión o atenuación que introduce sobre la onda acústica. En este caso se trataría de un efecto deseado que supone una disminución del nivel de ruido recibido. En las situaciones geográficamente habituales, las dimensiones horizontales suelen ser mucho más grandes que las verticales. Esta situación propicia el efecto absorbente del suelo, por lo que el sonido recibe una atenuación "extra". Con el suelo mojado o húmedo, el efecto absorbente es nulo o prácticamente cero, y quedará únicamente el refuerzo por reflexión sobre el suelo.

Aunque la fuente y el receptor tengan una visión directa, la presencia de cualquier obstáculo en la línea que une fuente y receptor introduce una cierta atenuación. La figura 2.17. muestra una fuente de ruido y un receptor que están a diferente altura pero que tienen visión directa.

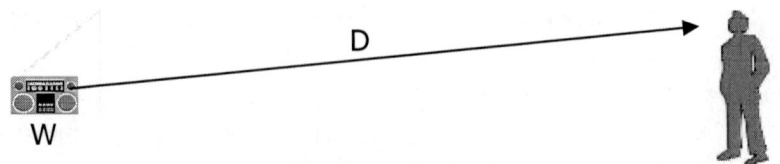

Fig. 2.17. El sonido procedente de la fuente no encuentra ningún obstáculo hasta llegar al receptor.

La visión directa entre la fuente y el receptor induce a prever que el nivel en el receptor en campo libre, suponiendo una fuente omnidireccional, se puede encontrar con cualquiera de las dos expresiones (2.42 o 2.43).

$$L_p = 10 \cdot \log\left(\frac{W \cdot 10^{12}}{4\pi r^2}\right) \tag{2.42}$$

$$L_p = L_W - 20 \cdot \log D - 11 \tag{2.43}$$

La figura 2.18. muestra una situación similar a la mostrada en la figura 2.17. En este caso aparece un obstáculo entre la fuente y el receptor que no llega a tapar la visión directa entre ambos puntos. En principio el nivel sonoro recibido será el mismo en ambos casos. La experiencia práctica demuestra que esto no es del todo cierto.

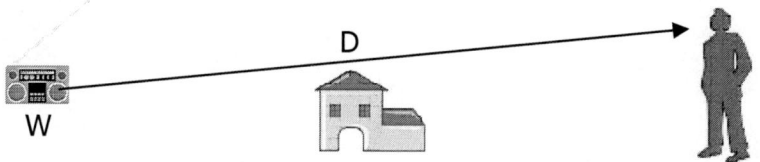

D

W

Fig. 2.18. El sonido procedente de la fuente no encuentra aparentemente ningún obstáculo hasta llegar al receptor. Sin embargo la casa introducirá una disminución del nivel SPL percibido, a pesar de tener visión directa entre el emisor y el receptor.

El nivel de ruido percibido en el caso de la figura 2.18 es inferior, a pesar de mantener la misma distancia de separación D. Para determinar si un obstáculo puede introducir una atenuación extra sobre el nivel SPL recibido en el receptor, se debe tener en cuenta las superficies de Fresnel.

La señal procedente de la fuente F llega al receptor R (ver figura 2.20) en primer lugar siempre recorre el camino más corto D. Otras señales por difracción en este caso (o reflexión en otros) sobre algún obstáculo situado entre F y R, seguirán siempre un camino más largo. El sonido que sigue este camino llega siempre más tarde al receptor, y por tanto tendrá un cierto desfasamiento respecto la onda directa. Si este desfasamiento aumenta pero siempre siendo < 180° contribuirán positivamente al nivel SPL en R. La figura 2.19. representa todas las trayectorias posibles entre F y R que contribuyen a aumentar el nivel SPL en el receptor R. Si la distancia recorrida es mayor que A+B, el retardo temporal es mayor y también su desfasamiento. En este caso estaremos dentro de otra zona donde las trayectorias contribuyen sustractivamente al nivel SPL, y que corresponde a un desfasamiento entre

180° y 360°. Se puede describir una tercera zona con contribución aditiva al nivel SPL en el receptor R, y así sucesivamente otras zonas que irían alternando su contribución.

Fig. 2.19. Cualquier trayectoria entre F y R menor que A+B, contribuye con el mismo signo sobre el nivel SPL recibido.

La figura 2.20. muestra los diferentes lugares geométricos que delimitan el signo de la contribución al nivel SPL en el receptor R. Cada uno de estos espacios forma una zona de Fresnel. Estas zonas son concéntricas sobre la línea de unión entre F y R. La primera y más importante es la que está centrada respecto a la línea de unión entre F y R.

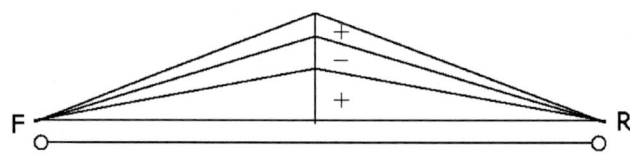

Fig. 2.20. Delimitación de las 3 primeras zonas de Fresnel.

La figura 2.20. muestra una sección vertical que realmente es un elipsoide de revolución, que podemos ver en la figura 2.21. donde F y R son los extremos. Todos ellos son concéntricos. Haciendo un corte en el punto donde se encuentra el obstáculo, se pueden observar una serie de circunferencias concéntricas. De hecho la primera es un círculo, mientras que el resto son anillos o discos. Una propiedad importante de estas zonas es que su área es idéntica. Al aumentar el radio, el "grosor" de los diferentes discos va decreciendo. La radiación conjunta será la suma algebraica de todas ellas y evidentemente será proporcional a su superficie. Entonces:

$$S_t = S_1 - S_2 + S_3 - S_4 + \ldots \ldots \tag{2.44}$$

Reagrupando los términos de una manera particular:

$$S_t = \frac{S_1}{2} - \left(\frac{S_2}{2} - \frac{S_1}{2} \right) + \left(\frac{S_3}{2} - \frac{S_2}{2} \right) - \left(\frac{S_4}{2} - \frac{S_3}{2} \right) + \ldots \ldots \tag{2.45}$$

De la ecuación (2.45) todos los términos entre paréntesis son = 0. La serie tiene un número infinito de términos. A efectos prácticos la contribución efectiva de las zonas más alejadas se puede despreciar por efecto distancia. Por tanto simplificando la ecuación (2.45) se llega a la expresión:

$$S_t \cong \frac{S_1}{2} \qquad (2.46)$$

Considerando únicamente la primera zona de Fresnel es suficiente para decidir si un obstáculo puede introducir atenuación significativa o no. La figura 2.21. muestra las tres primeras zonas de Fresnel, cuando el obstáculo está a medio camino entre la fuente y el receptor. Para evaluar si un obstáculo entre la fuente y el receptor introduce alguna atenuación hay que dibujar el elipsoide correspondiente y la sección por el punto donde se encuentra el objeto. Si el objeto corta en algún momento el elipsoide, existirá una atenuación, aunque la fuente y el receptor tengan visión directa.

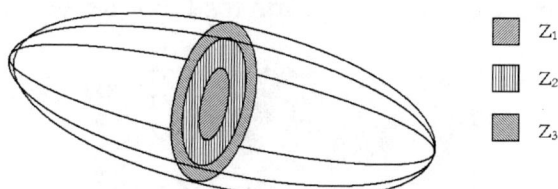

Fig. 2.21. Superficies de Fresnel. La contribución de todas ellas es equivalente a $S_1/2$.

Volviendo al ejemplo de la figura 2.19., trazando el elipsoide de la primera zona de Fresnel, se observa que el obstáculo introducirá una atenuación extra sobre el receptor. (Ver Fig. 2.23). El cálculo de esta atenuación no resulta sencillo. Depende de la superficie "tapada" y de la forma de la arista y naturaleza del objeto perturbador. Cuando la visión entre fuente y receptor es rasante, se produce una atenuación de 5 dB. Si fuente y receptor se ven pero algún obstáculo interfiere la primera zona de Fresnel, se introduce una atenuación que oscilará entre 0 y 5 dB.

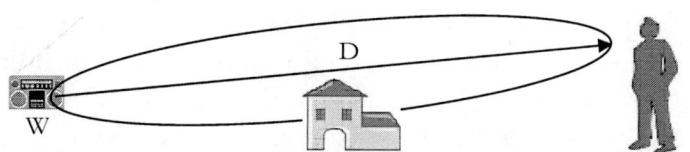

Fig. 2.22. Aunque la fuente y el receptor tengan visión directa, la casa introducirá una atenuación acústica sobre el observador entre 0 y 5 dB.

2.6.6. Cálculo de las zonas de Fresnel.

Los elipsoides que delimitan las zonas de Fresnel dependen de la frecuencia. A menor frecuencia mayor será el diámetro o abertura del elipsoide. Será necesario dibujar el perfil que interese en cada caso. Conocida la distancia de separación entre la fuente y el receptor D $(= D_1 + D_2)$, se calcula F_N con la ecuación (2.47):

$$F_N = \sqrt{\frac{N \cdot \lambda \cdot D_1 \cdot D_2}{D_1 + D_2}} \qquad (2.47)$$

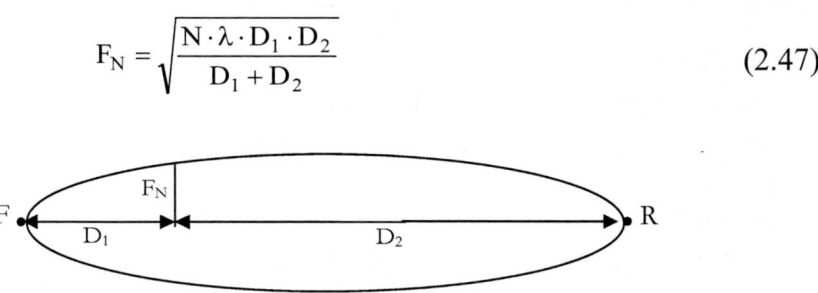

Fig. 2.23. Zona de Fresnel. Magnitudes más importantes para su evaluación.

Se calculan tantos puntos F_{Ni} como sean necesarios, para dibujar la elipse. Nótese que la fuente y el receptor no son los focos del elipsoide.

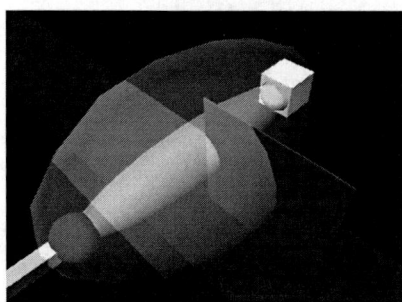

Fig. 2.24. Simulación informática de las zonas de Fresnel para analizar el efecto perturbador de un elemento vertical con visión directa entre fuente y receptor.

2.7. Propagación del sonido en situación real.

En las situaciones reales de propagación del sonido en exteriores, las previsiones del nivel de ruido percibido pueden diferir bastante de las previsiones debido a las influencias climatológicas y aspectos como las zonas de Fresnel que pueden modificar notablemente las previsiones. La ecuación 2.43 no incluye los efectos perturbadores que introduce la climatología. Por este motivo se introduce el concepto de atenuación extra (A_E). La atenuación extra es la atenuación del sonido debida a los diversos fenómenos que modifican de una manera u otra el nivel de sonido que llega al receptor. Estos fenómenos son la reflexión del suelo, la climatología, las turbulencias de aire, barreras y vegetación, que se añaden a la producida por divergencia geométrica y por la absorción atmosférica. El nivel SPL obtenido a una distancia r con todas las absorciones consideradas viene dado por la expresión (2.48):

$$L_p = L_W - 20 \cdot \log r - 11 - DI - A_{abs} - A_E \qquad (2.48)$$

Donde:

L_p es el nivel SPL obtenido a una distancia r de la fuente.
L_W es la potencia acústica de la fuente.
DI es el índice de directividad de la fuente.
A_{abs} es la absorción atmosférica.
A_E es la atenuación extra.

La atenuación extra queda definida por la ecuación (2.49):

$$A_E = A_{suelo} + A_{climatología} + A_{turbulencias} + A_{barrera} + A_{vegetación} + A_{Fresnel} \qquad (2.49)$$

Nótese que las turbulencias hacen referencia a las variaciones aleatorias que se producen de la velocidad del viento y la contribución de la climatología tiene dos partes, el gradiente térmico y el eólico. La contribución Fresnel tiene dos efectos. Como generalmente fuente y receptor están cerca del suelo, el mismo suelo corta a la primera zona de Fresnel y se introduce una cierta atenuación suplementaria. Pero, si se considera únicamente la contribución de la fuente imagen, la primera zona de Fresnel deja una huella en el suelo, que indica la zona de influencia donde el sonido se refleja para ir de la fuente al receptor (ver figura 2.25). El impacto del sonido desde la fuente hasta el receptor no se puede considerar únicamente un solo punto, sino una zona o área de impacto. La impedancia acústica de esta área es la más importante de cara a evaluar el nivel de sonido que llega al receptor.

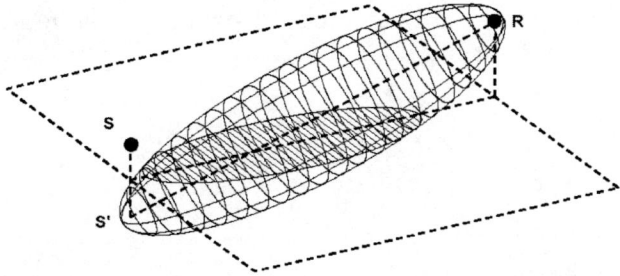

Fig. 2.25. La primera zona Fresnel entre la fuente imagen y el receptor permite obtener la zona de influencia de la fuente S sobre el receptor R.

2.8. Distancia de medida.

Uno de los puntos más delicados cuando se mide el ruido de una fuente, es la distancia entre fuente y receptor. Si el punto de medida se acerca excesivamente a la fuente sonora, los niveles pueden variar mucho en función de la posición relativa, aún manteniendo la misma distancia. Hay que tener especial cuidado cuando se mide el nivel de ruido de fuentes de dimensiones muy grandes.

2.8.1. Campo cercano y Campo Lejano.

El concepto de campo cercano o campo lejano se aplica para cualquier fuente acústica. La región del espacio donde kr >>1 se llama campo lejano, y cuando kr<<1 entonces es campo cercano. Para kr>>1, la relación entre la velocidad de las partículas y la presión será:

$$u_r = \frac{p}{\rho_0 c_0}$$
(2.50)

Como se puede comprobar en la figura 2.26, las dos magnitudes p y u, están en fase, mientras que el desplazamiento de las partículas está desfasado 90º.

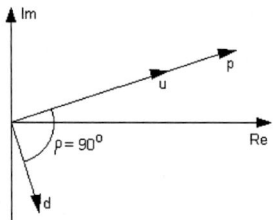

Fig. 2.26. Posición relativa de la velocidad, presión y desplazamiento de las partículas cuando kr>>1 (Campo lejano).

Para kr<<1 campo cercano, la situación es bastante diferente. Ahora velocidad y presión están desfasadas 90º. En este caso se trata de un campo reactivo. Podemos ver la distribución de los vectores en la figura 2.27.

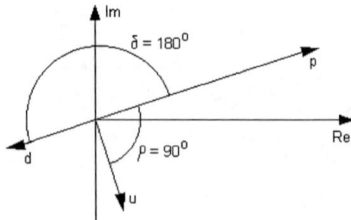

Fig. 2.27. Posición relativa de la velocidad, presión y desplazamiento de las partículas cuando kr<<1 (Campo cercano).

Cuando estamos en campo lejano (kr>>1), la parte resistiva de la velocidad de las partículas domina a la parte reactiva. Cuando estamos en campo cercano (kr<<1) estamos ante una situación totalmente diferente, y ahora la parte reactiva de la velocidad de las partículas domina a la parte resistiva.

En campo cercano cuando los vectores de velocidad y presión están en cuadratura, la amplitud de la presión acústica decrece con $1/r$, pero la velocidad de las partículas lo hace con $1/r^2$. La parte real de la intensidad tiene un decrecimiento de $1/r^2$ mientras que la parte reactiva de la intensidad decrece con $1/r^3$. Por este motivo cuando nos separamos de la fuente la intensidad reactiva desaparece y queda únicamente la parte resistiva, que es la que se puede medir correctamente.

Así pues el campo acústico generado por una fuente acústica se puede dividir en tres partes o zonas:

- Campo cercano hidrodinámico.
- Zona de Fresnel.
- Zona de Fraunhofer.

- Campo cercano hidrodinámico: es la zona situada sobre la superficie de la fuente. En esta región, a distancias mucho más pequeñas que la longitud de onda, el aire se puede considerar un medio incompresible. La onda generada no tiene la forma de una onda progresiva, de hecho el campo acústico está en fase de formación. En esta región los vectores de velocidad y presión están en cuadratura.

- Zona de Fresnel: está ubicada justo a continuación del campo cercano hidrodinámico. En esta región se cumple que:

$$\frac{D^2}{r^2} << 1 \qquad \lambda << r \qquad (2.51)$$

Donde:

D es la dimensión más larga de la fuente visto desde el receptor.

r es la distancia fuente – receptor.

En esta región la separación entre fuente y receptor ya permite "ver" una parte de la fuente, y por tanto las ondas procedentes de diversos puntos de la superficie de la fuente llegan al receptor con diferentes fases y amplitudes. Al alejarse de la fuente, están siempre dentro del campo geométrico, se observa que el nivel de la señal no sigue la ley de atenuación con la distancia y en cambio presenta variaciones de nivel. Es el resultado de las sucesivas adiciones y sustracciones entre ondas procedentes de diferentes puntos de la fuente acústica. En esta región los vectores de velocidad y de presión están prácticamente en fase. Se observa que las trayectorias de las partículas no son paralelas entre ellas.

- Zona de Fraunhofer. En esta región se cumple que:

$$\frac{D}{r} << \frac{\lambda}{2 \cdot \pi \cdot D} = \frac{1}{k \cdot D} \qquad\qquad r >> \lambda \qquad\qquad (2.52)$$

Los vectores de velocidad y presión están en fase, la intensidad acústica es dirigida radialmente (centro imaginario de la fuente).

Las características del campo de radiación de una fuente sonora típica dependen de la distancia de la fuente. En la proximidad de la fuente sonora, la velocidad de las partículas del medio no debe tener necesariamente la dirección de propagación de la onda. Entonces aparece una componente de velocidad tangencial en cada punto del espacio. A esta zona se denomina campo cercano y se caracteriza por presentar una apreciable variación de los niveles de presión sonora, a lo largo de una esfera que rodea a la fuente.

Capítulo 3
MEDIDA DEL SONIDO

3.1. Factores a considerar en la medida del ruido ambiental.
Una de las principales dificultades a la hora de abordar la medida de un ruido es que, excepto en contadas ocasiones, no se sabe "a priori" de que tipo de ruido se trata. El ruido de una máquina, generalmente tiene una componente de baja frecuencia asociada a su funcionamiento, siendo su sonido fácilmente previsible, pero la forma de operación y el lugar donde está instalada esta máquina pueden modificar notablemente sus características acústicas. Aunque las normas ISO 1996-1:2005 y ISO 1996-2:2007, constituyen el estándar más utilizado como documento de referencia para medir el grado de contaminación acústica tanto en exteriores como en interiores, se dan indicaciones generales que no pueden contemplar todos los casos posibles y debe ser usada con una buena dosis de conocimiento y experiencia. La legislación municipal en general no suele estar actualizada y en ocasiones llega a contradecir dicha norma. Determinados aspectos del entorno de medida, ruidos ajenos a la máquina o actividad, pueden invalidar una medición si no son debidamente tratados.

Los factores que describen un sonido son:
- Los niveles de presión sonora y frecuencias presentes en el ruido.
- La variación de las características del ruido con el tiempo.
- La existencia de componentes tonales y/o impulsivas.
- Impresiones subjetivas que produce sobre las personas.

Los tres primeros puntos son fácilmente medibles con la tecnología estándar. Si bien es necesario tener presente que en ocasiones la evaluación de las componentes tonales o impulsivas se suele hacer "de oído" introduciendo un grado de subjetividad que invalida la medición, ya que no es un método objetivo. Los dos últimos puntos requieren de tecnología adecuada y sobre todo de conocimientos técnicos suficientes. Nótese que son estos dos últimos puntos los que van a permitir obtener información valiosa para valorar el grado de contaminación acústica en un punto o zona de medida.

3.2. Características temporales de una señal.

Una señal acústica se caracteriza por una serie de parámetros físicos. Algunos de estos parámetros son relativamente simples de medir para señales estacionarias. En cambio para señales no estacionarias realizar una correcta medición puede resultar mucho más complejo. Además de la frecuencia y el período de la señal, la mayor dificultad reside en medir la amplitud de ésta. Existen diversos indicadores del nivel de una señal. De todos ellos, el llamado valor r.m.s. (root mean square, valor cuadrático medio) es el único proporcional a la energía de la señal, y por este motivo es uno de los indicadores más empleados para medir la amplitud de una señal acústica. El valor r.m.s. de una señal está definido por la expresión (3.1).

$$A_{rms} = \sqrt{\frac{1}{T} \int_0^T a^2(t) \cdot dt} \qquad (3.1)$$

Donde:
T es el período de integración temporal.
a es la amplitud instantánea de la señal.

También podemos medir el promedio (*average*) de la amplitud de la señal con la expresión (3.2).

$$A_{ave} = \frac{1}{T} \int_0^T |a| \cdot dt \qquad (3.2)$$

Algunas relaciones pueden ser interesantes de cara a describir el carácter "puntiagudo" de una señal. Por ejemplo, el factor de cresta F_c o el factor de forma F_f dados por las ecuaciones 3.3 y 3.4 respectivamente.

$$F_c = \frac{A_{pico}}{A_{rms}} \qquad (3.3)$$

$$F_f = \frac{A_{rms}}{A_{ave}} \qquad (3.4)$$

En el caso de una onda sinusoidal (cosa altamente improbable en la práctica), la relación entre el valor r.m.s. y el valor promedio la podemos encontrar con la expresión 3.5:

$$A_{rms} = \frac{\pi}{2\sqrt{2}} A_{ave} = \frac{1}{\sqrt{2}} A_{pico} \qquad (3.5)$$

En este caso el factor de cresta será de unos 3 dB, mientras que el factor de forma será de 1 dB aproximadamente. Desafortunadamente, la mayoría de señales con las que nos encontramos en la práctica no son sinusoidales, y por tanto no es posible establecer una relación entre los valores r.m.s. y los valores medios. Además, estos indicadores nos dan información que es necesario saber interpretar. El valor A_{pico} no es estrictamente aplicable a las señales de ruido aleatorio. Pero para evaluar señales impulsivas, impactos, y señales de corta duración, es un buen indicador.

En la figura 3.1. podemos ver un período de señal sinusoidal donde se muestran las diferentes mediciones en amplitud comentadas anteriormente. Nótese como para el caso de una señal sinusoidal, los valores r.m.s. y medios son muy similares. Es necesario tener presente que una señal de ruido real está formada por una suma infinita de términos sinusoidales.

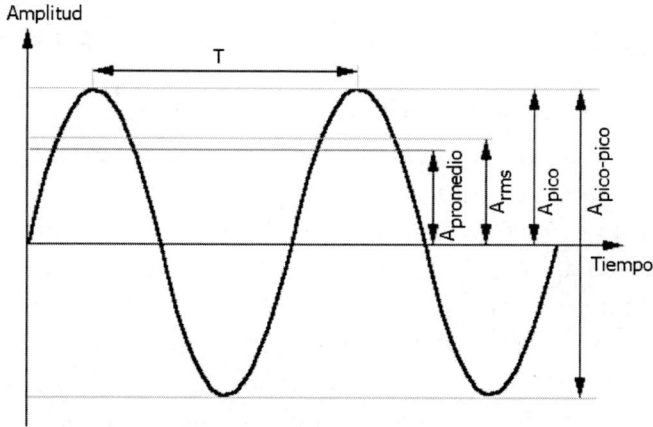

Fig. 3.1. Parámetros más importantes para medir la amplitud de una señal.

3.3. Tipos de ruido en función de su evolución temporal.

Cuando se analiza una señal o cuando se deben hacer medidas para caracterizar o certificar unos niveles sonoros, es muy útil conocer la naturaleza del ruido. Dedicar unos minutos a escuchar el ruido puede, en muchos casos, aportar aspectos que no podemos medir fácilmente. Hay que comprobar si éste permanece constante o no, si presenta variaciones de nivel, si tiene un carácter intermitente, etc. En función de su evolución temporal, una señal de ruido puede clasificarse en tres grupos: ruido continuo, ruido intermitente y ruido impulsivo.

3.3.1. Ruido Continuo.

La amplitud de la señal, aunque no sea estrictamente constante siempre presenta unos valores que se mantienen dentro de un margen bastante predictible. Gráficamente podemos ver un ejemplo en la figura 3.2. Una señal de ruido nunca puede dar valores constantes y sin oscilaciones, siempre aparecen pequeñas fluctuaciones. El nivel de ruido únicamente puede ser estable, si realizamos una integración temporal; sería el caso del conocido L_{eq} (nivel equivalente). Hay una excepción, cuando el sonómetro llega a su límite inferior de medida, entonces lo que está indicando es sencillamente su nivel de ruido eléctrico de fondo. Si el ruido presenta unas variaciones de nivel o fluctuaciones importantes, la medida de su amplitud es compleja. Es necesario en principio alargar más el tiempo de medida para tener muchas más muestras de nivel, y de esta manera ver cual es el valor medio que le corresponde. Cuanta más variabilidad de nivel tenga la señal, más incorrecto es hacer un promedio temporal de ésta.

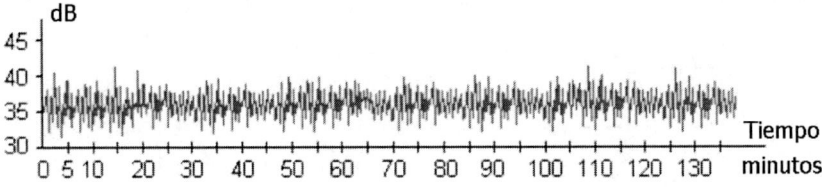

Fig. 3.2. Evolución temporal de una señal de ruido ambiental de noche.

La figura 3.2 muestra que la señal no tiene un valor instantáneo constante. Se observan fluctuaciones en el entorno de los 36 dB. En cambio sí que es bastante constante el promedio y el valor r.m.s. Estas fluctuaciones son uno de los aspectos a remarcar del ruido. Las fluctuaciones de nivel del ruido es un aspecto normal inherente a la naturaleza del ruido, y depende en gran medida del origen de éste. La integración temporal se puede realizar cuando las fluctuaciones son suaves y de baja amplitud, en torno a los 4 ó 5 dB como máximo, aunque aparezca algún pico más elevado pero muy ocasional.

3.3.2. Ruido intermitente.

Ruido que permanece activo durante un período de tiempo, y se para en otros períodos de tiempo. Generalmente este tipo de ruido va asociado a una máquina que tiene un sistema de control temporizado del tipo termostato o temporizador. Nótese que la parte superior del gráfico (figura 3.3.) es más suave que la parte inferior. No se trata de un error del dibujo, sino que refleja lo que realmente sucede. Los valores más bajos de la señal, alrededor de los 35 dB, muestran unas oscilaciones bastante acusadas. El motivo es que cualquier ruido puede hacer subir los niveles bajos y por tanto es muy influenciable por las condiciones del entorno de medida. Es muy normal que, con niveles bajos de ruido, la lectura del medidor sea bastante fluctuante. No sería normal observar las mismas fluctuaciones de nivel a 35 dB que a 55 dB, por ejemplo. Además, los niveles más elevados de ruido, situados en los 56 dB, son menos influenciables y por tanto su nivel permanece más estable. Pasar de 30 dB a 35 dB es más fácil que pasar de 50 dB a 55 dB. Aunque el incremento numéricamente es el mismo, 5 dB, el incremento de energía acústica necesaria para elevar la presión acústica es cada vez más grande.

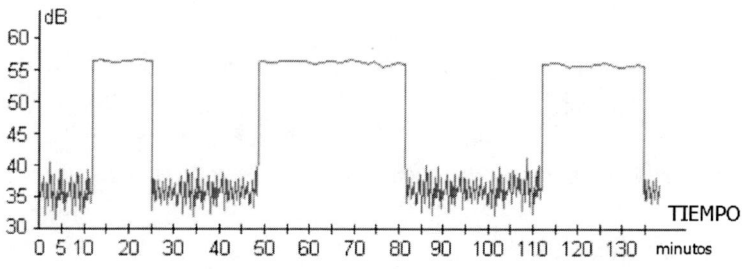

Fig. 3.3. Ejemplo de ruido intermitente de un compresor.

Excepto en lugares muy concretos, como una cámara anecoica o un lugar muy apartado de la actividad humana, un registro de niveles bajos sin fluctuaciones es imposible que se produzca. Caso de producirse, indicaría que se llega al límite inferior de medida.

3.3.3. Ruido impulsivo.

Un ruido impulsivo es aquel que presenta duraciones temporales muy breves, dejando espacios de tiempo sin señal. Esencialmente un impulso es una señal de muy breve duración. Normalmente está asociado al choque de dos estructuras duras. También puede ser un ruido con una cierta periodicidad, procedente de un mecanismo, por ejemplo un juego de engranajes. Si alguno de estos elementos tiene un defecto en un diente, de forma periódica aparecerá una señal con unos picos de nivel a unas frecuencias concretas. En la figura 3.4. se puede apreciar un ejemplo de ruido impulsivo periódico. También se pueden encontrar ruidos impulsivos sin periodicidad. Por ejemplo, los producidos por el cierre de una puerta o la caída de un objeto. La amplitud de los impulsos no siempre es exactamente igual, aunque su origen sea el mismo. Además muchas veces la propia integración temporal del sistema, y sobre todo la presentación en pantalla, deforma la curva visualizada. Este tipo de señales resultan bastante incómodas de medir, ya que no existe un método universal suficientemente contrastado. Se suele medir el nivel equivalente y se añade algún factor de corrección en función de los valores de pico obtenidos. También se suele comparar el nivel equivalente de la señal con el nivel "impulse" que es una integración temporal de la que disponen algunos sonómetros.

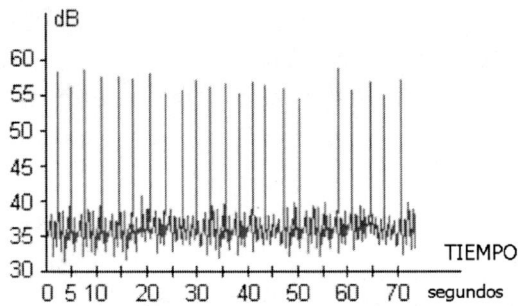

Fig. 3.4. Evolución temporal de una señal de carácter impulsivo periódico.

3.4. Tipos de Señales.
Señales estacionarias.

Las señales estacionarias son aquellas que no tienen grandes variaciones o fluctuaciones con el tiempo, y por tanto permiten hacer un promedio de espectros para eliminar la componente aleatoria del ruido. Este promedio conducirá en principio al mismo resultado independientemente del trozo de señal seleccionado. Como la señal de ruido tiene una característica aleatoria, al hacer un promedio de muchas muestras, éstas estadísticamente se agrupan en torno de un valor único para cada frecuencia. Esto permite tener un espectro resultante más limpio.

Las señales estacionarias se pueden dividir en determinísticas o aleatorias, y las determinísticas a su vez en periódicas y casi-periódicas. Un ejemplo de señales estacionarias determinísticas sería una suma de señales sinusoidales donde las componentes frecuenciales tienen relación harmónica. Las señales casi-periódicas están formadas por señales sinusoidales pero sin relación harmónica. Por ejemplo, en el ruido procedente de dos turbinas de un avión, ambas generan componentes tonales claras, en principio las mismas, pero generalmente con una ligera diferencia entre ellas debido a las tolerancias del montaje de los elementos mecánicos, que propicia que el régimen de giro no sea idéntico. Los dos motores de una lancha rápida también presentan la misma particularidad. En estos casos el sonido obtenido presenta unas fluctuaciones de nivel y frecuencia debido a que en momentos puntuales ambas señales se superponen en fase y en otros momentos se cancelan parcialmente. Esto se detecta en la componente tonal dominante, y aparece una ondulación en la amplitud de la señal, como si de una modulación AM se tratara.

Las señales estacionarias aleatorias conllevan la presencia de componentes de ruido generalmente de banda ancha, con la contribución de tonos puros. Por ejemplo, el ruido de una turbina, presenta una componente claramente de ruido de banda ancha, debido a las turbulencias del aire, y también unas componentes tonales más o menos destacadas, correspondientes a la frecuencia de palas. El promedio de estas señales no siempre produce el mismo resultado aunque son igualmente válidas, ya que se admiten ciertas variaciones. El valor instantáneo de una señal aleatoria no se puede predecir. Se puede utilizar la curva de densidad de probabilidad como una manera de describir este tipo de señales. La densidad de probabilidad p(x) para un nivel x se define como la probabilidad de que el nivel de la señal se encuentre entre x y x + Δx respecto de la anchura del intervalo Δx. El cálculo de p(x) se puede hacer con la ecuación 3.6.

$$p(x) = \lim_{\Delta x \to 0} \frac{P(x + \Delta x) - P(x)}{\Delta x} \qquad (3.6)$$

Como muestra la figura 3.5. se puede concluir que:

$$P(x + \Delta x) - P(x) = \lim_{T \to \infty} \frac{\sum_{i} \Delta t_n}{T} \qquad (3.7)$$

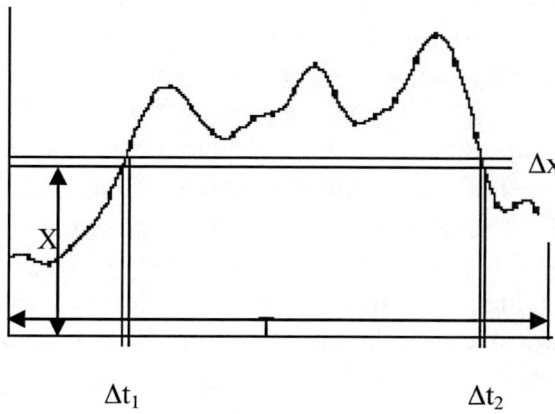

Fig. 3.5. Explicación del concepto de densidad de probabilidad.

Generalmente las señales estacionarias aleatorias presentan unas características de distribución estadística muy similares. La más común es la distribución Gaussiana. La gran mayoría de señales de ruido que podemos encontrar en la práctica, se puede considerar que tienen distribución Gaussiana. Esto no es del todo cierto cuando nos encontramos con un ruido de tráfico bastante discontinuo, situación que se produce frecuentemente de noche. Una distribución de este tipo tiene una serie de ventajas. (Ver figura 3.6). Si el valor promedio de la señal es cero, la desviación típica σ es el valor RMS de la señal, y σ² es la varianza de la potencia. Esto permite calcular algunos parámetros de señales complejas.

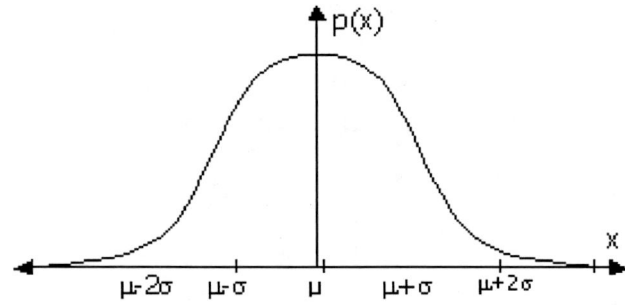

Fig. 3.6. Distribución Gaussiana típica.

Las señales no estacionarias presentan algunas características que pueden invalidar un promedio espectral, y hay que ir con mucho cuidado. Se pueden dividir en señales estacionarias continuas o señales estacionarias transitorias.

Un ejemplo del primer tipo podría ser una señal de voz de una palabra o frase. La señal es claramente no estacionaria ya que tiene una duración limitada (unos pocos segundos), pero la podemos "cortar" en pequeños trozos para analizarla, entonces sí que se podría considerar que es continua, e incluso se podría hacer un promedio con unas pocas muestras. Por tanto, al hacer un análisis espectral, deberá tenerse en cuenta que la duración de la señal no es infinita. Esto crea ciertas limitaciones en los análisis de las señales de corta duración por parte de los equipos de medida, ya que para analizarlas no se pueden utilizar las técnicas FFT. Por tanto las señales con una duración inferior a los 2 s, como por ejemplo el ruido del cierre de una puerta de coche, no se pueden analizar con la técnica FFT que es la que incorporan la gran mayoría de equipos de medida. Los conceptos anteriores quedan resumidos en la figura 3.7.

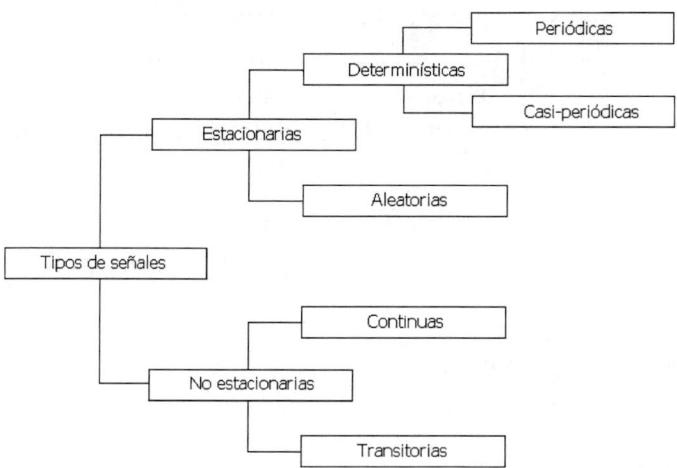

```
                                              ┌─────────────┐
                                              │  Periódicas │
                               ┌──────────────┴─────────────┘
                               │ Determinísticas │
                               └──────────────┬─────────────┐
                                              │ Casi-periódicas │
               ┌──────────────┐              └─────────────┘
               │ Estacionarias │
               └──────┬───────┘ ┌─────────────┐
                      │         │  Aleatorias │
                      │         └─────────────┘
  ┌──────────────┐    │
  │ Tipos de señales │
  └──────────────┘    │         ┌─────────────┐
                      │         │  Continuas  │
                      │         └─────────────┘
               ┌──────┴───────────┐
               │ No estacionarias │
               └──────────────────┘ ┌─────────────┐
                                    │ Transitorias │
                                    └─────────────┘
```

Fig. 3.7. Clasificación de diferentes tipos de señales.

3.5. Integración temporal de la señal sonora.

La amplitud del sonido no se mantiene constante con el paso del tiempo, siempre existen pequeñas fluctuaciones de nivel. Cuanto más estable es el sonido, más fácil resulta su medición de amplitud. Pero cuando las fluctuaciones son apreciables no se obtiene una lectura de nivel estable. De hecho, si el indicador del equipo de medida intenta seguir las variaciones del nivel de la señal acústica, su lectura fluctúa constantemente. Para obtener pues una lectura mínimamente estable, que no quiere decir constante, es necesario aplicar una cierta integración temporal. Gracias a esta integración temporal, el indicador del sonómetro o medidor presentará una lectura estable al finalizar la medición. El grado de integración temporal se escogerá en función de los tipos de señal medidos para que los resultados sean correctos. Si el sonido presenta muy pocas fluctuaciones y mantiene un nivel prácticamente constante, con unas decenas de segundos es suficiente para obtener una lectura correcta. Pero si el sonido presenta fluctuaciones de nivel más importantes será necesario incrementar el tiempo de promedio. El tiempo de medida debe asegurar que abarca al menos 3 o más ciclos de variación de éste. Es difícil determinar "in situ" dicha periodicidad. En el ruido de tráfico, la regulación semafórica imprime una periodicidad que debe ser tenida en cuenta. En otros casos es probable que no se produzca tal periodicidad. Se recurre entonces a una medición con un tiempo previamente fijado de 5, 10 minutos o más. Un tiempo de integración excesivamente largo consigue sin duda obtener valores muy estables de nivel sonoro medido, pero desvirtúa la medida, falseando la realidad del problema, ya que compensa los niveles elevados con las pausas.

Hoy en día todos los instrumentos de medida trabajan en el dominio digital, es decir, con muestras de la amplitud de la señal. Estas muestras que corresponden a la señal temporal se promedian exponencialmente con la expresión (3.8) antes de ser mostradas por el indicador del equipo.

$$e^{-\frac{\Delta t}{\tau}} \tag{3.8}$$

Donde:

Δt es el período de muestreo.

τ depende del tipo de señal.

El estándar IEC 651 prevé tres valores diferentes:

$\tau = 35$ ms.	Función *Impulse* del medidor.
$\tau = 125$ ms	Función *Fast* del medidor.
$\tau = 1000$ ms	Función *Slow* del medidor.

Las funciones *Fast* o *Slow* fueron concebidas para ser aplicadas a los indicadores analógicos, ya que en ellos la aguja oscilaba menos al aumentar el grado de integración. Con ello se conseguía una lectura más estable. Con la aparición de los indicadores digitales esta distinción no tiene demasiado sentido ya que es necesario tener en cuenta el período de actualización del indicador, que usualmente suele ser de 0,5 s. Por tanto no se pueden visualizar todos los valores medidos por el equipo en la posición *Fast*. Además ver un indicador numérico con valores que están cambiando constantemente dificulta mucho su lectura y sobre todo su interpretación.

Tampoco es posible ver entre que valores oscila la lectura, aspecto que sí se puede hacer con una lectura analógica. En caso de evaluar un sonido con una medida instantánea (sin promedio), la posición *Fast* o *Slow* presenta en la práctica poca diferencia cuando se utiliza un equipo con lectura digital. Si se realiza una medición con un promedio durante un cierto tiempo, entonces utilizar la posición *Fast* o *Slow* de los equipos con indicador digital es irrelevante, ya que el resultado que sale por pantalla no depende de la posición seleccionada. Nótese además que pasados unos breves instantes si hacemos una integración temporal, el nivel L_{eq} y el L_{fast} dan exactamente el mismo valor. No confundir con la función $L_{fastmax}$ que sí que probablemente daría valores distintos, ya que memoriza el valor máximo producido durante el intervalo de medida.

La posición *Impulse* supone un tiempo de respuesta temporal más rápida y por tanto permite "seguir" mejor la evolución de la señal. También se dispone, en el caso de la posición *Impulse*, de la función *Peak*, que permite visualizar el nivel de pico más elevado de la señal durante todo el tiempo de medida. El *Peak-Hold* mantiene el nivel de pico máximo obtenido durante toda la duración de la medida, para facilitar su lectura. Con este indicador es necesario hacer un "reset" para iniciar una nueva medida.

La medida de nivel de sonido más simple es el valor instantáneo. Este indicador puede incorporar alguna red de ponderación (A, B, C, ...) y una integración temporal concreta para el tipo de señal. Con esta posición el indicador siempre estará fluctuando. No se obtiene una lectura estable, ya que la lectura instantánea indica en todo momento el nivel de presión acústica instantáneo cada cierto tiempo t. Esta función es útil para evaluar inicialmente qué niveles genera una máquina o actividad y ver si hay fluctuaciones, para localizar máximos y mínimos de presión dentro de un recinto cerrado por efecto de los modos propios, etc. Sin embargo es poco aconsejable su uso sin tener un mínimo de experiencia, ya que los valores que se obtienen fluctúan con mucha facilidad y la lectura se ve muy influenciada por el entorno de medida. Cuando el sonido presenta ligeras fluctuaciones, es recomendable efectuar una integración temporal de la señal para evaluar un nivel más cercano al que se percibe. Este tiempo de integración hace que el resultado de la medida no se obtenga hasta finalizada la integración, por lo que la aparición de ruidos ajenos a la medida puede influenciar o incluso invalidar la medida. Existe pues siempre un compromiso entre el grado de integración temporal, y el resultado del nivel de amplitud obtenido. Como se ha indicado anteriormente, cuanto más fluctúa una señal más incorrecto es aplicar una integración elevada.

3.6. El nivel continuo equivalente. Leq.

Este indicador nació a mediados de los años 60 ante la necesidad de evaluar el grado de exposición de los trabajadores al ruido industrial. Su campo de aplicación inicial preveía un nivel de señal bastante estable, generalmente producido por máquinas. El nivel equivalente se calcula con cualquiera de las expresiones (3.9 a 3.12). Se define como el ruido de nivel constante que aporta la misma energía que el ruido fluctuante medido. Su aplicación se fundamentó en una hipótesis: el ruido en el interior de una fábrica se puede considerar continuo.

Se trata pues una integración energética, y ésta es su principal virtud. Su principal defecto es el abuso de su uso con integraciones exageradamente elevadas y su utilización indiscriminada para cualquier tipo de señal. Es muy corriente asociar al nivel equivalente la ponderación A. Son evidentemente conceptos diferentes. El nivel equivalente se puede obtener con valores sin ponderar (LIN) o con una ponderación concreta (A, B, C, ...).

$$L_{eq} = 10 \log \left(\frac{1}{T} \int_{t_1}^{t_2} \frac{P^2(t)}{P^2_0} dt \right) \tag{3.9}$$

Donde:

T es el período de medida (t_1 a t_2).

P(t) es el nivel de presión sonora instantáneo.

P_0 es el nivel de presión de referencia (típicamente 20 μPa).

También se puede utilizar como alternativa la expresión (3.10).

$$L_{eq} = 10 \log \left(\frac{1}{T} \int_{t_1}^{t_2} 10^{\frac{L}{10}} dt \right) \tag{3.10}$$

Donde:

T es el período de medida (t_1 a t_2).

L es el nivel medido en dB.

Los actuales equipos electrónicos de medida trabajan internamente con la señal digitalizada o discreta. Por lo tanto se obtienen muestras de la amplitud de la señal cada cierto intervalo de tiempo. Para calcular el L_{eq} en este caso, se utiliza la expresión (3.11).

$$L_{eq} \cong 10 \log \left[\frac{1}{T} \sum_{i=1}^{n} \frac{P_i^2(t)}{P_0^2} \Delta t_i \right] \tag{3.11}$$

Donde:

T es el período de medida (t_1 a t_2).

n es el número de muestras.

$P_i(t)$ es el nivel de presión sonora instantáneo de la muestra y en el instante t_i.

P_0 es el nivel de presión de referencia (típicamente 20 μPa).

$$L_{eq} \cong 10 \log \left[\frac{1}{T} \sum_{i=1}^{n} 10^{\frac{L_i}{10}} \right] \qquad (3.12)$$

Donde:

T es el período de medida (t_1 a t_2).

n es el número de muestras.

L_i es el nivel medido en dB correspondiente a la muestra i, en el instante t_i.

Es necesario remarcar que la versión digital del L_{eq} es una aproximación al valor real, y que con un número muy elevado de muestras n, tiende al valor exacto.

Si las fluctuaciones de las señales son importantes no es correcto utilizar el L_{eq}. De hecho, integrar durante 12h – 24h o más tiempo una señal de ruido fluctuante como puede ser el tráfico, no da resultados útiles, ya que el excesivo grado de integración eliminará todas las puntas de ruido, dando valores que no se ajustan a ninguna situación particular del período de medida. Sería como promediar el nivel de luz diurno con el nocturno, y decir que durante las 24 horas tenemos siempre una cierta iluminación procedente del sol, sería absurdo. Para los casos donde las fluctuaciones del ruido son importantes, y pueden variar con la hora del día, es más interesante utilizar los indicadores estadísticos L10, L90, y siempre por intervalos. En todo caso sería aconsejable indicar los niveles de ruido equivalente del período medido, y los indicadores estadísticos asociados. Con ello se consigue una descripción mucho más precisa del fenómeno acústico.

3.7. Sound Exposure Level. SEL.

Cuando los sonidos tienen una duración diferente, no se pueden comparar directamente entre ellos para evaluar cual tiene más energía ya que el tiempo no es el mismo. Se puede obviamente comparar el nivel de presión pero la molestia generada va a depender en gran medida del tiempo de exposición. El SEL normaliza los niveles de ruido a 1 segundo. El procedimiento consiste en que la energía que se ha obtenido durante la medida, se concentra en un nivel constante con una duración de 1 s. Esto permite comparar diferentes sonidos con diferente duración, ya que se normalizan todos a 1 segundo. El SEL está pensado para evaluar el ruido de fenómenos simples, como el paso de un avión o de un vehículo. Este parámetro se define como el nivel de presión sonora constante que, si se mantuviera por un período de tiempo de referencia (1 segundo), transmitiría al receptor la misma energía que el ruido medido. La definición se muestra en la ecuación 3.13:

$$SEL = 10 \log \frac{1}{T_{ref}} \int_{-\infty}^{\infty} \frac{[p(t)]^2 \, dt}{(20\mu P)^2} \, dB \qquad (3.13)$$

El SEL podría ser un buen parámetro para valorar la molestia de paso de vehículos, por ejemplo, ya que tiene en cuenta el tiempo de pasada del vehículo, es decir, a igualdad de nivel espectral, si ésta es lenta, la molestia generada será mayor que si la pasada es rápida. Completando este concepto se puede deducir también el nivel equivalente, a partir de la expresión del SEL y añadiendo la corrección del tiempo de integración, respecto de la referencia, con la expresión siguiente:

$$L_{eq,T} = SEL - 10 \log \left(\frac{T}{T_{ref}} \right) \qquad (3.14)$$

3.7.1. Ejemplo de cálculo:

Si se compara el ruido producido por un autobús y el de una moto, utilizando el indicador L_{eq}, no se puede saber realmente cuál emite más energía y puede en consecuencia ser más molesto ya que la mayor capacidad de aceleración de la moto, hace que su duración sea menor. Partiendo de la evolución temporal de la señal para cada vehículo, se puede evaluar el SEL para cada uno de ellos. En la figura 3.8. se resume el resultado obtenido. Se observa que el registro del autobús presenta una duración mayor que el de la moto.

$L_{eq} = 73{,}5 \text{ dB(A)}$

$SEL = 79{,}5 \text{ dB(A)}$

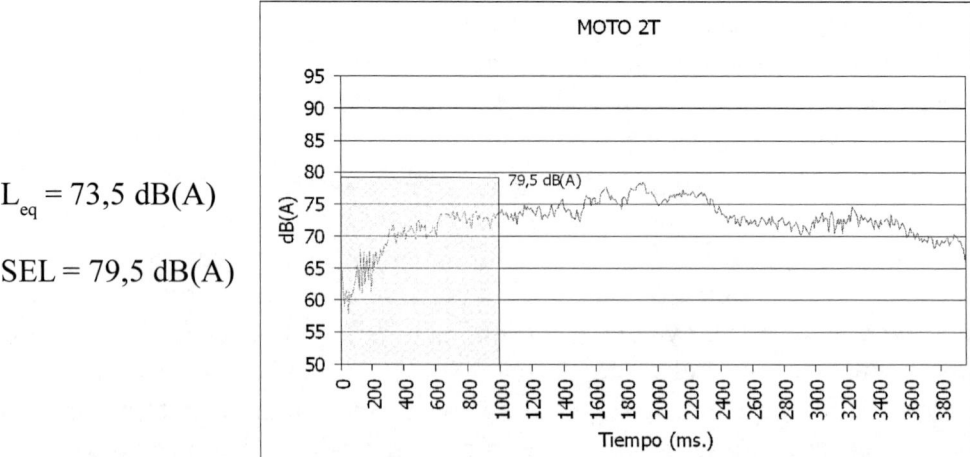

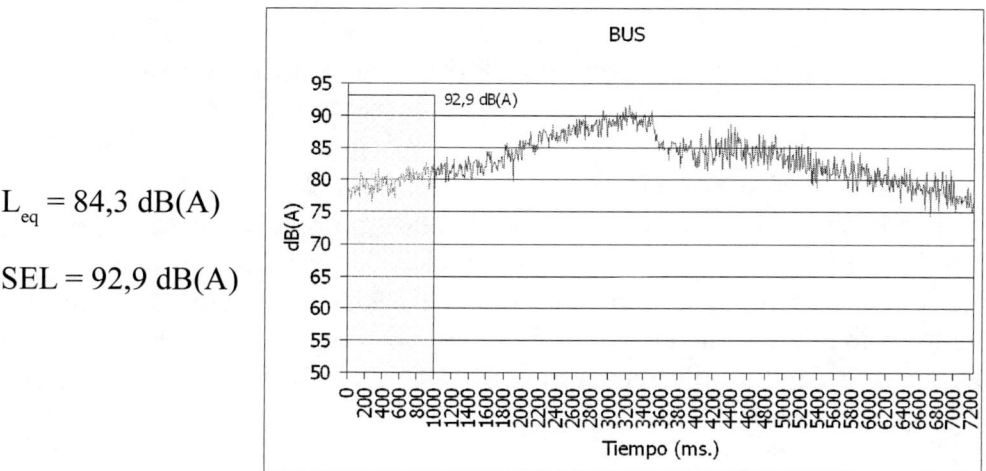

$L_{eq} = 84,3$ dB(A)

SEL $= 92,9$ dB(A)

Fig. 3.8. Toda el área encerrada bajo la curva de nivel sonoro, contiene la misma energía que el rectángulo normalizado a 1 segundo. La altura del rectángulo es el valor del SEL.

3.7.2. Aplicación del SEL.

Se desea evaluar el nivel de ruido emitido en una calle por donde circulan 4 autobuses y 14 motos como los indicados anteriormente. Mediante la ecuación 3.15 se puede efectuar el cálculo solicitado.

$$L_{Aeq,T} = 10 \cdot Log\left(\sum_{i=1}^{n} 10^{SEL_i/10}\right) - 10 \cdot Log\left(\frac{T}{T_{ref}}\right) \qquad (3.15)$$

Duración temporal del paso de vehículos:

14 motos (T = 3,95 seg.) = 55,3 seg.
4 bus (T = 7,2 seg.) = 28,8 seg.

Partiendo de los valores individuales obtenidos del SEL, el nivel equivalente de todos los vehículos será:

$$L_{Aeq} = 10 \cdot Log\left(\sum_{i=1}^{14} 10^{\frac{79,5}{10}} + \sum_{i=1}^{4} 10^{\frac{92,9}{10}}\right) - 10 \cdot Log(84,1) \qquad (3.16)$$

Por tanto, el nivel global de todos los vehículos es de:

$$L_{Aeq} = 80,3 \text{ dB(A)}$$

Nótese que este nivel es el que se obtendría si todos los vehículos pasaran delante del observador uno detrás del otro sin hacer pausas. Esta situación no suele ser la más frecuente y por tanto el SEL es necesario utilizarlo con cierta reserva.

3.8. Composite Noise Rating. CNR.

El año 1953, W. A. Rosenblith propone el Composite Noise Rating, (CNR) con la idea de unificar criterios de valoración del impacto acústico causado por la aviación sobre la población cercana a los aeropuertos. La principal contribución de este investigador fue la división del intervalo de medida en dos períodos, el diurno y el nocturno. El cálculo del CNR se puede hacer con la expresión 3.17:

$$CNR = PNL_{màx} + 10 \cdot \log(N_D + 16,7 \cdot N_N) - 12 \tag{3.17}$$

Donde:

$PNL_{màx}$ es el nivel de ruido percibido máximo, según los estudios de K. D. Kryter.

N_D es el número de vuelos durante el día (07:00 hasta las 22:00).

N_N es el número de vuelos durante la noche (22:00 hasta las 07:00).

El factor 16,7 representa una ponderación de los niveles nocturnos obtenido de una forma poco transparente. Se consideró que a igualdad de nivel sonoro el ruido es más molesto en el período nocturno y se decidió penalizar al nivel nocturno con 10 dB. Algunos trabajos apuntan a otros valores para esta penalización. Se observa que ésta varía entre 10 y 20, dependiendo de la procedencia de los estudios realizados.

El nivel de ruido percibido PNdB será:

$$PNdB = 40 + \log_2(Noy) \tag{3.18}$$

Los PNdB (Perceived Noise dB) es un concepto definido por el profesor K. D. Kryter, que valora la molestia percibida en unas unidades llamadas Noy. Los estudios de K. D. Kryter se centran en los efectos del ruido de aviación sobre la población. Sus resultados, aunque no son directamente aplicables al ruido producido por otras fuentes sonoras, correlacionan mucho mejor las mediciones y el grado de molestia percibido que el vulgar dB(A).

3.9. Community Noise Equivalent Level. CNEL.

La década de los 50 se caracterizó por la gran cantidad de trabajos y estudios encaminados a encontrar un indicador universal para medir el sonido que respondiera a las sensaciones humanas. En el año 1959, Leo L. Beranek y Karl D. Kryter basándose en la idea de dividir el intervalo de medida propuesta por Rosenblith con el CNR, añaden un tercer término "evening" que da origen al CNEL. En esta expresión (3.19), se observa que los niveles nocturnos son penalizados con 10 dB más que los niveles diurnos, y el período atardecer presenta una penalización de 3 dB. La expresión es un simple promedio energético ponderado con la duración de cada período. Usualmente los niveles empleados en la expresión (3.19) tienen la ponderación A.

$$CNEL = 10 \cdot \log\left(\frac{1}{24}\left(12 \cdot 10^{\frac{L_d}{10}} + 3 \cdot 10^{\frac{L_n+3}{10}} + 9 \cdot 10^{\frac{L_n+10}{10}}\right)\right) \tag{3.19}$$

Donde:

L_d es el nivel equivalente diurno entre 7:00 y 19:00 en dB(A)
L_e es el nivel equivalente del período entre 19:00 y 22:00 en dB(A)
L_n es el nivel equivalente nocturno entre 22:00 y 7:00 en dB(A)

Poco tiempo después, se aumentó la penalización del período atardecer para acercarlo más a las sensaciones subjetivas. En lugar de 3 dB se pasó a los 5 dB. La expresión final resultante es:

$$CNEL = 10 \cdot \log\left(\frac{1}{24}\left(12 \cdot 10^{\frac{L_d}{10}} + 3 \cdot 10^{\frac{L_n+5}{10}} + 9 \cdot 10^{\frac{L_n+10}{10}}\right)\right) \tag{3.20}$$

El término de 10 dB y de 5 dB que penalizan al período nocturno y atardecer respectivamente, se fijó aparentemente en base a unos estudios experimentales. Sin embargo no existe ningún trabajo mínimamente serio que justifique estas penalizaciones. Se pueden consultar diversos estudios y trabajos publicados por diferentes investigadores donde estas penalizaciones varían, para ajustarse mejor a la respuesta de los afectados. Recientemente se han realizado diversos estudios que apuntan a que estas penalizaciones están muy lejos de ser ciertas. Nótese que un incremento de ruido de 10 dB, corresponde aproximadamente al doble de sensación sonora. No está claro que de noche los sonidos se perciban con esta desproporción respecto de los valores diurnos. La sensación subjetiva es mucho más elevada y ésta viene condicionada por el ruido ambiente, el espectro de ruido, su evolución temporal, el margen dinámico y el período horario. Todo esto es bastante más complicado que añadir sistemáticamente 10 dB para cualquier señal y en cualquier situación. Estos términos correctores se encuentran también en normas más recientes como la Directiva Europea del año 2002. Es muy curioso y preocupante que dichos términos sean aceptados sin tener ninguna base científica que los apoye.

3.10. Day - Night Level. L_{dn}.

En el año 1972, la agencia Americana de Protección del Medio Ambiente (EPA) adopta el L_{dn} propuesto como método para evaluar la molestia del ruido sobre la población, tomando como base la subdivisión del período de medida en dos partes: día y noche. Este parámetro se puede definir como el nivel equivalente durante un período de 24 horas, pero teniendo en cuenta un peso diferente para los niveles diurnos y nocturnos como se hace con el CNR. La expresión del L_{dn} es la siguiente:

$$L_{dn} = 10 \cdot \log\left(\frac{1}{24}\left(15 \cdot 10^{\frac{L_d}{10}} + 9 \cdot 10^{\frac{L_n+10}{10}}\right)\right) \tag{3.21}$$

Donde:
L_d es el nivel equivalente diurno entre 7:00 y 22:00
L_n es el nivel equivalente nocturno entre 22:00 y 7:00.

3.11. Day – Evening – Night Level. L_{den}.

La Comisión Europea el año 1995 publicó el Libro Verde, en el cual se definían las líneas estratégicas para controlar el ruido en todo el territorio. Una de las primeras acciones de la Comisión fue crear unos grupos de trabajo (WG) formado por expertos de diferentes países europeos. El WG1 era el encargado de establecer un indicador que sería común para todos los países de la Unión. Los trabajos terminaron con la presentación pública en Diciembre de 2000 en París, de la Directiva Europea sobre ruido, que entre otras novedades anunciadas, presentaba un "nuevo" indicador, el mal llamado decibelio Europeo: L_{den}. La expresión 3.22 muestra su formulación.

$$L_{den} = 10\log\left(\frac{1}{24}\left(12 \cdot 10^{\frac{L_d}{10}} + 4 \cdot 10^{\frac{L_e+5}{10}} + 8 \cdot 10^{\frac{L_n+10}{10}}\right)\right) \tag{3.22}$$

Donde:

L_d Nivel ponderado A del período día (ISO 1996-2:1987) evaluado en 1 año.

L_e Nivel ponderado A del período atardecer (ISO 1996-2:1987) evaluado en 1 año.

L_n Nivel ponderado A del período noche (ISO 1996-2:1987) evaluado en 1 año.

Comparando las expresiones 3.20 y 3.22 se observa que, excepto en los términos temporales para el período atardecer y noche, son idénticas. La contribución del WG1 no se puede considerar que haya sido muy brillante ya que 40 años antes el indicador ya existía.

Conviene también remarcar que los valores para cada franja temporal (día, atardecer y noche) se deben obtener con un promedio de 1 año. Con este grado de integración temporal es previsible que los niveles de ruido sean muy estables utilizando la técnica de la "compensación" (llamada también de la apisonadora), entre el ruido diurno y el nocturno, o lo que resulta peor, entre distintos intervalos dentro de un mismo período. Así pues una actividad podrá producir un nivel de ruido muy superior al permitido durante un espacio de tiempo razonable sin que por ello incumpla la Legislación vigente, ya que se compensa el tiempo de ruido de la actividad, por el tiempo de ruido de fondo. Cuando sea el momento de tomar o aplicar medidas para reducir los niveles de ruido será realmente difícil. Con un grado de integración tan elevado, si no se utilizan medidas drásticas como prohibir el tráfico o cerrar actividades, en algunas zonas los niveles sonoros no bajaran lo suficiente.

Otro problema añadido es el coste que las mediciones efectuadas durante un año puedan suponer. Admitiendo que no se va a medir durante un año de forma continua sino realizando un muestreo, deberán tomarse suficientes muestras representativas en las distintas estaciones del año. Como la Legislación actual permite en estos casos utilizar la simulación, no es difícil prever que en un futuro muy cercano las mediciones sean substituidas por las previsiones, que no es exactamente lo mismo. Las consecuencias pueden ser bastante devastadoras. El uso de los simuladores en manos de personas no experimentadas y sin conocimientos acarreará sin duda muchos problemas. Previsiblemente, los resultados obtenidos de forma poco clara van a ser cuestionados incluso por la población. Nótese que los mapas de ruido hechos mediante simulaciones son "muy bonitos", pero pueden falsear la realidad si los parámetros de entrada no son correctos.

3.12. Análisis estadístico. Nivel Percentil L_{10} y L_{90}.

El análisis estadístico del nivel de presión acústica resulta muy útil para evaluar el grado de exposición real de la población al ruido. Cuando más variabilidad de nivel presenta un ruido, más molesto resulta éste, aun manteniendo el mismo nivel global L_{eq}. El uso de los indicadores estadísticos, los percentiles, es muy ventajoso para evaluar el grado de molestia que produce un ruido. El percentil L_n se define como el valor del nivel de presión sonora (en dB o dB(A)), que ha estado superado durante el n% del tiempo de medida. Estos parámetros, aunque se pueden aplicar en la medida de cualquier tipo de ruido discontinuo, son de especial aplicación en la medida de ruido de tráfico (ver figura 3.9.).

La distribución estadística de muestras de nivel aporta mucha información sobre la variabilidad de la señal. Permite evaluar si el nivel obtenido ha estado consecuencia de un nivel muy constante o si, al contrario, ha estado obtenido por un nivel anormal que se ha producido durante la medida. Si se mide ruido de tráfico, la distribución estadística ilustra muy bien el tipo de tráfico existente durante la medida. Permite saber si el tráfico ha sido fluido o estaba congestionado. Permite también distinguir entre las mediciones realizadas en calles o en cruces. Sin embargo debe tenerse presente que las muestras son clasificadas por niveles, y el concepto frecuencia no queda reflejado, lo cual en ocasiones puede producir confusiones.

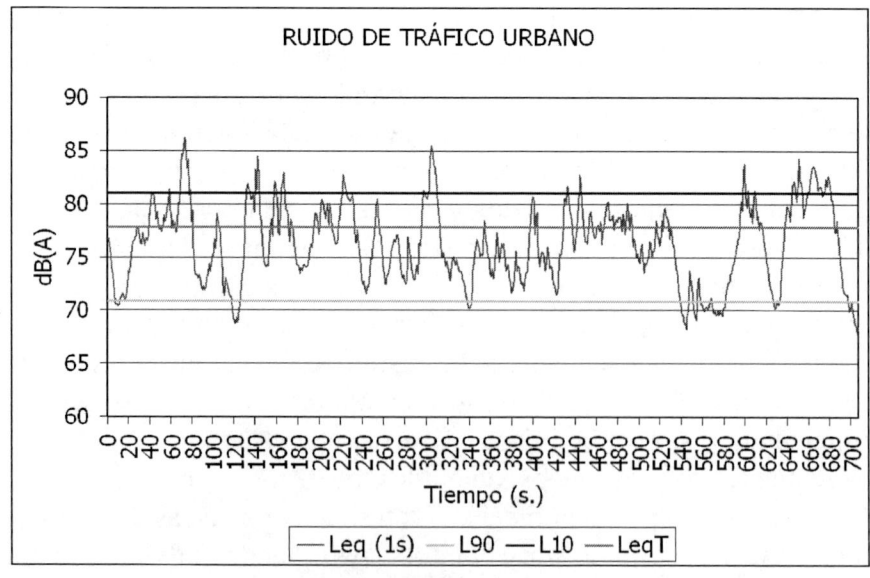

Fig. 3.9. Significado del concepto percentil L_{10} y L_{90}, respecto del L_{eq}.
LeqT= 77,8 dB(A) L10= 81 dB(A) L90= 70,8 dB(A).

Así, el percentil L_{10} representa el nivel de presión sonora que ha estado superado durante el 10% del tiempo de medida. Este parámetro se considera característico de los niveles elevados obtenidos durante la medida. Suele considerarse un buen indicador de los niveles máximos obtenidos durante la medición.

En cambio, el percentil L_{90} representa el nivel de presión sonora que ha estado superado durante el 90% del tiempo de medida. Este parámetro caracteriza los niveles inferiores o ruido residual obtenidos durante la medida.

La diferencia L_{10} - L_{90} se llama clima de ruido, que es una medida de la separación entre los niveles de ruido máximos y de ruido residual obtenidos durante la medida. Este valor será elevado en aquellos casos donde el tráfico sea más discontinuo, y se puede ver muy afectado por la presencia de semáforos, cruces o de cualquier otro sistema regulador. Cuanto mayor sea la diferencia entre L_{10} - L_{90} mayor grado de molestia se produce sobre la población. Nótese que la fluctuación es independiente del nivel equivalente obtenido. En muchas ocasiones el nivel equivalente medido da valores moderados de ruido, por ejemplo, en una calle midiendo de madrugada el tráfico suele ser muy irregular. Sin embargo los pocos vehículos que pasan resultan muy molestos, ya que su ruido llega a destacar por encima del ruido residual de la zona. Sin embargo el nivel L_{eq} indica lo contrario. El clima de ruido es un indicador interesante para evaluar el grado de molestia de un ruido. En las figuras 3.10 y 3.11 podemos ver dos ejemplos de aplicación de los percentiles sobre una medida de corta duración (10 min.).

Los casos mostrados en las figuras 3.10 y 3.11 corresponden a dos calles de la ciudad de Barcelona. La figura 3.10 corresponde a la cruce de la calle Balmes con Ronda del Mig. Es una intersección muy importante por el elevado tráfico que se produce a cualquier hora del día, y es uno de los puntos más contaminados acústicamente de la ciudad. La figura 3.11. nos muestra el caso de la calle Major de Sarrià a la altura del nº 121, calle del antiguo pueblo de Sarrià, hoy un distrito más de la ciudad de Barcelona. El nivel equivalente medido con 10 minutos de integración en ambas calles es exactamente el mismo L_{eq} = 77,6 dB(A). Si se escucha la señal de audio, realmente "suena" muy diferente. Además, la calle Balmes presenta una densidad de circulación de unos 3.500 veh./h, mientras que en la calle Major de Sarrià la densidad fue de 460 veh./h.

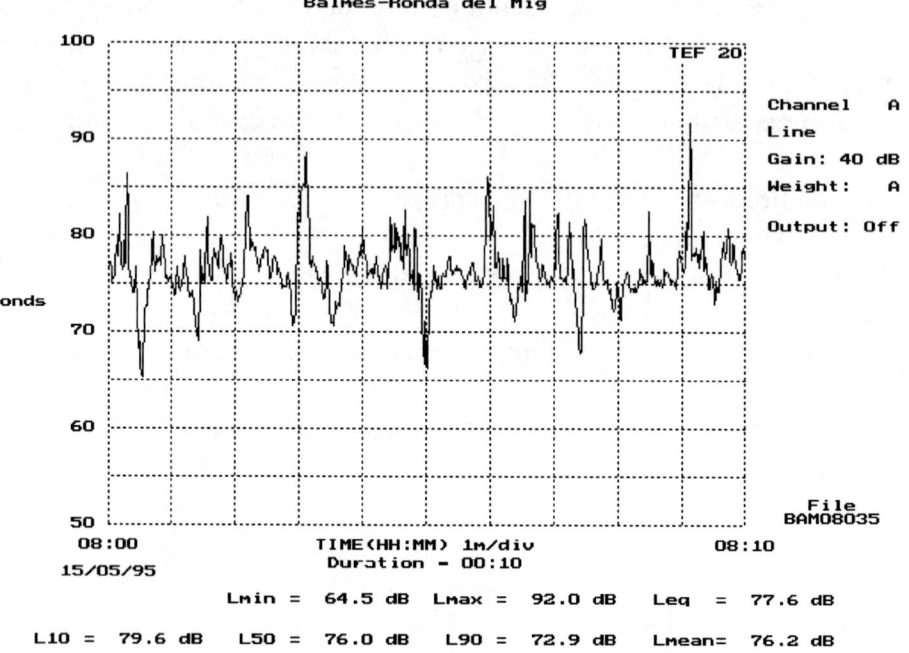

Fig. 3.10. Ejemplo de variación estadística moderada.

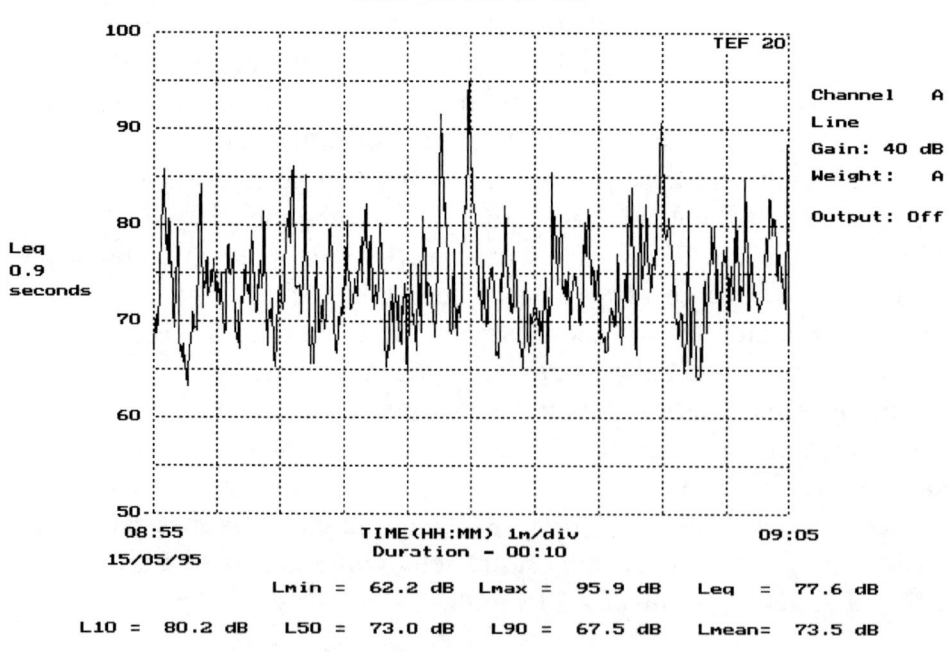

Fig. 3.11. Ejemplo de variaciones de nivel de ruido importantes.

¿Cómo es posible que dos calles con tanta diferencia de densidad de tráfico den exactamente el mismo nivel L_{eq}? En las calles estrechas, como es el caso de Major de Sarrià, el sonido generado por los vehículos únicamente puede propagarse en dirección vertical y a lo largo de la calle. Al estar los edificios revestidos con materiales duros y poco absorbentes, la energía acústica no puede disiparse fácilmente y los niveles sonoros en la calle se ven aumentados por efecto de las reflexiones sobre las paredes de los edificios situados a ambos lados. Cuando las fachadas de los edificios están muy cercanas aparece un tiempo de reverberación que enfatiza el nivel sonoro en la zona. Por este motivo, aunque la densidad de circulación sea muy diferente, el nivel de ruido de la calle estrecha se iguala con la de la calle mucho más ancha.

Aunque el nivel sonoro medido en dB(A) es el mismo, la sensación no es la misma. Esto es debido a un diferente contenido espectral. Esta diferencia la introduce la tipología de la calle. A pesar de que las fuentes de ruido sean las mismas en ambas calles, las bajas frecuencias se ven realzadas en la calle estrecha al no poder ser absorbidas por las fachadas de los edificios. El contenido de baja frecuencia es pues mayor en la calle estrecha que en la calle ancha, y eso hace que "suene" diferente. Esta baja frecuencia es la que entra con mayor facilidad dentro de las casas, produciendo una mayor sensación de molestia sobre la población. Por otro lado la reverberación permite que con un tráfico más discontinuo el nivel Leq sea el mismo, pero con mayores desniveles sonoros. El indicador L_{eq} no refleja la realidad del problema. El nivel L_{eq} no deja de ser un promedio energético. Nótese que los valores bajos de nivel diluyen los períodos con mayor ruido.

Si calculamos el clima de ruido en ambos casos se observa que en Major de Sarrià obtenemos un clima de ruido de 12,7 dB, mientras que en la intersección Balmes con Ronda del Mig el clima de ruido es de 6,7 dB. El clima de ruido presenta pues una buena correlación con el grado de molestia. A pesar de la igualdad de niveles globales equivalentes, el ruido percibido en la calle Major de Sarrià resulta bastante más molesto que el percibido en Balmes - Ronda del Mig. Resulta evidente que la molestia no es únicamente una cuestión de nivel de presión acústica, sino de desnivel sonoro, entre otros factores. La distribución estadística con los valores percentiles L_{10} y L_{90}, se ajusta más a la valoración subjetiva de la molestia del ruido. Es necesario utilizar algo más que la presión acústica ponderada A, para prever el grado de molestia que recibe la población.

3.13. Distribución estadística de la señal.

La distribución estadística nos puede dar información muy valiosa sobre la señal de ruido. La acumulación de muestras de nivel sobre unos determinados valores y la forma en como se acumulan da una idea de cómo es el ruido de variable o fluctuante. Por ejemplo, en la figura 3.12. se muestra la distribución estadística para dos fragmentos de señal de sonido de TV.

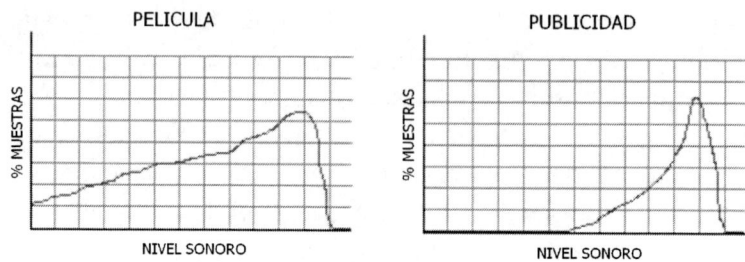

Fig. 3.12. Aumento de la sonoridad sin variar el nivel máximo de señal de audio.

El fragmento correspondiente a "publicidad" muestra un nivel de sonoridad notablemente superior al de la "película". En la "publicidad" el número de muestras se concentra principalmente sobre los valores elevados de la señal de audio. Nótese que la "película" presenta muestras con valores bajos de nivel sonoro, que corresponden a pausas o escenas de poca acción.

En ambos casos el nivel medido de VU-metro es el mismo. Hay dos procesos que pueden producir este resultado: la maximización y la compresión. Con estos procesos electrónicos se busca obtener el máximo aprovechamiento del soporte (CD, radio, disco de vinilo, etc.). La compresión comporta además un cambio notorio de la dinámica del sistema, mientras que la maximización la mantiene.

El uso de estas técnicas se inició hace unas décadas, en el sector de la publicidad. El deseo de todo publicista de que su anuncio destaque, encontró una solución con estas técnicas. Los primeros anuncios tenían un nivel de audio más elevado que llamaba la atención de los espectadores sorprendidos por el cambio de volumen. Cuando esta técnica se popularizó, este efecto perdió su interés, pero se ha mantenido para estar al mismo nivel que la competencia.

A nivel acústico, las técnicas de la compresión y maximización han supuesto un grave problema para la capacidad contaminante de determinadas actividades. Estas técnicas también se utilizan en las grabaciones musicales. Así pues un CD de los años 90 "suena" más flojo que un CD actual y ambos utilizan el mismo soporte y el mismo formato digital. Actualmente las bajas frecuencias tienen un elevado nivel de compresión, entre otras particularidades, lo que permite que su sonido llegue con mayor facilidad a las zonas sensibles cercanas. (Véase cap. 11)

3.14. Traffic Noise Index. TNI.

El Traffic Noise Index fue formulado por Griffiths y Langdon el año 1968 como un índice que presenta una buena correlación entre el ruido de tráfico y el grado de insatisfacción de la población. Este índice, aunque muy sencillo, valora mucho mejor la molestia de un ruido sobre la población, que el L_{eq}. El TNI es define como:

$$TNI = 4(L_{10} - L_{90}) + L_{90} - 30 \qquad (3.23)$$

El TNI es especialmente útil para valorar la molestia con un tráfico bastante discontinuo, por ejemplo durante la noche y la madrugada, cuando los niveles sonoros son menores que los diurnos y a pesar de ello hay mayor molestia. El nivel L_{eq} dará unos valores anormalmente bajos que evidentemente no reflejarán la mayor molestia ocasionada. La evaluación de los niveles estadísticos L_{10} y L_{90} son actualmente muy simples de realizar. En la época en que se ideó este indicador a mediados de los años 60, los equipos electrónicos no permitían unos cálculos ágiles y rápidos. Esto fue quizás uno de los motivos por los que el uso del L_{eq} se hizo extensivo. Lamentablemente la legislación en general parece ignorar los avances tecnológicos de que se dispone desde hace unos años.

De las figuras 3.10 y 3.11 podemos observar los siguientes resultados:

CALLE	Veh. /h	L_{eq} (dBA)	$L_{10} - L_{90}$	TNI	SENSACIÓN
Balmes-Ronda Mig	3.600	77,6	6,7	69,7	Molesto
Major de Sarrià	460	77,6	12,7	88,3	Muy molesto

Tabla 3.1. Comparación de los principales indicadores del ruido de dos calles.

Nótese que mientras el Leq dB(A) es exactamente el mismo, no lo es la sensación subjetiva de las personas expuestas. El TNI valora mucho mejor lo que las personas perciben. A la vista de los resultados expuestos en la tabla 3.1. se evidencia la nula capacidad del L_{eq} para valorar la molestia del ruido sobre la población.

3.15. Noise Pollution Level. NPL.

Propuesto por D. W. Robinson el año 1969 en un intento de unificar criterios y definir un único parámetro de medida. El NPL se define con la expresión siguiente:

$$NPL = L_{eq} + (L_{10} - L_{90}) \qquad (3.24)$$

Posteriormente una modificación introducida por Beranek y Robinson conduce a la expresión (3.25).

$$NPL = L_{eq} + (L_{10} - L_{90}) + \frac{(L_{10} - L_{90})^2}{60}$$ (3.25)

Existe alguna variante que en lugar del L_{eq} utiliza el percentil L_{50} ofreciendo en general resultados muy similares. También se puede calcular el NPL a partir de la desviación típica con la ecuación:

$$NPL = L_{eq} + 2,56 \cdot \sigma$$ (3.26)

El inconveniente de esta expresión es el cálculo de la desviación típica, que precisa de potencia de cálculo si se desean obtener valores "en tiempo real". Existe una variante donde se substituye el segundo término por el clima de ruido, definido anteriormente.

3.16. Redes de ponderación.

Como es conocido, la sensibilidad del oído no es la misma en bajas frecuencias y altas frecuencias. Para adaptar la respuesta de los equipos electrónicos de medida a la respuesta del oído, y obtener de esta manera una apreciación más cercana a la realidad, se crearon a mediados de los años 60 las redes de ponderación. Estas redes inicialmente eran filtros electrónicos analógicos que actúan sobre la señal medida, dejando pasar unas frecuencias y atenuando otras.

Ponderación A (IEC 60651): Definida para niveles de sonoridad de 40 Fons.

Ponderación B (IEC 60651): Definida para niveles de sonoridad de 70 Fons.

Ponderación C (IEC 60651): Definida para niveles de sonoridad de 100 Fons.

Ponderación D (IEC 60537): Tiene en cuenta la mayor sensibilidad del oído a las bandas entre 1 kHz y 5 kHz.

Ponderación G (ISO 7196): Para evaluar la respuesta del oído a los infrasonidos, entre 1 Hz y 20 Hz.

Ponderación U (EN61012): Para evaluar el nivel de sonido en presencia de ultrasonidos.

Ponderación AU (EN61012):   Combinación entre la red de ponderación
A y la red de ponderación U.

Las redes de ponderación A, B, C y D son el resultado de un compromiso entre los estándares Americanos y Alemanes a mediados de los años 50. (Ver figura 3.13.).

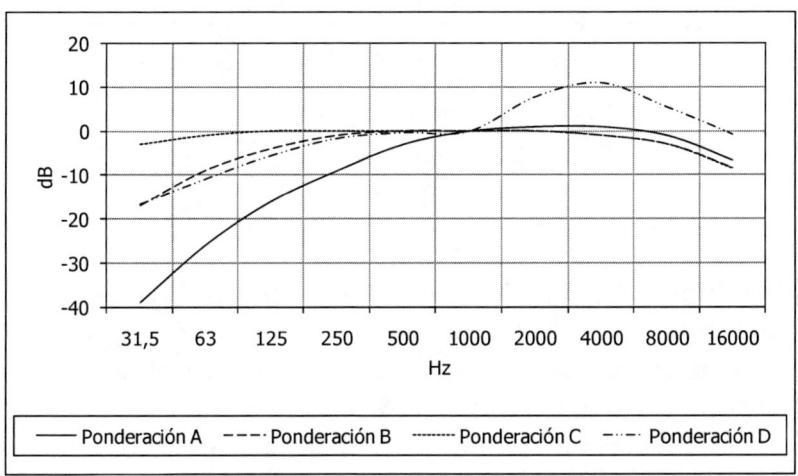

Fig. 3.13. Curvas estandarizadas de ponderación A, B, C y D.

La ponderación A es con diferencia la más utilizada por la mayoría de normativas y estándares actuales. La creencia equivocada de que la medida en dB(A) es la mejor forma de valorar la contaminación acústica se remonta a los años 30, cuando las técnicas de procesamiento digital de la señal no existían, y los conocimientos sobre la percepción auditiva eran bastante primitivos. Para utilizar correctamente estas redes de ponderación, es necesario saber el nivel de sonoridad del sonido, puesto que dichas redes están definidas por los estándares IEC. Obtener la sonoridad era extraordinariamente complejo en los años 30 y no existían máquinas capaces de efectuar gran cantidad de cálculos en poco tiempo. Tampoco se disponía por aquellas fechas de los estudios y conocimientos más recientes sobre percepción auditiva. Hoy en día se puede medir en tiempo real la sonoridad de un sonido, aunque debe tenerse en cuenta que para evaluar la sonoridad siempre se necesita un fragmento mínimo de señal. No tiene sentido hablar de sonoridad instantánea.

La figura 3.14. muestra las ponderaciones G y U. La ponderación G se utiliza en el estándar ISO 1996:2003, para evaluar el nivel de ruido con elevados contenidos de baja frecuencia.

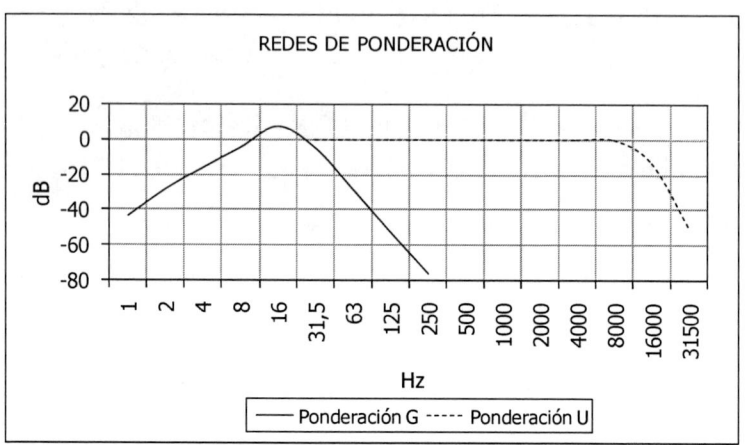

Fig. 3.14. Ponderaciones G y U.

El nivel de ruido que podemos encontrar en las ciudades con una cierta circulación está situado al alrededor de los 70 Fons. Incluso un vehículo solo medido en campo libre a una distancia de 7,5 m. da niveles muy próximos a los 70 Fons. Aplicar una ponderación tipo A para medir estos niveles de sonoridad no es correcto. Con demasiada frecuencia podemos leer que la ponderación A es la que refleja la respuesta del oído humano. Esto no es del todo cierto en el contexto general de la afirmación, ya que únicamente los sonidos con niveles de 40 Fons o inferiores, siguen aproximadamente la ponderación A. Podemos tener 40 Fons a las 4h de la madrugada en una calle de una ciudad cuando no pasa ningún coche por las proximidades (a menos de 100 metros). Para el resto de situaciones la sonoridad medida se encuentra muy lejos de los 40 Fons.

Situación	Sonoridad mínima (Fons)	Sonoridad máxima (Fons)
Vehículo solo. Pista de pruebas.	50	78
Calle con tráfico de día.	62	92
Calle con tráfico de noche.	50	68
Calle sin tráfico de madrugada.	20	44

Tabla 3.2

La tabla 3.2 muestra los valores máximos y mínimos de sonoridad obtenidos en diversas medidas con diferentes vehículos y en diferentes calles de una ciudad. La muestra de vehículos corresponde a los coches habituales en una ciudad. Como se puede apreciar, únicamente en calles sin tráfico y de madrugada, es correcta la utilización de la ponderación A, que se ajusta a los 40 Fons.

La ponderación C únicamente es utilizada para indicar valores de pico (ISO 11202). Recientemente la ponderación B se ha eliminado del estándar IEC de los sonómetros. Es difícil entender porqué la IEC abandona el año 1985 el uso de la ponderación B, que cubre justamente el margen entre 50 – 90 dB. A mediados de los años 80 una iniciativa japonesa crea un grupo de trabajo IEC WG 29, con la idea de modificar la curva de ponderación A para acercarse más a las sensaciones subjetivas. El grupo de trabajo se disolvió al comprobar que el resultado a que se llegó fue una curva de ponderación muy cercana a la ponderación B.

3.17. Origen de la ponderación A.

El año 1933 la firma americana General Radio solicitó los servicios como consultor de un recién licenciado del MIT, Leo L. Beranek, para diseñar un sonómetro de calidad. Arnold Peterson era el responsable máximo del diseño. Se tenía que diseñar e implementar un circuito electrónico que permitiera introducir la respuesta del oído en el equipo de medida. Se trabajó con un filtro pasivo formado por células R-C, siendo el filtro de ponderación C el primero en diseñarse. Peterson encontró un método para pasar de la ponderación C a la B utilizando un simple par condensador y resistencia. Añadiendo otro par R-C se pasaba de la ponderación B a la A. Pero la resonancia del canal auditivo, que entre 2 y 5 kHz puede llegar a enfatizar entre 8 y 10 dB el nivel sonoro, no se podía implementar fácilmente con elementos pasivos R-C. Ante la dificultad técnica se decidió que la cuestión no era importante ya que en aquella época aún existían grandes diferencias entre las curvas isofónicas americanas e inglesas. Las americanas estaban obtenidas en campo libre, mientras que las inglesas con auriculares. El filtro electrónico fue posteriormente estandarizado IEC.

Tenemos pues que con la tecnología de los años 30 se diseñó un filtro electrónico para incorporarlo a los equipos de medida de sonido y poder obtener una respuesta "más cercana" a las percepciones humanas. Es necesario tener en cuenta que en aquel tiempo la mayoría de los equipos iban con válvulas y evidentemente no se disponía de sofisticados sistemas de diseño, ni de componentes electrónicos como hoy en día.

En los años 50, con la aparición de las turbinas, primero en la aviación militar y posteriormente en la aviación civil, se constató la poca correlación entre las medidas en dB(A) y las reacciones de las personas al ruido de aviación. El profesor Karl D. Kryter realizó multitud de medidas y estudió el problema de la molestia sobre la población de este tipo de ruido, llegando a proponer una nueva red de ponderación para medir el ruido de los aviones, es la llamada ponderación D. Justamente esta ponderación tiene en cuenta "el aspecto olvidado" de la ponderación A, la mayor sensibilidad a las frecuencias entre los 2 kHz y 5 kHz que es donde justamente aparece la principal componente tonal de las turbinas.

En la década de los 70 los fabricantes de automóviles comienzan a necesitar ofrecer un sonido diferente a sus productos que responda por un lado a las expectativas de los compradores, y por otro a los deseos de destacarse de la competencia. Observaron que las medidas del ruido expresadas en dB(A) no se ajustaban a las sensaciones subjetivas, y decidieron utilizar la sonoridad según Zwicker para evaluar el sonido de sus productos, lo que permitió obtener unos resultados mucho más próximos a la realidad, desarrollando nuevos conceptos como la calidad acústica. La ponderación A desde entonces, se utiliza exclusivamente para las medidas de homologación de los vehículos. A mediados de los años 80 se desarrollan otros indicadores que permiten cuantificar los aspectos cualitativos del sonido. Son los indicadores psicoacústicos. La industria de automoción es la que genera más conocimientos y avances tecnológicos en este campo.

Podemos pues afirmar que el uso de la ponderación A comporta una serie de problemas, a saber:

1. La ponderación A menosprecia el 95% de las señales de baja frecuencia. Aproximadamente unos 5 dB a 400 Hz, 11 dB a 200 Hz, 19 dB a 100 Hz y 30 dB a 50 Hz.
2. Todas las medidas dejan claro que la ponderación A no tiene en cuenta el efecto del canal auditivo, despreciando los niveles entre 1,5 kHz y 8 kHz. (máximo 10 dB a 3 kHz).

Los errores introducidos por la ponderación A, son tanto más elevados cuanto mayor sea el nivel de ruido. Algunos investigadores sorprendentemente aseguran encontrar una buena correlación entre las encuestas subjetivas y los valores de presión acústica en dB(A). La realidad, pero, es muy diferente. Las sensaciones que recibimos de un sonido son muy complejas, intentar valorarlas únicamente con un solo parámetro y utilizando una única ponderación, puede acarrear errores importantes. El principal defecto de la ponderación A es la excesiva penalización de las bajas frecuencias. Esto afecta especialmente al ruido de automoción o el de actividades musicales, ya que justamente en las bandas más penalizadas se ubica el segundo orden motor y el ritmo musical respectivamente.

La figura 3.15. muestra la respuesta del oído para tres niveles de sonoridad, comparada con la ponderación A. Se pueden observar las grandes diferencias respecto la percepción real del oído humano cuando el nivel sonoro aumenta.

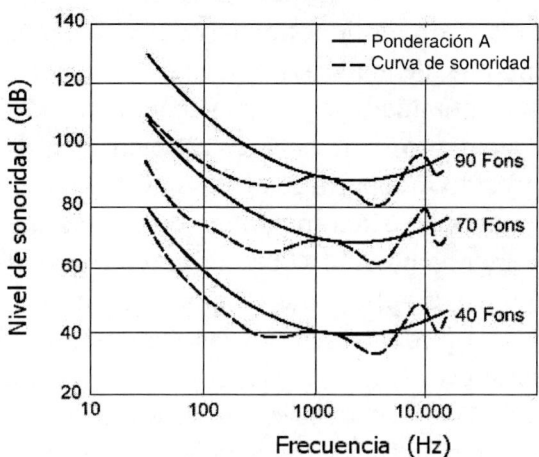

Fig.3.15. Error introducido al aplicar la ponderación A para tres sonoridades distintas que se corresponden con las definiciones dadas en IEC60651.

Utilizar los dB(A) es muy cómodo desde el punto de vista legislativo, ya que todo el problema se reduce a una sola cifra. Pero es poco realista, ya que las sensaciones acústicas son demasiado complejas para resumirlas con una sola variable física (presión acústica). No es del todo cierto que a más nivel de presión, más molestia, y en cambio sí que es cierto que cuando los niveles son muy similares, ciertos aspectos del ruido influyen en su grado de molestia. Estos aspectos deberían tener en cuenta tanto las frecuencias del sonido como su evolución temporal respecto del ruido de fondo.

3.18. Micrófonos.

El micrófono es un elemento fundamental en cualquier medida acústica. Un micrófono es un dispositivo que transforma las variaciones de las ondas acústicas (generalmente presión) en tensiones eléctricas. La onda acústica desplaza algún elemento del micrófono, y en consecuencia aparece una tensión o carga eléctrica a la salida que será igual en frecuencia y amplitud a la señal original. Se trata pues de un transductor electroacústico. La parte móvil del micrófono es extremadamente delicada, y cualquier golpe puede destruirla. Suele ser una membrana muy fina y delicada que presenta una pequeña superficie generalmente circular. Los micrófonos utilizan diferentes tecnologías que dan origen al tipo de micrófono. Algunas tecnologías ya no se utilizan actualmente por ser obsoletas.

3.18.1. Micrófono de carbón.

Funcionamiento: Fue uno de los primeros en aparecer a finales del siglo XIX. Este micrófono está formado por un receptáculo de material rígido y aislante, normalmente de forma cilíndrica. En su interior se deposita carbón granulado, parecido al café molido. Se cierra el volumen de este receptáculo con una fina membrana de material aislante, que presiona ligeramente el contenido. El carbón granulado es un mal conductor de la electricidad. Si se comprime este elemento se mejora el contacto entre las partículas y su resistencia disminuye, lo que permite el paso de la corriente eléctrica por su interior. Cuando la onda acústica incide sobre la superficie de la membrana se ejerce mayor o menor presión sobre el carbón granulado haciendo que su resistencia varíe. Si se aplica una tensión fija en bornes del micrófono, la corriente que pasará por éste seguirá las variaciones de la onda acústica incidente, con amplitudes y frecuencias similares. La similitud viene impuesta por la baja calidad de este transductor, que ofrece un margen de sensibilidad muy moderado y una respuesta en frecuencia muy deficiente.

Ventajas: Robusto, sencillo, económico.

Inconvenientes: Genera mucho ruido eléctrico, tiene muy poca sensibilidad, presenta mucha distorsión y una respuesta en frecuencia muy limitada.

Uso: Se utilizó mucho en telefonía. Actualmente no se utiliza en audio, pero aún tiene algunas aplicaciones industriales en lugares de monitorización en ambientes hostiles con altas temperaturas. La simetría circular es un aspecto común a todos los micrófonos, ya que es muy fácil de mecanizar las piezas, además de evitar los problemas de tensión con las membranas en las esquinas. El carbón granulado está dentro de un receptáculo donde se encuentran dos electrodos. (ver figura 3.16).

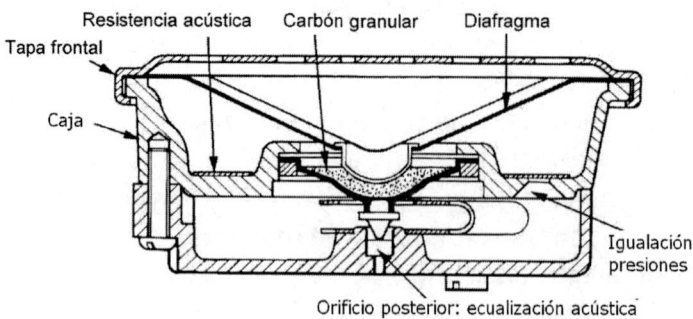

Fig. 3.16. Sección de un micrófono de carbón.

La figura 3.17. muestra una aplicación del micrófono en telefonía, aún se pueden encontrar cabinas telefónicas con este micrófono. Se distinguen los dos contactos eléctricos entre los que se forma una resistencia eléctrica variable con la presión acústica. Para igualar las presiones estáticas entre la parte delantera y posterior de la membrana se realizan una serie de pequeños agujeros (resistencia acústica), ver figura 3.16. Además de permitir igualar presiones estáticas, se aprovecha su diseño para conseguir una ecualización que permite mejorar la respuesta en frecuencia del transductor.

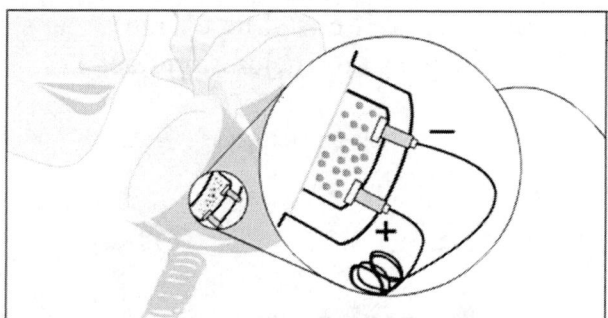

Fig. 3.17. Aplicación del micrófono de carbón en telefonía.

3.18.2. Micrófono piezoeléctrico.

Funcionamiento: se basa en el conocido efecto piezoeléctrico: si se comprime un cristal (habitualmente de cuarzo) aparece una carga eléctrica en sus extremos que posteriormente se transforma en tensión. Para captar el sonido se utiliza una estructura en forma de cono, de manera que el vértice de éste hace contacto con el cristal y comprime a éste en un punto. La carga eléctrica generada, se transforma en tensión directamente sobre el propio cable, gracias a su impedancia interna. Esta particularidad propicia que diferentes cables produzcan diferentes respuestas y sensibilidades del micrófono, ya que el paso de carga eléctrica a tensión se hace gracias a la capacidad parásita del cable. Lo correcto sería transformar la carga eléctrica a tensión con un circuito electrónico. Este sería el caso de los acelerómetros que requieren de un preamplificador de carga, actualmente ya integrado en el propio acelerómetro. Tanto los micrófonos cerámicos como los acelerómetros utilizan el mismo principio de funcionamiento, y conectados directamente a un medidor, dan señal suficiente para ser analizada. El problema es que, cambiando el analizador o el cable, pueden variar las características de sensibilidad y respuesta en frecuencia del transductor, y por tanto no es una solución fiable. Tanto por la naturaleza del principio de funcionamiento como por la simplicidad de montaje, las prestaciones acústicas no son muy buenas.

Ventajas: Robusto, sencillo, económico, da una tensión elevada a la salida (1Vpp aprox.)

Inconvenientes: Muy poca sensibilidad, mucha distorsión, respuesta en frecuencia muy limitada, salida alta impedancia.

Uso: Iba muy bien por su elevada impedancia y elevada tensión de salida con los circuitos con válvulas. Actualmente se utiliza para aplicaciones industriales, especialmente en aplicaciones con ultrasonidos, donde otras tecnologías no pueden cubrir las necesidades. El cristal de cuarzo se ha substituido por la cerámica, material más estable y con mejores prestaciones.

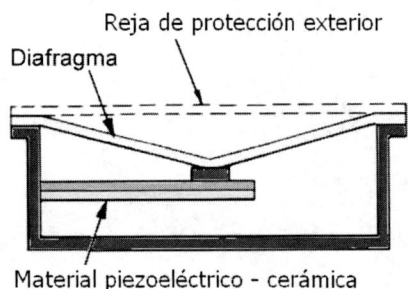

Fig. 3.18. Sección de un micrófono piezoeléctrico.

3.18.3. Micrófono dinámico.

Funcionamiento. Es exactamente un pequeño altavoz funcionando al revés. Dispone de un imán permanente en su interior, una membrana extremadamente fina que capta las vibraciones del aire, y una bobina unida a la membrana que al moverse dentro del campo magnético del imán, dará una señal eléctrica en sus extremos, proporcional a la frecuencia y amplitud de la presión acústica. La membrana es extremadamente ligera para poder vibrar con facilidad. Esta membrana no es del tipo cónico como en los casos precedentes sino un tronco semiesférico.

Ventajas: respuesta en frecuencia muy buena, baja distorsión.

Inconvenientes: poca sensibilidad, delicados a los golpes, influencia de los campos electromagnéticos exteriores.

Uso: para aplicaciones musicales tanto de voz como instrumentos.

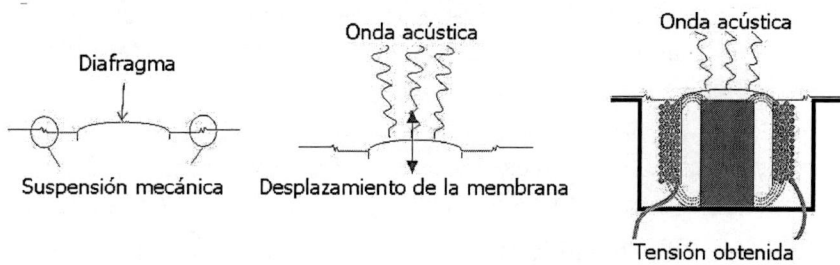

Fig. 3.19. Detalle del desplazamiento de la membrana, y proceso de obtención
de una señal eléctrica a partir de una excitación acústica.

Las ondas acústicas desplazan la membrana, y también a la bobina que lleva solidaria. La bobina está dentro de un campo magnético generado por un imán permanente. Como es sabido, el desplazamiento de cualquier conductor dentro de un campo magnético, genera una corriente en éste. Los desplazamientos de la membrana son muy pequeños. Por otro lado su peso debe ser muy reducido para poder captar las altas frecuencias. El entrehierro o separación entre la bobina e imán debe ser lo más reducida posible, para obtener una buena sensibilidad. De esta manera es posible obtener una tensión suficiente y una sensibilidad aceptable. Si el micrófono recibe un golpe fuerte, el imán interior que suele estar pegado, puede llegar a desplazarse ligeramente rozando o llegando incluso a bloquear a la membrana, inutilizando el dispositivo. Los modelos profesionales llevan un transformador en el interior para pasar de línea asimétrica a línea simétrica, llamada también balanceada. Esto consigue que la conexión sea más inmune al ruido eléctrico inducido en el cable.

3.18.4. El micrófono de condensador.

Funcionamiento: La membrana metálica (parte móvil del micrófono) y un electrodo fijo forman un condensador. A través de una tensión de alimentación externa, se carga este condensador con una carga constante Q. Las variaciones de presión acercan y alejan a la membrana del punto de equilibrio y por tanto varía su capacidad. Con la conocida expresión (3.27) que relaciona tensión del condensador con la carga y su capacidad, podemos observar que si Q es constante, al variar la capacidad por acción de la onda acústica, la tensión también variará de forma inversa para mantener la ecuación, siguiendo las variaciones de la onda acústica incidente.

$$Q = C \cdot V \qquad (3.27)$$

Ventajas: es el mejor micrófono que existe. Ofrece la respuesta en frecuencia más plana, la menor distorsión, una elevada estabilidad, y muy buena sensibilidad.

Inconvenientes: en general es el más caro. Es muy delicado. Cualquier golpe puede romper la reja protectora delantera y perforar el diafragma, inutilizando el micrófono. Necesitan una polarización externa para funcionar correctamente.

Aplicaciones: medidas acústicas de precisión. Grabación profesional de sonido.

3.18.5. El micrófono electret.

Uno de los inconvenientes de los micrófonos de condensador es la necesidad de polarización. Los micrófonos electret siguen el mismo principio de funcionamiento que los micrófonos de condensador pero sin necesidad de polarización externa, porque incorpora una interna permanente. Es decir, es un micrófono de condensador donde una de las partes metálicas del condensador lleva una capa de material "electret". Este material es un dieléctrico convenientemente tratado para que presente una carga eléctrica permanente. La formación de un electret se realiza con un proceso industrial a partir de un material dieléctrico con estructura dipolar. Este material presenta una distribución de cargas eléctricas como la indicada en la primera secuencia de la figura 3.20.

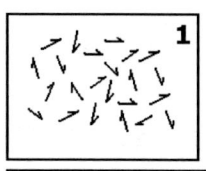

1. A temperatura ambiente se observa que las cargas internas están orientadas en diferentes direcciones de forma aleatoria y por tanto, el material no presenta una carga neta.

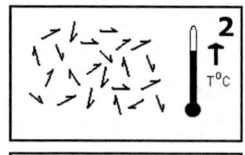

2. Se aumenta la temperatura hasta llegar al punto de fusión del material.

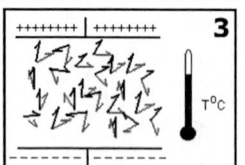

3. Manteniendo la temperatura constante, se aplica un campo eléctrico intenso. Este campo modifica la orientación de las partículas dipolares. Como el material está líquido, estas tienen un mayor grado de libertad para modificar su orientación relativa dentro de la estructura del material y se orientan siguiendo el campo eléctrico aplicado.

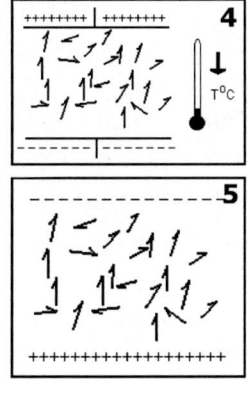

4. Manteniendo el campo eléctrico constante, se enfría la muestra. Las cargas dipolares quedan atrapadas en la estructura y pierden movilidad. Algunas vuelven a su posición inicial, pero la gran mayoría quedan orientadas en una misma dirección.

5. El proceso anterior permite que ahora el material presente una carga eléctrica permanente.

Fig. 3.20. Proceso simplificado de formación de un material electret.

El material electret está depositado sobre el electrodo fijo, ya que la membrana es exactamente la misma que la del micrófono de condensador. De esta manera se garantiza que las características mecánicas no se vean alteradas por la presencia del electret. Esta es la tecnología más utilizada actualmente en los micrófonos de consumo. (Telefonía, fijo y móvil, intercomunicadores, audio doméstico, video, etc.) Cabe distinguir dos gamas de micrófonos electret: los de precisión para medidas de laboratorio y los de gran consumo para aplicaciones generales.

Ventajas: Para los micrófonos de precisión, las prestaciones son idénticas a la de los micrófonos de condensador. No necesita polarización exterior. Micrófono de gran calidad.

Inconvenientes: Son delicados a los golpes. Los micrófonos electret de precisión son tan caros como los de condensador. Los micrófonos electret "gran público" son bastante resistentes y mucho más económicos.

3.19. Micrófono de estado sólido.

El micrófono electret es un componente que se usa en miles de aplicaciones. Sin embargo este componente no ha evolucionado en los últimos 50 años. Los equipos actuales precisan de sistemas más pequeños, más inmunes al ruido y sobre todo integrables en los procesos de automatización. A mediados de los años 90 aparecen los primeros productos comerciales basados en el uso de tecnología CMOS (Complementary Metal-Oxide Semiconductor) y MEMS (Micro-Electromechanical Systems) que aporta múltiples ventajas respecto de los micrófonos electret. La principal ventaja de los micrófonos de estado sólido es su inmunidad a la radiofrecuencia (RF) y otras señales eléctricas. Esto lo hace particularmente interesante en aplicaciones en comunicaciones móviles.

Desde la invención del transistor en los Laboratorios Bell en el año 1947, la evolución de la microelectrónica ha sido muy rápida. Jack Kilby de Texas Instruments construye el primer circuito integrado (CI) de Germanio en el año 1958. 10 años más tarde ya se disponía de los primeros CI en Silicio que ofrecían un coste menor. Desde los años 70 la complejidad y escala de integración de los CI se ha doblado cada 2 ó 3 años llegando a la actual ULSI (ultra-large-scale-integration) que permite integrar en un solo chip más de 10 millones de transistores.

En el año 1982 el concepto de micromecánica empieza a usarse para la fabricación de componentes electrónicos que disponían de partes en movimiento. Los primeros trabajos de Nathanson y Wickstrom en el año 1965 desarrollaron las bases para la micromecánica sobre silicio. Posteriormente en al año 1985 se construyeron los primeros elementos con partes en movimiento. En el año 1987 nace el término MEMS refiriéndose a los microsistemas en Europa, aunque en Japón se relaciona el mismo término con las micromáquinas. Esencialmente se trata de poder hacer un dispositivo integrado que disponga de un elemento (caso del micrófono) que pueda desplazarse.

La razón principal para el uso de la micromecánica, es la reducción de costes. Disponer de diversos sensores en un solo CI permite procesarlos simultáneamente. Además se pueden integrar otros componentes electrónicos en el propio dispositivo creando sensores "inteligentes". Los micrófonos elaborados con la tecnología MEMS son más inmunes a las vibraciones y al viento que los micrófonos convencionales y eso los hace especialmente atractivos en algunas aplicaciones.

3.19.1. Proceso de fabricación de un micrófono de estado sólido.

El primer paso es realizar una membrana que capte el sonido. Conceptual-mente la membrana será igual que en un micrófono de condensador o electret pero sus dimensiones son mucho menores. El primer paso consiste en depositar sobre un sustrato el material de la membrana. Este proceso es bastante crítico ya que las propiedades del material depositado van a influir mucho en el factor de pérdidas, frecuencia de resonancia, etc. Por la parte posterior del substrato se pone una máscara para proteger el material que deja libre la parte central. Mediante un proceso anisotrópico se elimina la parte del sustrato no deseada formando la típica forma de V (ver figuras 3.21 y 3.22).

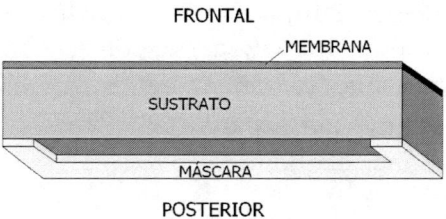

Figura 3.21. Estructura base para la formación de un micrófono de estado sólido.

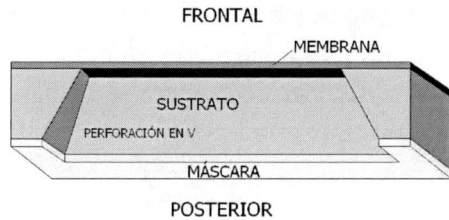

Figura 3.22. Formación de la membrana de un micrófono de estado sólido.

La figura 3.22 muestra la estructura básica de un micrófono con tecnología MEMS. A partir de este punto se pueden obtener distintos tipos de micrófonos como los descritos a continuación.

Micrófono capacitivo.
Este micrófono se muestra en la figura 3.23. La idea fundamentalmente es la misma que en un micrófono de condensador, solo que los distintos elementos están integrados en un CI.

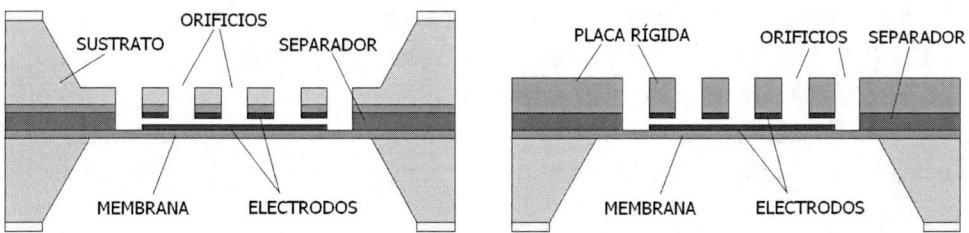

Fig. 3.23. Micrófono capacitivo con tecnología MEMS.

A la izquierda de la figura 3.23 se muestra la formación de un micrófono capacitivo mediante la unión de dos estructuras básicas invertidas. La segunda tienen una perforación de su membrana para permitir que el aire entre ambas membranas pueda desplazarse. Sobre las membranas se depositan los electrodos mediante vaporización de metal. Este método requiere juntar dos estructuras básicas y esto permite optimizar por separado ambas partes, sin

95

embargo es un proceso caro porque requiere juntar dos IC. A la derecha de la figura 3.23. se muestra una alternativa que consiste en añadir a la estructura básica una placa rígida que se separa de la membrana. Este método no permite optimizar las partes por separado y además su mecanización es más complicada, aunque es más económico.

Micrófono MES piezo-resistivo.

Este micrófono se muestra en la figura 3.24. Incorpora sobre la membrana de la estructura base, unos elementos piezo-resistivos que, al variar su elongación con la vibración de la membrana, varía su resistencia interna. Se hace pasar una corriente constante por su interior, de manera que aparece una tensión que es proporcional a las variaciones de presión acústica que llegan a la membrana.

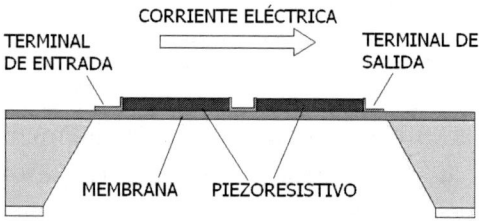

Fig. 3.24. Sección de un micrófono piezo-resistivo con tecnología MEMS.

Se puede utilizar silicio policristalino o monocristalino para realizar las células resistivas. Normalmente se utilizan configuraciones con 4 elementos resistivos para configurar un puente de Wheatstone y obtener mayor sensibilidad.

Micrófono MES cerámico / piezoeléctrico.

La figura 3.25 muestra una sección de este micrófono. En este caso sobre la membrana se dispone una cerámica o elemento piezoeléctrico con ambas caras metalizadas. Ante una vibración de la membrana aparece una carga eléctrica que se transforma en tensión por la impedancia y la capacidad parásita asociada.

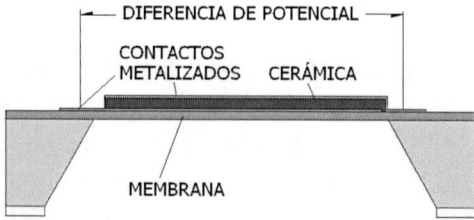

Fig. 3.25. Sección de un micrófono cerámico con tecnología MEMS.

Micrófono óptico.

Existen dos variantes de este micrófono óptico. La primera se muestra en la figura 3.26 y se trata de una cavidad Fabry-Perot, donde una de la caras está formada por la membrana del dispositivo de base. Un LED emite un haz de luz en una determinada banda de frecuencias. Sin señal acústica aplicada el fotodiodo capta un nivel de luz con una amplitud y fase concretas. Cuando la membrana recibe una señal acústica, esta vibra y altera las dimensiones de la cavidad. A su vez la amplitud y la fase de la luz recibidas por el fotodiodo varían proporcionalmente al sonido incidente en la membrana. Este micrófono es totalmente inmune a las interferencias electromagnéticas.

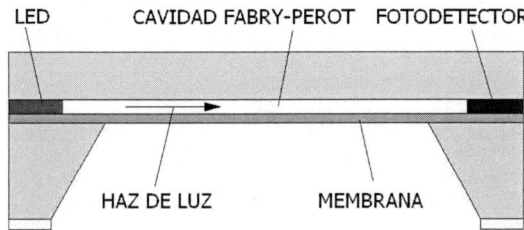

Fig. 3.26. Sección de un micrófono óptico con tecnología MEMS.

La segunda versión utiliza la membrana para alterar la capacidad de difracción de la luz en el interior del sustrato. A un lado del sustrato hay un LED y al otro lado el captador, que es realmente una superficie.

Este tipo de micrófonos ofrecen unas prestaciones de sensibilidad y figura de ruido comparables a los micrófonos profesionales de ½" de condensador. La figura 3.27 muestra la pureza espectral de un micrófono óptico con técnica Fabry-Perot, uno con técnica de lente difractora, y el tercero es un micrófono de condensador de referencia. En todos ellos se aplica una señal de 1,1 KHz.

Se observa como a bajas frecuencias los micrófonos ópticos dan más ruido. Con su extremada sensibilidad, estos dispositivos captaban las vibraciones residuales del edificio donde se hacían las pruebas debido a que los prototipos no tenían unida la membrana al sustrato. Esto se puede ver por los niveles de baja frecuencia, por debajo de los 500 Hz, que aparecen en los micrófonos ópticos.

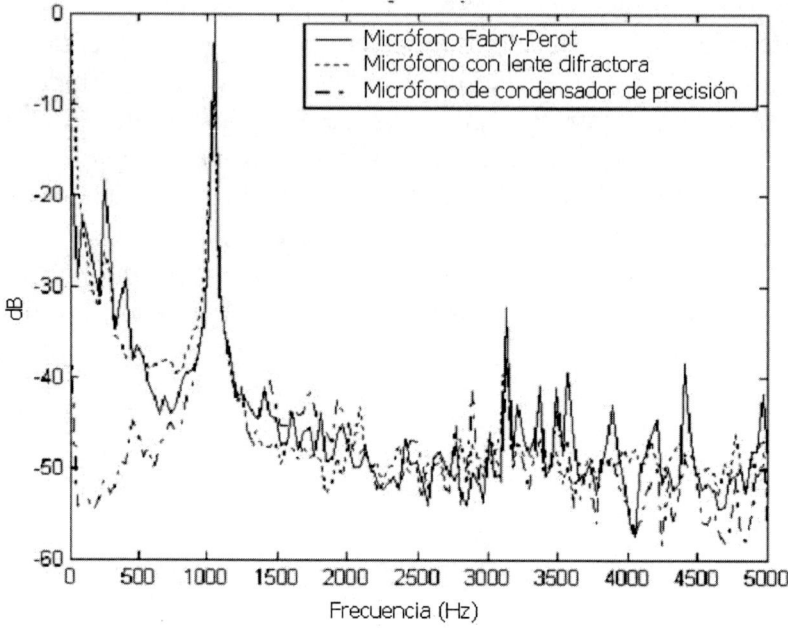

*Fig. 3.27. Espectro obtenido por dos micrófonos ópticos comparados
con un micrófono de condensador de precisión.*

Micrófono digital.

La integración del micrófono y otros dispositivos electrónicos en el mismo CI utilizando tecnología MEMS, permite la creación de los micrófonos digitales. Estos dispositivos incorporan un conversor A/D monobit, de manera que la señal de salida es digital. La figura 3.28 muestra el dispositivo más pequeño actualmente en el mercado que incorpora un modulador delta-sigma de cuarto orden. La señal de salida es en formato PDM (Pulse Density Modulated) monobit que puede ser leída directamente por un sistema digital, dando la máxima flexibilidad en el diseño. No precisa de cables apantallados para la señal de salida del dispositivo.

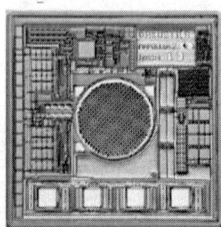 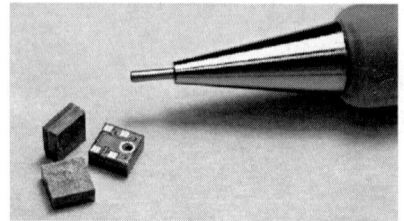

*Fig. 3.28. Izquierda el micrófono digital más pequeño del mundo. Mide 1x1 mm
y lleva incorporado el preamplificador y el conversor A/D monobit. A la derecha
unos micrófonos MEMS digitales comerciales.*

La figura 3.29 ilustra el proceso de obtención del micrófono individual a partir de la oblea donde se "fabrican" multitud de micrófonos, siguiendo un proceso paralelo al de la creación de CI semiconductores.

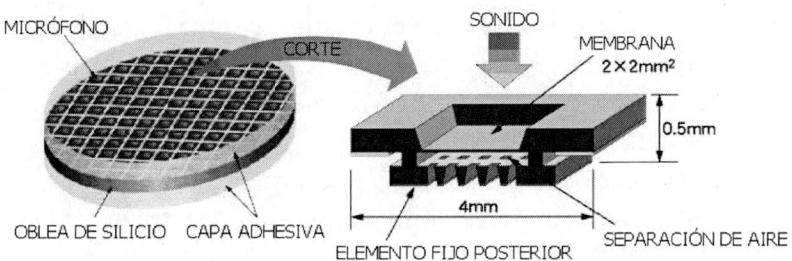

Fig. 3.29. Detalle de obtención de un micrófono con tecnología MEMS.

3.20. El sonómetro.

Es un equipo electrónico que permite la medida del nivel de presión acústica en un punto. Un sonómetro está formado básicamente por un transductor de entrada, unos circuitos amplificadores y acondicionadores de la señal, y un indicador o visualizador de la señal. El transductor generalmente es un micrófono. Los sonómetros actuales funcionan con control digital y sobre señales digitalizadas. Esto ofrece una serie de ventajas como tener mucha más precisión, aunque no substituye de ninguna manera al técnico a la hora de realizar correctamente una medida, y poder tener trazabilidad de los registros. Dependiendo de la complejidad del equipo se disponen de una serie de controles para ajustar el funcionamiento del equipo. La parte más delicada es obviamente el micrófono. La parte electrónica hoy en día está muy bien resuelta con circuitos que presentan una estabilidad y unas derivas con el tiempo prácticamente despreciables.

El corazón del sistema está en el conversor D/A que pasa la señal recibida del micrófono a valores numéricos. Muchas marcas de sonómetros utilizan los mismos CI. Las diferencias están en la parte de gestión (programa) y en la presentación de los datos y su formato. El visualizador generalmente suele ser digital, aunque en los sonómetros analógicos era de aguja.

3.20.1. Tipos de sonómetros.

Los sonómetros hasta principios de los años 90 eran en su mayoría analógicos. Todo el proceso desde la captación de la señal acústica hasta su visualización en un indicador de aguja era analógico. Analógico quiere decir que la señal captada por el micrófono es amplificada y acondicionada para ser visualizada en un indicador. La señal eléctrica pasa a través de circuitos electrónicos que trabajan con la señal captada por el micrófono. Estos procesos comportan la aparición de alteraciones no deseadas de la señal original (distorsiones), y constituye uno de los principales problemas de estos circuitos: la falta de estabilidad con el tiempo. Los equipos analógicos tenían derivas importantes, que obligaban a constantes comprobaciones y pequeños reajustes. De aquí nació la necesidad del "calibrador". Un dispositivo que daba una señal acústica conocida, normalmente de 94 dB, y que aplicada al micrófono permitía ajustar el sonómetro a la indicación del "calibrador". Obsérvese que actualmente no se hace este proceso, ya que al modificar el nivel de calibración interno del sonómetro, se pierde su trazabilidad. Algunas funciones como los filtros electrónicos necesitaban de circuitos complejos no libres de algunos problemas que dificultaba su reproducibilidad, y eso repercutía en unos márgenes de tolerancia elevados. A medida que la electrónica ha avanzado y con la aparición en el mercado de los conversores A/D fiables y de calidad, la instrumentación electrónica se ha beneficiado de esta tecnología. Actualmente todos los sonómetros son digitales. Eso quiere decir que la señal del micrófono es convertida a digital, y posteriormente es tratada para calcular el nivel, frecuencias u otros valores. La gran ventaja que ofrece esta tecnología es su fiabilidad y estabilidad de funcionamiento. Además los datos se almacenan en una memoria interna por lo que es posible guardar registros de las mediciones. Esto ha dado paso a la aplicación sistemática de los criterios de calidad en las mediciones acústicas en forma de "trazabilidad".

El 29 de Diciembre de 1998 se publica en el BOE nº 311, la "*Orden de 16 Diciembre de 1998 del Ministerio de Fomento por la que se regula el control metrológico del Estado sobre los instrumentos destinados a medir niveles de sonido audible*". Posteriormente se publica la orden ITC/2845/2007de 25 de Setiembre por la que se regula el control metrológico del Estado de los instrumentos destinados a la medición de sonido audible y de los calibradores. Esto comporta entre otros aspectos, la obligatoriedad de realizar la llamada verificación inicial y la periódica anualmente. La medida llega en un momento donde los equipos son más perfectos y más fiables que antaño y contrasta con la laxitud de los RD 1367/2007 y RD 1371/2007.

El peligro que comportan los nuevos sonómetros hacia los usuarios noveles, es que tanta perfección, tanta estabilidad y tanto control metrológico, acaben por hacer olvidar que el técnico o usuario del equipo es quien debe velar para que la medida sea correcta. Nótese que si bien se habla de que el equipo de medida esté debidamente verificado y calibrado, no se dice nada del usuario. ¿Quién calibra a la persona que hace la medida? Por muy caro que sea el equipo de medida, y aunque este sea de importación, de nada sirve tanta excelencia tecnológica si detrás del equipo, la persona que lo controla no está calificada profesionalmente para realizar las mediciones. Una medida correcta está avalada por quien la realiza, no por la marca del equipo que se utiliza. Lamentablemente es muy frecuente comprobar que cualquier persona puede coger un sonómetro y hacer una medición, sin tener formación específica en acústica. Es una lástima que algunas administraciones muestren una predilección por determinados equipos electrónicos de importación pensando en que de ésta manera la medida será "perfecta" por el simple hecho de haber utilizado una marca concreta del equipo, olvidando que el sonómetro "per se" no sabe medir.

Los sonómetros pueden ser de valores instantáneos o integradores. Además algunos modelos permiten visualizar el espectro de la señal en octavas o tercios de octava. Actualmente podemos tener en la mano equipos muy potentes que permiten hacer muchas funciones de forma simultánea. Independientemente de la marca del sonómetro, muchos modelos disponen de la misma tecnología electrónica, hoy en día en manos de pocas multinacionales y disponen de diversos programas para el control y cálculo. La diferencia estriba en el programa de gestión y en la presentación de los datos. En base a la compra realizada por el usuario, se activan unos módulos u otros siendo el equipo de medida el mismo en todos los casos.

3.20.2. Precisión del Sonómetro.

Las normas IEC 651 y 804 vigentes actualmente, consideran cuatro tipos de equipos de medida de sonido: tipos 0, 1, 2 y 3. Depende de la precisión que tenga el equipo. A más precisión del equipo el precio también es más elevado. Es necesario pues hacer una selección de acuerdo con las necesidades técnicas reales y las posibilidades económicas.

Tipo 0: se utiliza en laboratorios. Sirve como referencia o patrón secundario.

Tipo 1: es el de más precisión de los equipos de medida "in situ". Los equipos de esta clase 1 son los requeridos por todas las normas ISO.

Tipo 2: es la mejor elección para realizar tareas de supervisión, donde no es necesario una precisión extrema.

Tipo 3: para hacer medidas muy aproximadas.

La nueva norma IEC 61672 sigue los mismos criterios que las anteriores pero tiene en cuenta la tecnología disponible en estos momentos, y elimina los equipos tipo 0 y tipo 3, estableciendo solamente dos niveles de precisión llamados clase 1 y clase 2. La clase 1 queda pues entre un tipo 0 y tipo 1 y la clase 2 queda entre tipo 1 y tipo 2. El tipo 3 no tiene sentido mantenerlo, ya que con la precisión de los componentes electrónicos actuales, se superan las especificaciones de tolerancia que fijaba esta tipología. Por lo tanto, la nueva IEC 61672 mejora la precisión de los equipos de medida en el mercado. Los equipos de tipo 1 ó 2 existentes actualmente en el mercado son totalmente válidos hasta que se agote su vida útil. Los nuevos equipos deberán cumplir la nueva IEC 61672.

3.20.3. Equipos tipo 1 vs tipo 2.

Los equipos de medida electrónicos han tenido una evolución importante los últimos años. El diseño de circuitos electrónicos basados en el uso de circuitos integrados de aplicación específica han permitido unas mejores prestaciones. Por otro lado los avances de los conversores A/D han permitido reducir mucho las diferencias técnicas entre marcas de equipos, ya que muchas utilizan los mismos componentes electrónicos. Los equipos de medida actuales permiten realizar funciones que unas décadas atrás eran totalmente impensables. Además los actuales equipos son más fiables y más precisos. Las diferencias técnicas entre un equipo tipo 1 y uno de tipo 2 tienen su origen en el tipo de micrófono y en el preamplificador utilizado. Fundamentalmente estas diferencias se centran en un margen de tolerancia en frecuencia diferente como muestra la figura 3.30.

Se puede observar que, a bajas y sobre todo a altas frecuencias es donde el equipo tipo 1 se muestra superior al tipo 2. Pero si se considera sólo el margen de 100 Hz a 5 KHz, estas diferencias son muy pequeñas, alrededor de 0,5 dB. Teniendo en cuenta que los errores de otros factores que intervienen en una medición pueden ser notablemente superiores, esta diferencia se puede considerar irrisoria. Para poder comparar las prestaciones en situaciones reales entre equipos de tipo 1 y de tipo 2, se realizan dos bancos de pruebas: medidas en las que no se puede controlar la fuente sonora, y medidas en las que la fuente sonora se puede controlar. Se miden todo tipo de fuentes acústicas que se pueden encontrar en la vida cotidiana con diferentes niveles sonoros, con diferentes situaciones de contorno y con diferente espectro de señal emitido. Por otro lado se realizan ensayos acústicos que utilizan una fuente sonora controlada, y que principalmente se utilizan para evaluar las condiciones acústicas de la construcción. Se utilizan los procedimientos de la ISO 1996 para la medida del ruido ambiental en aquellos casos donde era posible aplicarla, y la ISO 140-4 para evaluar el aislamiento acústico de los elementos constructivos "in situ".

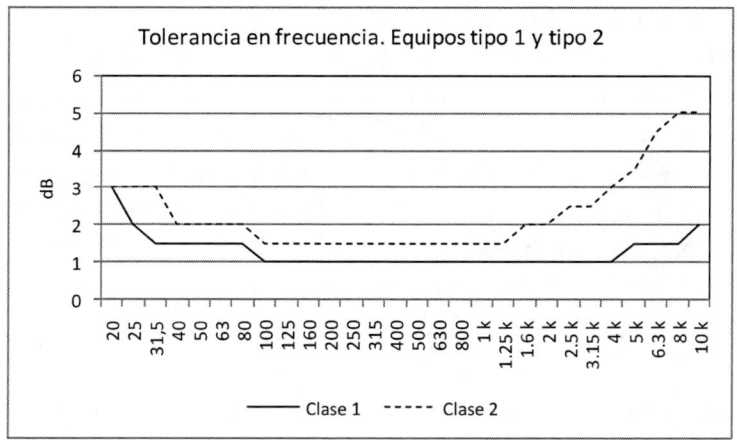

Fig. 3.30. Margen de tolerancia en frecuencia para equipos de tipo 1 y de tipo 2.

Para comparar la precisión de los equipos de medida utilizados se evalúa la incertidumbre de la medida del nivel de presión acústica. La lectura obtenida por un equipo de medida puede diferir del nivel de presión acústica real, ya que se introducen ciertas incertidumbres. Tanto las condiciones ambientales (temperatura, humedad) como la lectura del indicador numérico. Las variables físicas de temperatura T y presión P se encuentran acotadas entre T_1, T_2 y P_1, P_2 respectivamente. La incertidumbre compuesta de la medida del nivel de presión acústica en un punto, teniendo en cuenta todos los factores expuestos se calcula con la expresión:

$$\left(u_{SPL}\right)^2 = \left(\frac{Incertidumbre_{certificado}}{K_{calibracion}}\right)^2 + \left(u_{ind}\right)^2 + \delta_T^2 \left(\frac{|T_2 - T_1|}{\sqrt{12}}\right)^2 + \delta_P^2 \left(\frac{|P_2 - P_1|}{\sqrt{12}}\right)^2 \quad (3.28)$$

Medidas con fuente no controlada.
Equipo de medida tipo 1.
Tomando valores típicos de equipos de tipo 1: $\delta_T = 0,01$ dB/°C y $\delta_p = 0,008$ dB/kPa y considerando un margen de variación de las condiciones climáticas: margen de temperatura de 0 °C a 50 °C y un margen de presiones de 850 hPa a 1.100 hPa. La incertidumbre típica del certificado de un equipo tipo 1 es de ± 0,2 dB. Para un intervalo de confianza del 99% se escoge K = 2,576 y por tanto la incertidumbre expandida será:

$$U_{SPL} = K \cdot u_{spl} = 2,576 \cdot 0,178 = \pm 0,46 \text{dB}$$

Equipo de medida tipo 2.

Tomando valores típicos de equipos de tipo 2: $\delta_T = 0,02$ dB/ºC y $\delta_p = 0,008$ dB/kPa y considerando un margen de variación de las condiciones climáticas: margen de temperatura de 0 ºC a 50 ºC y un margen de presiones de 850 hPa a 1.100 hPa. La incertidumbre típica del certificado de un equipo tipos 2 es de ± 0,2 dB. Para un intervalo de confianza del 99% se escoge K = 2,576 y por tanto la incertidumbre expandida será:

$$U_{SPL} = K \cdot u_{spl} = 2,576 \cdot 0,387 = \pm 1 dB$$

Los niveles de presión teóricos, que miden los equipos tipo 1 y 2, teniendo en cuenta las diferencias de sensibilidad espectral queden reflejadas en la tabla 3.3. Se considera la máxima desviación para cada banda de frecuencia, en el tipo 2, es decir, el máximo error posible. Como se puede observar, las incertidumbres del Tipo 2 son superiores entre 0,6 dB y 1,2 dB respecto de los márgenes del Tipo 1.

En las mediciones "in situ" es realmente imposible establecer la variabilidad de la medida, ya que no se tiene control sobre la fuente de ruido, y por tanto al repetir la medición, las características de la fuente han variado. Por otro lado la selección del punto de medida varía de un técnico a otro a pesar de seguir las mismas indicaciones de medida fijados por las normas ISO.

FUENTES DE RUIDO	Tipo 1	Tipo 2	Diferencia
36 Calles de BCN	71,1	71,9	-0,8
Carretera N-II Premià Mar	78,9	79,8	-0,9
GranVia Premià Mar	71,9	72,8	-0,9
Megafonia Exterior Pk Centro Comercial	85,7	86,9	-1,2
Voces zona comercial	79,2	80,2	-1
Calle peatonal atardecer	58,5	59,3	-0,8
Centro comercial	73	74,4	-1,4
Restaurante (100 pax) al 70%	82,2	83,1	-0,9
Habitación Hotel (***)	43,7	44,6	-0,9
Interior A320	80,2	80,8	-0,6
Interior MD86	89,6	90,2	-0,6
Entrada Avión pie pista	80,1	81,2	-1,1
Interior Bus ralentí	75,6	76,3	-0,7
Sala espera superior aeropuerto BCN	57,4	58,3	-0,9
Sala espera inferior aeropuerto BCN	60,3	61,2	-0,9
Taconeo en espacio grande	63,6	64,2	-0,6
Máquina juegos1	95,9	97	-1,1
Máquina juegos2	96,1	97,2	-1,1
Bolera	81,8	82,5	-0,7
Sala video-juegos	92,7	93,5	-0,8
Tranvia en curva1	64,7	65,8	-1,1
Tranvia	73	73,6	-0,6
Cortadora césped gasolina	64,6	65,4	-0,8
Recogida basura	61,3	62,1	-0,8
Moto 2T	62,7	63,6	-0,9

Tabla 3.3. Niveles de ruido en dBA, de diferentes fuentes sonoras obtenidos con un equipo de tipo 1 y un equipo de tipo 2.

Partiendo de unas medidas de ruido realizadas en 36 puntos de la Ronda del Mig en Barcelona, se muestran en la tabla 3.4. los resultados de dos medidas realizadas en dos puntos (A y B) con unos minutos de diferencia (A1, A2 y B1, B2) . La densidad de tráfico era prácticamente la misma en ambos casos, pero no el número exacto de cada tipo de vehículo. Como se observa los niveles Leq son diferentes pero emparejados, la situación A1 se corresponde con la B1. Resulta interesante comprobar que la distribución estadística ofrece valores más dispares. Destacamos que en los ejemplos mostrados la variación máxima absoluta de L_{eq} es de 1,2 dB mientras que para el L90 es de 3,8 dB, y para el L10 es de 2,9 dB.

PUNTO	LEQ	L90	L10
A1	76,3	69,9	79,3
A2	78,5	73,7	82,2
B1	76,7	70,7	79,7
B2	77,3	69,9	80,7

Tabla 3.4. Niveles de ruido obtenidos en dos puntos A y B con pocos minutos de diferencia.

Medidas con fuente controlada.
Equipo de medida tipo 1.
Se utiliza una fuente controlada siguiendo las indicaciones que establece la ISO 140-4. Para el cálculo del aislamiento se parte siempre de la diferencia de niveles entre las dos salas utilizando la expresión 3.29:

$$D_i = L_{1i} - L_{2i} \qquad (3.29)$$

La incertidumbre de la diferencia de niveles será:

$$u_{Di}^2 = \left(u_{L_{1i}}^2 + u_{L_{2i}}^2 \right) \qquad (3.30)$$

Para un equipo tipo 1 resulta:

$$u_{Di} = \pm 0,25 dB$$

Para un intervalo de confianza del 99% se escoge K = 2,576 y por tanto la incertidumbre expandida será:

$$U_D = K \cdot u_{Di} = 2,576 \cdot 0,25 = \pm 0,64 dB$$

Las medidas indirectas se obtienen de tres variables: el volumen V, la superficie de la sala S y el tiempo de reverberación TR.

$$f(V, S, TR) = 10 \cdot \log\left(\frac{S \cdot TR}{0,16 \cdot V}\right)$$
(3.31)

Admitiendo un error en la toma de datos de las dimensiones de la sala de 10 mm, y con los tiempos de reverberación medios habituales en salas de dimensiones moderadas (dormitorios, salón-comedor), la incertidumbre asociada será:

$$u_{ind} = \sqrt{\left(-10\frac{\log e}{V}0,00041\right)^2 + \left(10\frac{\log e}{S}0,0041\right)^2 + \left(10\frac{\log e}{TR}u_{TR}\right)^2}$$
(3.32)

Resulta bastante evidente que la mayor contribución a la incertidumbre procede del cálculo del TR60. Este cálculo es especialmente delicado en volúmenes pequeños y con dimensiones de la sala particulares, que pueden propiciar la concentración de modos propios en unas bandas concretas. Esta circunstancia deja siempre en evidencia el software de cálculo utilizado. A partir de los datos obtenidos analizando diversas salas con diferentes volúmenes y proporciones, se establece un perfil de incertidumbre para el cálculo del TR60 que se resume en la tabla siguiente:

	100	125	160	200	250	315	400	500	630	800	1 k	1.25 k	1.6 k	2 k	2.5 k	3.15 k	4 k	5 k	6.3 k	8 k
u_{mesura}	0,25	0,24	0,22	0,21	0,19	0,18	0,16	0,14	0,13	0,11	0,10	0,08	0,07	0,05	0,03	0,02	0,01	0,01	0,01	0,01

Para un intervalo de confianza del 99% se toma K= 2,576 y por tanto la incertidumbre expandida será:

$$U_{R'} = K \cdot u_{R'} = 2,576 \cdot 0,90 = \pm 2,32 dB$$

Para las bandas bajas (< 250 Hz) la incertidumbre es notablemente superior:

$$U_{R'} = K \cdot u_{R'} = 2,576 \cdot 1,92 = \pm 4,95 dB$$

Equipo de medida tipo 2.
Procediendo de manera análoga al caso estudiado anteriormente obtenemos:

$$u_{Di} = \pm 0,55 dB$$

Para un intervalo de confianza del 99% se toma K= 2,576 y por tanto la incertidumbre expandida será:

$$U_D = K \cdot u_{Di} = 2,576 \cdot 0,548 = \pm 1,41 dB$$

Admitiendo los mismos errores indicados anteriormente llegando al resultado:

$$U_{R'} = K \cdot u_{R'} = 2,576 \cdot 1,03 = \pm 2,65 dB$$

Para las bandas bajas (< 250 Hz) la incertidumbre es notablemente superior:

$$U_{R'} = K \cdot u_{R'} = 2,576 \cdot 1,98 = \pm 5,1 dB$$

Un aspecto que no puede olvidarse es la influencia del técnico que realiza la medida. (Aunque los equipos de medida, sean de tipo 1 o de tipo 2, quien decide donde, como y cuando medir, es la persona responsable de realizar la medida). El equipo no puede saber lo que realmente deseamos medir y por tanto no se puede trasladar al equipo la responsabilidad de realizar una medida correcta.

La figura 3.31. muestra un resultado comparativo de medidas de aislamiento acústico de un elemento vertical, unas efectuadas por personal debidamente cualificado y otras por personal no cualificado. En promedio, las desviaciones en la medida del aislamiento acústico efectuadas por el personal no cualificado superan de mucho los márgenes que la norma IEC fija para los equipos de medida tanto de tipo 1 como de tipo 2.

La mayor contribución se encuentra en las bajas frecuencias, justamente donde es necesario ser muy prudente y observador de los problemas que las mediciones pueden tener. Es en estas bandas donde se detecta la experiencia del profesional. Sería deseable pues, que la mayor exigencia de los equipos electrónicos con las calibraciones y verificaciones, vaya unida a un mayor control sobre los "profesionales" que utilizan los instrumentos de medida.

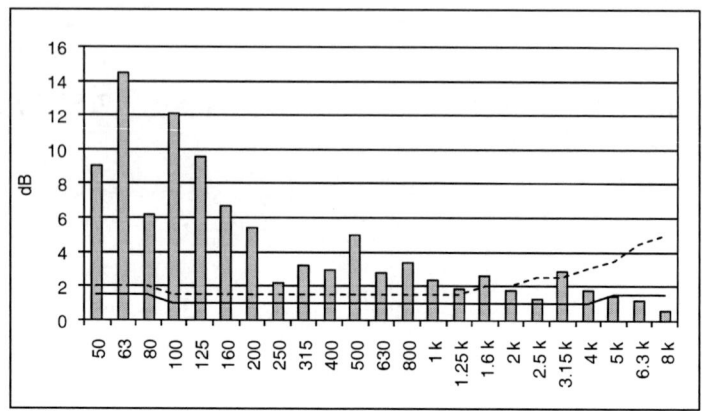

Fig. 3.31. Errores inducidos por personal no cualificado.

A la vista de los resultados obtenidos en este estudio se puede concluir:

1. Para las medidas de niveles SPL de ruido:
   a. Equipos de Tipo 1: margen de incertidumbre total: ± 0,46 dB
   b. Equipos de Tipo 2: margen de incertidumbre total: ± 1 dB
   c. Las medidas dan un margen de variación de 0,6 y 1,2 dB de manera que el Tipo 1 es superior al Tipo 2.

Para las medidas con fuente no controlada, los errores de medida imputables al equipo son inferiores a los propios de la medida. (Posición del micrófono de medida, distancias a las fuentes, variabilidad de la fuente ....).

2. En la medida del aislamiento:
   d. Equipos Tipo 1: Incertidumbre expandida: ± 2,32 dB para bandas > 300 Hz
   e. Equipos Tipo 1: Incertidumbre expandida: ± 4,95 dB para bandas < 250 Hz
   f. Equipos Tipo 2: Incertidumbre expandida: ± 2,65 dB para bandas > 300 Hz
   g. Equipos Tipo 2: Incertidumbre expandida: ± 5,1 dB para bandas < 250 Hz

Se obtiene una mejora de 0,33 dB en el cálculo de R' para frecuencias > 300 Hz, mientras que esta mejora queda reducida a 0,15 dB para frecuencias < 250 Hz.

Con los resultados obtenidos resulta evidente que la influencia de las condiciones de contorno, esencialmente la elección de los puntos de medida, el "donde" y "como" se mide, influye mucho más que la propia precisión de los equipos de medida. En consecuencia, para medidas con fuente controlada, es aconsejable utilizar equipos de medida de tipo 1, ya que su mayor precisión beneficia al resultado final. Así mismo en el caso de medidas con fuentes no controladas, el uso de equipos de tipo 1 no mejora sustancialmente la precisión de los resultados conseguidos respecto de los resultados que pueden ofrecer los equipos de tipo 2.

Para las medidas de control y supervisión donde se evalúa el nivel de ruido "in situ" producido por una actividad, el uso de un equipo de tipo 2 es suficiente. Siendo estos más económicos, se pueden disponer de más equipos de control por parte de las administraciones locales, y por tanto cubrir mejor las necesidades de realizar mediciones acústicas. Este aspecto debería ser tenido en cuenta por las Legislaciones.

3.20.4. Funcionamiento del sonómetro.

La señal de presión acústica captada por el micrófono pasa en primer lugar por un preamplificador. Este dispositivo constituye el soporte físico sobre el que va montada la cápsula microfónica, y suele tener forma cilíndrica. Con ello se evita poner un cable que introduciría señales no deseadas en el sistema. El principal objetivo de este elemento es evitar que el ruido eléctrico exterior pueda influir sobre la señal subministrada por el micrófono que es de pocos mV o μV. Por este motivo, justo detrás del micrófono, se encuentra un cilindro metálico donde se enrosca el micrófono. Este cilindro contiene el preamplificador. La señal a la salida de este dispositivo ya tiene una amplitud suficiente para ser más inmune las interferencias eléctricas exteriores. La salida de este preamplificador va directamente al conversor A/D (Analógico – Digital) del sonómetro ya sea directamente o a través de un cable. A la salida de este conversor las señales ya son digitales, y son procesadas por los circuitos internos del sonómetro. Esta circuitería permite poner filtros de ponderación, filtros pasabanda, o realizar funciones más complejas como evaluar la sonoridad del sonido. Finalmente todos estos datos debidamente procesados se visualizan en una pantalla.

Normalmente los sonómetros realizan muchas funciones de forma simultánea, aunque no todas se visualizan en la pantalla para comodidad del usuario, que puede escoger qué indicadores desea visualizar. La salida de los datos puede ser accesible por el usuario para pasar los datos a un ordenador. El formado de salida depende del fabricante: unos permiten que sea un formado numérico estándar que puede ser exportado a una hoja de cálculo. Otros, con finalidades claramente más comerciales, tienen su propio formado incompatible con los estándares informáticos.

Los controles más habituales que podemos encontrar en un sonómetro dependen de las prestaciones de éste. Los más sencillos permiten seleccionar la ponderación utilizada, el tipo de indicador empleado en la medida, y la respuesta temporal de la pantalla. La figura 3.32. muestra el diagrama de bloques de un sonómetro. Este diagrama también es aplicable en el caso de una cadena de medida más compleja.

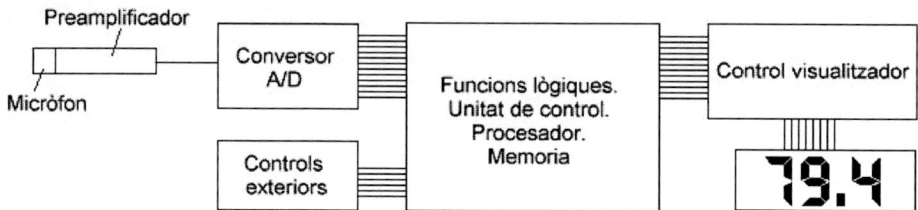

Fig. 3.32. Diagrama de bloques de un sonómetro.

3.20.5. Micrófono de precisión.

Es el componente más importante de la cadena de medida. De su calidad y estabilidad depende la precisión del equipo. Es un componente muy delicado y que no admite ningún mal trato. Los micrófonos empleados son de condensador polarizados o prepolarizados.

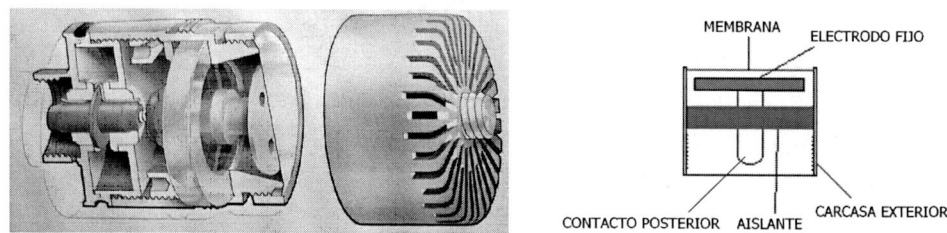

Fig. 3.33. Sección de un micrófono de precisión de condensador.

Si bien los tradicionales de condensador siempre son polarizados, también se encuentran en el mercado los pre-polarizados. Las prestaciones eléctricas de ambos son muy buenas. La figura 3.33. muestra una sección de un micrófono de condensador.

3.20.6. Micrófonos polarizados y pre-polarizados.

Los polarizados necesitan de una alimentación externa que subministra una tensión típicamente de 200 V para polarizar el condensador. Sin esta polarización el micrófono no puede funcionar. Una de las principales diferencias entre estos micrófonos es justamente la necesidad de la polarización. La otra diferencia es el tiempo de vida del micrófono. En este aspecto los polarizados están en clara ventaja en relación de 10:1.

Los micrófonos pre-polarizados disponen de una placa hecha con tecnología "electret" que posee una carga eléctrica fija y por tanto no es necesario añadir ninguna alimentación externa. Los polarizados tienen un corte similar y se utilizan principalmente en equipos de laboratorio alimentados a la red. Los pre-polarizados se utilizan principalmente en equipos portátiles como sonómetros.

Si accidentalmente se pone un micrófono pre-polarizado con una polarización de 200 V, no tiene consecuencias graves para el micrófono. En cambio se altera su sensibilidad y por tanto queda invalidada la medida. Cuando se trata de micrófonos con polarización a 200 V no es aconsejable conectarlos o desconectarlos bruscamente con el equipo en funcionamiento. Esto puede producir un pico de tensión que podría estropear la etapa de entrada del preamplificador.

No es aconsejable "limpiar" la superficie del diafragma del micrófono con un pincel, ya que podemos romper la membrana. Peor aún, es soplar delante del micrófono, acción realizada por quien desconoce lo que es un micrófono. Esta acción produce un nivel SPL extremadamente elevado que podría llegar a destruir la membrana, particularmente en los micrófonos polarizados, ya que al acercarse la membrana al electrodo fijo, puede saltar una chispa eléctrica entre la membrana y el electrodo fijo, que perforaría la membrana inutilizando el micrófono.

La separación en reposo entre el diafragma y el electrodo fijo es de unos 15 µm. En el caso del micrófono la tensión de polarización es de 200 V. La máxima tensión que el aire soporta en condiciones normales para que no salte la descarga eléctrica es de 30 KV/cm. Por lo tanto la máxima tensión que podría soportar el aire con una distancia de 15 µm sería de 45 V. A pesar de esta limitación teórica, lo cierto es que al aplicar los 200 V de polarización, no salta la chispa entre la membrana y el electrodo fijo. La razón está en la baja densidad del aire que está entre las dos placas. Esta baja densidad hace que su constante dieléctrica aumente notablemente, y por tanto soporte una tensión mayor de la prevista. Además la capacidad eléctrica obtenida es también mayor de la esperada debido al incremento de la constante dieléctrica del aire enrarecido situado entre las placas metálicas, lo cual beneficia a su figura de ruido.

3.20.7. Diámetro del micrófono y directividad.

Los diámetros normalizados de los micrófonos de condensador de precisión van de 1/8" (3,175 mm) hasta 1" (25,4 mm). A mayor diámetro mayor superficie del diafragma y por tanto mayor sensibilidad. Con micrófonos de 1" se pueden medir los niveles de sonido más bajos posibles. A menor diámetro menor sensibilidad, pero también mayor nivel de presión acústica que puede soportar. En una membrana de gran diámetro el desplazamiento en el centro es mayor que para un micrófono de menor diámetro, con la misma presión acústica. Si se desean medir niveles de sonido elevados será necesario un diámetro de micrófono pequeño. No es posible tener un micrófono muy sensible y que a su vez soporte elevadas presiones acústicas. El diámetro más usual para las mediciones "in situ" y en laboratorio es el 1/2" que presenta un buen compromiso entre nivel máximo de presión acústica y la sensibilidad.

Así pues el micrófono de 1" se utiliza cuando es necesaria una gran sensibilidad con una respuesta en frecuencia limitada y un nivel máximo moderado. El de 1/8" y de 1/4" se utilizan para señales de elevada presión acústica o para altas frecuencias.

3.20.8. Sensibilidad del micrófono.

La sensibilidad de un micrófono es una propiedad muy importante. Indica la tensión que da a la salida (en circuito abierto) para una presión acústica de 1 Pa. La sensibilidad de un micrófono se suele expresar en mV/Pa. Los micrófonos de 1" o 1/2" tienen una sensibilidad de unos 50 mV/Pa, mientras que los de 1/4" suelen ser de unos 4 mV/Pa a 250 Hz. También se puede expresar la sensibilidad en dB referidos a 1V/Pa, entonces las sensibilidades anteriores serian –26 dB/Pa y –48 dB/Pa respectivamente.

El preamplificador donde van montados todos los micrófonos de precisión tiene dos funciones.

1. Pasar de la impedancia infinita de salida del micrófono a una baja impedancia para que la señal eléctrica sea más inmune a las influencias de ruido eléctrico exterior. Además esta señal podrá conectarse directamente al preamplificador del equipo de medida.
2. En esta transformación de impedancias, el preamplificador tiene una función de amplificar la amplitud de la señal, como su nombre indica. Normalmente la ganancia en tensión de este elemento es inferior a la unidad, aunque en una fracción de dB. La ganancia realmente se produce con la potencia obtenida a la salida.

El conjunto micrófono-preamplificador es un elemento que no tiene ningún ajuste externo. Esto quiere decir que cuando se ajusta la sensibilidad del equipo de medida, lo que realmente se modifica es la sensibilidad del segundo preamplificador que se encuentra dentro del sonómetro o equipo de medida. Cuando se miden señales de elevada amplitud, es muy fácil saturar el preamplificador de entrada sin que el equipo nos indique en ningún momento saturación. Para evitar esto será necesario saber cual es el límite superior de medida de estos elementos.

Los equipos basados en un sistema de adquisición de señal y un ordenador de control, disponen generalmente de dos registros de control:

a. *Sensibilidad de entrada*. Variando esta sensibilidad, se modifica la referencia del equipo y por tanto si se altera este valor, se pierde la calibración que es obligado realizar por el laboratorio de referencia. Es muy sencillo variar la sensibilidad del equipo de medida, ya sea por ajuste mecánico o por programa. Esta acción tan fácil de realizar, invalida las medidas realizadas por el equipo, perdiendo de esta manera la trazabilidad de éste. Los equipos más avanzados incorporan un registro de seguridad que memoriza de forma no accesible por el usuario la fecha en que se realizó dicho reajuste de sensibilidad.

b. *Optimización del conversor A/D al nivel de señal de entrada*. Se puede confundir con la anterior, pero en este caso no se modifica la referencia. Lo que hace el equipo es ajustar el rango de trabajo del conversor A/D a los niveles de señal para aprovechar al máximo sus prestaciones. Esta operación es muy aconsejable hacerla cuando los niveles medidos sean especialmente bajos, inferiores a los 50 dB. En algunos equipos electrónicos esta función no está implementada, ya que se realiza automáticamente o bien porque tienen un rango de medida único que cubre todo el margen dinámico.

3.20.9. Respuesta en frecuencia.

La respuesta en frecuencia se obtiene con un actuador electroestático colocado sobre el micrófono. El actuador es un componente que situado sobre la membrana del micrófono desplaza ésta como si se tratara de una señal acústica. Esto permite saber la respuesta en frecuencia del transductor. Con este actuador electroestático no se pueden simular los efectos de difracción cuando el micrófono se sitúa en un campo acústico, ya que la prueba se realiza sin la reja delantera. En las características de los micrófonos se puede observar la respuesta de éste con el actuador, en campo libre y en campo difuso. (Figura 3.34).

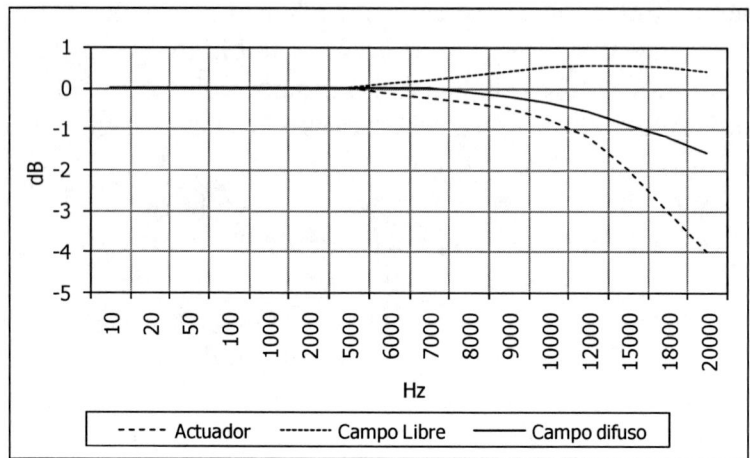

Fig. 3.34. Respuesta en frecuencia de un micrófono de condensador.

La diferencia importante de la respuesta en frecuencia observada es debida al tipo de excitación del micrófono. La reja de la parte delantera está diseñada para ofrecer una respuesta y unas prestaciones concretas en función del uso del sensor. La respuesta en frecuencia con actuador corresponde a la respuesta del transductor trabajando como micrófono de presión.

La frecuencia más baja a la que responde un micrófono de precisión se sitúa entre 2 Hz y 4 Hz. Este límite inferior se produce por la igualación de presiones entre ambas caras de la membrana del micrófono. La posterior se comunica a través de un pequeño conducto con el exterior, para facilitar igualar las presiones estáticas. Este conducto puede ser ajustado para optimizar la respuesta a bajas frecuencias del micrófono. Es la llamada ecualización acústica.

La frecuencia de corte superior se controla en el proceso constructivo del micrófono. Las dimensiones del diafragma, su tensión y su amortiguamiento permiten controlar la frecuencia de resonancia de la membrana. El factor de amortiguación se controla con el número de orificios que hay sobre el electrodo fijo. A mayor número de orificios mayor grado de amortiguamiento; es el caso de los micrófonos de campo libre. Un número menor de orificios enfatiza ligeramente la curva de respuesta a la frecuencia de resonancia; es el caso del micrófono de presión. En cuando a la respuesta en frecuencia, los micrófonos de diámetro grande tienen una peor respuesta a alta frecuencia. Con diámetros pequeños es posible captar señales acústicas bastante superiores a los 20 kHz.

3.20.10. Clases de micrófonos de precisión.

La cápsula del micrófono situada en un punto del espacio es un objeto que no estaba antes de hacer la medida y por tanto altera el campo acústico presente. Es necesario escoger el micrófono más adecuado en función del tipo de medida que se desea realizar. Variando el diseño de la reja delantera y las ecualizaciones interiores, se modifica la respuesta del micrófono para diferentes situaciones.

3.20.10.1. Micrófono de campo libre.

Sus principales características son:
1. Su diseño compensa la distorsión del campo acústico que introduce. Es decir, mide el nivel de presión que habría sin la presencia del micrófono.
2. Se utiliza normalmente orientado hacia la fuente acústica.
3. Utilizado en campo reverberante, mide un nivel SPL inferior.

3.20.10.2. Micrófono de presión.

Sus principales características son:
1. Su diseño no compensa su presencia, y por tanto mide la presión acústica existente cuando el micrófono está presente.
2. Se monta sobre una superficie.
3. Utilizado en campo libre es necesario orientarlo con un ángulo de 90° respecto de la perpendicular a la fuente acústica.

3.20.10.3. Micrófono de incidencia aleatoria.

Sus principales características son:
1. Respuesta uniforme para cualquier ángulo de incidencia del sonido.
2. Ideal para medidas en campo difuso.
3. Utilizado en campo libre es necesario orientarlo con un ángulo de 70° - 80° respecto de la perpendicular a la fuente acústica.

3.20.10.4. Medida en campo libre.

Las medidas en campo libre, normalmente se realizan con micrófonos de campo libre. En este caso es necesario orientar el micrófono directamente a la fuente. Si el micrófono de campo libre se orienta en otra dirección, el nivel SPL puede variar si la fuente de ruido tiene energía a altas frecuencias. Si se utiliza un micrófono de incidencia aleatoria éste se coloca inclinado unos 70° respecto a la normal a la fuente. Si el micrófono es de presión, entonces es necesario orientarlo perpendicular a la dirección del sonido. El micrófono más utilizado en las mediciones "in situ", es el de campo libre. Podría decirse que ofrece un buen compromiso para la mayoría de situaciones en las que se va a medir. En muchas aplicaciones la incidencia del sonido no es perpendicular a la membrana y esto origina pequeñas desviaciones. Nótese que en la mayoría de medidas "normalizadas", el margen de frecuencias está limitado entre 100 Hz y 5 KHz, y en estas circunstancias los errores entre un micrófono de presión, uno de incidencia aleatoria o uno de campo libre, son despreciables.

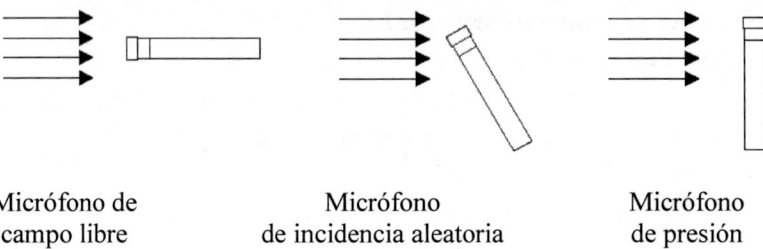

| Micrófono de
campo libre | Micrófono
de incidencia aleatoria | Micrófono
de presión |

3.20.10.5. Medida en campo difuso.

La medida en campo difuso se suele hacer con el micrófono de campo difuso y no es necesario orientarlo en ninguna dirección concreta. Este micrófono se utiliza exclusivamente para ensayos en laboratorio con cámara reverberante.

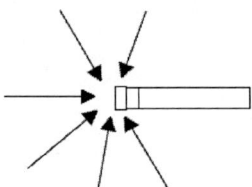

3.20.10.6. Medida de presión acústica sobre una superficie.

El micrófono de presión debe situarse a ras de la superficie. En ocasiones esto no es posible. Por ejemplo cuando se mide el nivel de presión que recibe una ventana.

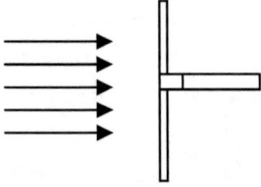

Cada micrófono debe ser utilizado para la aplicación específica para la que se ha diseñado. Si el campo acústico no es el esperado, la respuesta en frecuencia no es plana y pierde sensibilidad a altas frecuencias, produciendo resultados distintos a los reales. Las medidas de presión sobre una ventana se pueden hacer con un micrófono de campo libre dispuesto paralelamente al cristal con la membrana a menos de 10 mm de éste. Para que el micrófono no vibre se suele intercalar una fina capa de espuma y fijando éste con cinta adhesiva fuerte.

3.20.11. Margen dinámico.

El margen dinámico que cualquier micrófono presenta es limitado. Por un lado hay un nivel umbral inferior que indica el nivel mínimo de nivel SPL que el micrófono puede captar. Por otro lado el micrófono no puede soportar una presión acústica superior a un determinado nivel. La diferencia entre ambos niveles de presión será el margen dinámico del micrófono. Normalmente el margen declarado por el fabricante suele ser inferior al real, ya que se deja un margen de seguridad de 10 a 15 dB por la parte superior. Los micrófonos de gran diámetro tienen un umbral de sensibilidad inferior muy bajo, pero no soportan niveles de presión importantes. Los micrófonos de membrana pequeña, tienen menos sensibilidad (mayor nivel umbral inferior) pero soportan unas presiones acústicas mayores.

El límite inferior de sensibilidad del micrófono depende del ruido de origen eléctrico del preamplificador y del nivel de ruido, de origen térmico, de la cápsula. Por debajo de este valor indicado por el fabricante, no es posible medir ninguna señal. Es necesario distinguir entre medidas de banda ancha (todas las frecuencias) o medidas filtradas. Dentro de éstas, las medidas pueden ser con filtros de ponderación o filtros de banda (usualmente octavas o tercios de octava). Si se filtra la señal se puede llegar a medir niveles más bajos.

El nivel de ruido eléctrico es inversamente proporcional a la capacidad de la cápsula. Las de 1" tienen la mayor capacidad y por tanto un menor nivel de ruido. El ruido de origen térmico de la cápsula se mide en dB equivalentes. La tabla 3.4 ilustra los límites para dos micrófonos: el más grande de 1" y el más pequeño de 1/8" que se pueden encontrar en el mercado.

Diámetro del micrófono	Limite inferior de nivel SPL medible		
	1/3 octava a 1kHz	dB(A)	dB
1"	-5	10	11
1/8"	45	55	66

Tabla 3.4. Ejemplo del nivel SPL mínimo de medida.

La figura 3.35 muestra la figura de ruido de un conjunto micrófono – preamplificador de 1/2".

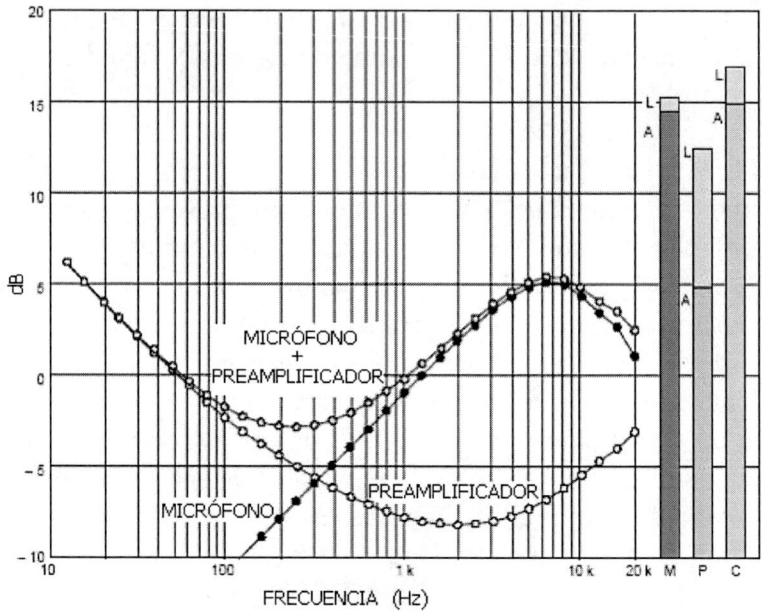

Fig. 3.35. Ruido eléctrico generado por el preamplificador y ruido térmico generado por la cápsula microfónica. Nótese que las mediciones con ponderación A son las que ofrecen aparentemente un mayor nivel de sensibilidad.

La sensibilidad de ambos definirá el valor de sonido mínimo medible. Es muy importante saber cual es el límite inferior de medida de nuestro equipo. Los datos necesarios los puede facilitar el fabricante del conjunto micrófono – preamplificador.

El máximo nivel SPL que un micrófono puede medir está limitado por la distorsión que genera cuando se acerca al límite máximo antes de la ruptura de la membrana. Así el nivel SPL máximo que un micrófono puede soportar corresponde usualmente al nivel donde se acepta un 3% de distorsión. Si se aumenta el nivel SPL, aumenta el nivel de distorsión, y también la posibilidad de que la membrana toque al electrodo fijo. Si esto ocurre la membrana puede llegar a romperse y el micrófono quedar inservible. La rotura de la membrana se produce aproximadamente unos 15 dB por encima del nivel SPL máximo anunciado por el fabricante.

3.20.12. Influencia de los agentes externos sobre el micrófono.

El micrófono está sometido a la influencia de las condiciones del contorno. Las condiciones climáticas por un lado y la presencia de campos electromagnéticos por otro, introducen variaciones sobre el nivel de presión captado, que induce a errores de medida. Estos errores deben ser tenidos en cuenta a la hora de dar un valor con su correspondiente margen de tolerancia, y es fundamental que el profesional que se precie conozca exactamente el límite de su equipo de medida. Aunque hay pocos fabricantes de micrófonos de precisión, existen en el mercado distintos modelos y combinaciones micrófono – preamplificador que no permiten obtener unos valores concretos del error inducido.

Influencia de la temperatura.

La temperatura tiene una influencia relativa sobre la precisión del micrófono. La tensión de la membrana es el elemento más sensible a las variaciones de temperatura. Afortunadamente, los cambios de temperatura son muy lentos y graduales, a excepción de las situaciones en que el aire acondicionado o calefacción pueden producir cambios bruscos de temperatura. Es siempre aconsejable que el equipo se "aclimate" a la temperatura ambiente antes de hacer ninguna medida. La figura 3.36 muestra la variación de sensibilidad con la temperatura de un micrófono de precisión de ½". El margen de temperatura representado oscila entre los extremos habituales en mediciones "in situ" de −10 ºC a +50 ºC.

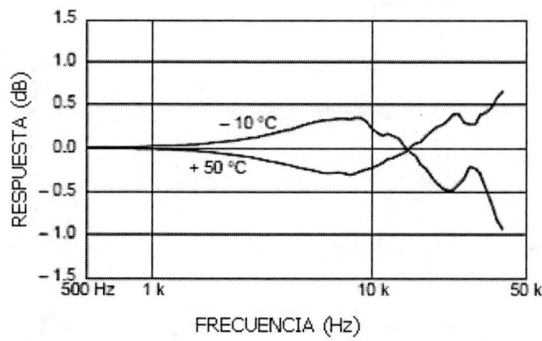

Fig. 3.36. Influencia de la temperatura sobre la sensibilidad de un micrófono.

Nótese que, en conjunto, hasta la frecuencia de 20 KHz el margen de error máximo cometido es inferior a 0,5 dB. Para frecuencias superiores el error supera esta cifra. Teniendo en cuenta que las mediciones normalizadas ISO de aislamiento acústico suelen utilizar un margen hasta los 5 KHz, esta influencia es despreciable. Por otro lado las mediciones de ruido ambiental utilizan la ponderación A que penaliza a las frecuencias por encima de los 5 KHz, llegándose a la misma conclusión.

Influencia de la humedad.

Su efecto también se produce sobre la tensión de la membrana, alterando la sensibilidad del micrófono. Sin embargo, para humedades elevadas se puede producir condensación en el interior del micrófono. En el caso de micrófonos polarizados esto podría llegar a inutilizarlos. Es aconsejable tener el equipo guardado en lugares secos y a temperaturas constantes, para evitar este fenómeno. La influencia de la humedad es apreciable, llegando a ser de 0,4 dB/100%.

Influencia de la presión estática.

Este es sin duda uno de los factores que más influye, pero que nunca es tenido en cuenta en las mediciones. Es motivo de errores constantes entre los "profesionales" del sector sin conocimientos técnicos, y suele ser la causa de la obtención de distintos resultados, cuando aparentemente las fuentes y condiciones de medida eran las mismas. Normalmente se acaba achacando a las condiciones del contorno, la justificación de las diferencias, cuando en realidad la causa es otra. La figura 3.37 muestra la influencia de la presión sobre la sensibilidad de un micrófono de ½".

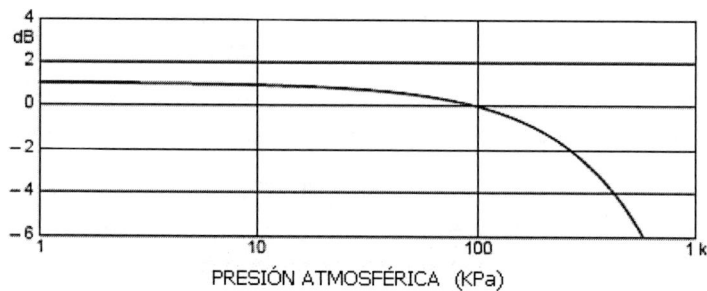

Fig. 3.37. Variación de la sensibilidad de un micrófono con la presión estática.

Nótese que para presiones estáticas estándar (100 kPa) la medida es correcta, pero para presiones inferiores o superiores se introduce un error en la medición, que para presiones habituales puede llegar a 1 dB. Este error debe ser tenido en cuenta siempre. Las variaciones de presión atmosférica influyen notablemente, razón por la cual es aconsejable indicar siempre la presión atmosférica durante las mediciones. Obsérvese que esta presión puede variar por efecto de la climatología y de la altitud sobre el nivel del mar. La variación de sensibilidad es selectiva, como muestra la figura 3.38. El mayor error se produce para altas frecuencias, y lógicamente para variaciones de presión mayores.

La lectura del nivel del sonómetro no sólo depende de la presión atmosférica sino de la altitud. Esto adquiere especial relevancia cuando se verifica (no calibra) el sonómetro. La lectura debe ser estable de 94 dB. Sin embargo pocas veces obtenemos una lectura exacta de 94 dB. Generalmente siempre se desvía 1 ó 2 décimas. El valor obtenido de la verificación que se realiza antes y después de cada medición o serie de mediciones, sirve para comprobar si el sonómetro funciona correctamente. Si la lectura se aparta mucho del valor nominal de 94 dB significa que el sonómetro tiene algún problema.

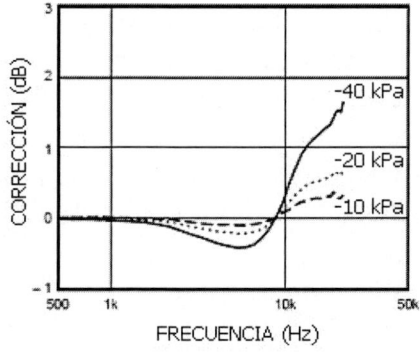

Fig. 3.38. Los niveles sonoros de las frecuencias elevadas son los más afectados por las variaciones de presión estática.

Es necesario pues establecer un margen de aceptación y rechazo de la verificación del equipo. Este margen lo fija el laboratorio, en base a su experiencia y sus criterios de calidad. Un margen de ± 0,3 dB suele ser bastante frecuente. Cuando el sonómetro se lleva a calibrar, se comprueba que éste marque los 94 dB con el patrón del laboratorio. En caso de que no marque ese valor se ajusta, y eso queda reflejado en el informe. Si nuestro equipo lo hemos calibrado en Bellaterra (Barcelona), no marcará lo mismo que si lo calibramos en Madrid, ya que la altitud es distinta. La tabla 3.5. muestra el caso de la verificación en Bellaterra. En negrita se destacan los valores de referencia habituales de ambos laboratorios.

Verificación del sonómetro en Bellaterra			
Altitud	**245 m**	10 m	1.200 m
Temperatura	**20 ºC**	10 ºC	20 ºC
Lectura sonómetro	**94 dB**	94,2 dB	93,5 dB

Tabla 3.5. Sonómetro verificado en Bellaterra. En negrita, se destacan las condiciones de referencia del laboratorio.

Verificación del sonómetro en Madrid			
Altitud	**650 m**	10 m	1.200 m
Temperatura	**20 ºC**	10 ºC	20 ºC
Lectura sonómetro	**94 dB**	94,4 dB	93,7 dB

Tabla 3.6. Sonómetro verificado en Madrid. En negrita,
se destacan las condiciones de referencia del laboratorio.

Nótese que para la misma altitud y temperatura, los sonómetros verificados en Bellaterra o en Madrid darán distinta lectura, con una diferencia de 0,2 dB. Esto unido a las desviaciones propias de los equipos hace muy probable que la lectura de verificación se salga del margen de aceptación y rechazo. Realmente el equipo funciona bien, pero no se ha tenido en cuenta ni la presión atmosférica en el momento de realizar las mediciones, ni la altitud. Por otro lado, actualmente los sonómetros son mucho mas fiables que los "calibradores". Obsérvese que una medida de inspección debe discernir con una precisión de 0,1 dB para dictaminar si una actividad cumple o no con la Legislación vigente, aspecto muy comprometido.

Influencia de las vibraciones.

Para un nivel de vibración moderado, el nivel captado por el micrófono es de 65 dB/ms^{-2}. Debe tenerse especial cuidado de que el trípode sobre el que descansa el sonómetro o el micrófono esté libre de vibraciones. Este punto es especialmente importante en entornos industriales, donde las superficies pueden tener vibraciones. En ocasiones éstas no son perceptibles por el cuerpo humano, aunque sí por el equipo de medida.

Influencia de los campos electromagnéticos.

Siendo un micrófono de condensador, la influencia es teóricamente nula. En la práctica, la presencia del preamplificador puede inducir pequeñas alteraciones. Pero el efecto principal se produce sobre la membrana. Este elemento está sometido a una tensión importante y es extremadamente fino. Los condensadores suelen tener las armaduras de aluminio, pero este material no resiste las tensiones necesarias, por lo que la membrana se suele construir en acero. Este material es ferromagnético, y por tanto es sensible "per se" a los campos electromagnéticos. Cuando el equipo de medida se coloca cerca del radio de acción de transformadores, de grandes máquinas o cercano a una torre de alta tensión, se pueden inducir señales parásitas. Cuando se realizan mediciones en estas circunstancias es aconsejable realizar una medida de control alejado del primer punto. Si hay influencia por radiación electromagnética, los niveles medidos en las bandas concretas de la red eléctrica (50 Hz y sus múltiplos) decrecerán rápidamente o despareceran. En caso contrario seguirán la ley de divergencia para fuente puntual o lineal.

3.19.13. Integración temporal.

El sonómetro dispone de un control sobre el grado de integración temporal de la señal. Este parámetro afecta al valor del nivel sonoro obtenido y mostrado en pantalla. Hay tres tipos de integración normalizados:

SLOW
- Corresponde a una integración temporal de 1.000 ms.
- Se utiliza con señales que tienen ligeras fluctuaciones de nivel.

FAST
- Corresponde a una integración temporal de 125 ms.
- Es la situación más similar a la del oído humano.
- Se utiliza para fenómenos con evoluciones rápidas y/o grandes fluctuaciones de nivel sonoro.

IMPULSE
- Corresponde a una integración de 35 ms. Con una caída de 1.500 ms.
- Cuando se desea medir señales impulsivas.

PICO
- Permite saber el nivel de pico de la señal. Tiempo de respuesta de 50 ms.

MAX HOLD.
- Función que aplicada a una de las anteriores permite memorizar el máximo valor obtenido. Es muy usado el "max hold pico", que presenta el nivel de pico máximo durante la medida.

El resultado de una medición efectuada en Slow o Fast, puede ser distinto si el tiempo de medida es corto. Para períodos de medida superiores a 2 minutos, ambos resultados suelen ser coincidentes. A mayor variabilidad del nivel de la señal, mayor tiempo de integración será necesario para obtener un resultado estable. El origen de las posiciones de Slow o Fast se remonta a los equipos analógicos que tenían un indicador de aguja para dar el resultado. En la posición Fast, el indicador sigue las evoluciones rápidas de la señal, mientras que en la posición Slow, la aguja varía lentamente su posición realizando una "integración visual" del nivel sonoro.

Fig. 3.39. Evolución temporal de ruido en el interior de un restaurante. En trazo gris la gráfica Fast. En trazo grueso la gráfica Slow. Los valores globales de ambas gráficas coinciden en 81,2 dB(A).

Estos conceptos aplicados a los equipos de medida con visualizador digital no tienen ninguna utilidad, ya que el visualizador se actualiza habitualmente cada 0,5 s.

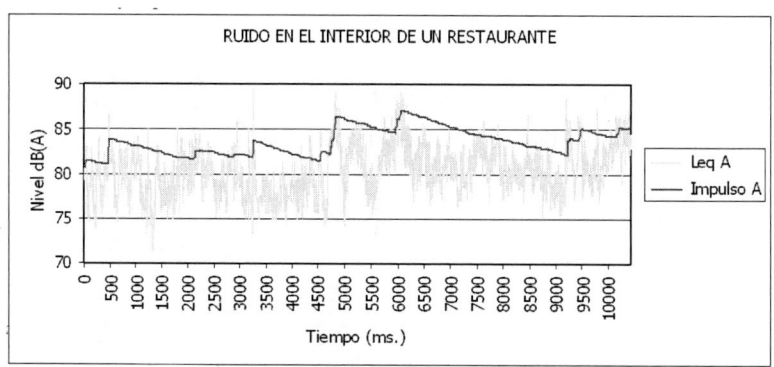

Fig. 3.40. En gris la evolución Leq del ruido en el interior de un restaurante. En negro el gráfico de la función Impulse ponderada A.

Este valor de integración no coincide ni con la posición Fast (125 ms.) ni con la Slow (1.000 ms.). A pesar de ello podemos encontrar multitud de Legislaciones donde se indica poner el sonómetro en la posición Fast, y realizar una medida de 10 minutos. Tal proceder es obviamente absurdo.

La figura 3.40. muestra los valores Leq y Impulse obtenidos del mismo fragmento de ruido del restaurante mostrada anteriormente. Nótese que la señal Impulse sigue los picos más altos y que el decrecimiento siempre es el mismo (35 ms.). Esto hace que algunos picos queden "ocultados" por la integración de la función Impulso.

En el ejemplo mostrado el nivel L_{eq} = 81,2 dB(A) y el L_{imp} = 83,7 dB(A).

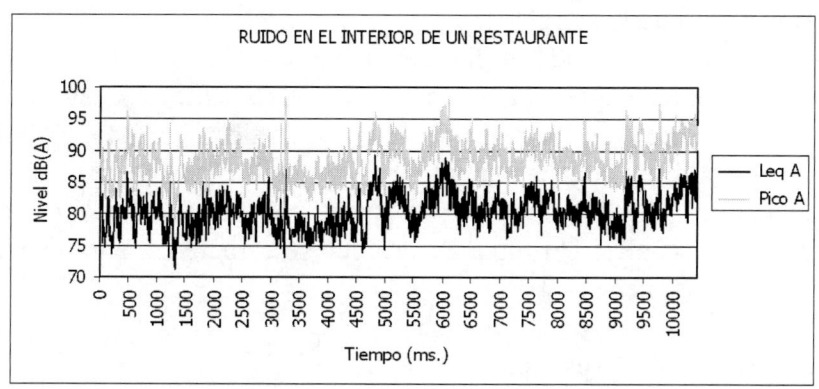

Fig. 3.41. En gris la señal de pico. En negro la señal Leq.
Nótese la diferencia respecto el valor impulso mostrado en la figura 3.40.

Los niveles de pico no coinciden con los de impulso, aunque muchas veces se confunden. Se puede observar que los valores de pico siempre son mayores que los de impulso.

En algunas normas se utiliza el concepto de $L_{eq\ Fast\ máx}$ o $L_{eq\ Slow\ máx}$. Estos indicadores son semejantes al de la función Hold, ya que toman el valor máximo con la integración correspondiente. Gráficamente ambos indicadores coinciden con los valores de Fast o Slow, sin embargo el valor obtenido es el que cambia, ya que el nivel Fast máx. indica el valor máximo dentro del fragmento de señal seleccionado, y el Slow máx, hace lo mismo con la función Slow. La figura 3.42 muestra el ejemplo del ruido en el interior de un restaurante con la constante de integración Fast y con Fast máx. Ambas curvas se solapan completamente.

Fig.3.42. Diferencia entre la señal Fast y la Fast máx. Las gráficas están superpuestas
y no se distinguen entre ellas. Los valores en el fragmento mostrado son:
$L_{eq\ Fast}$ = 81,2 dB(A) $L_{eq\ Fast\ máx}$ = 85,8 dB(A). En el gráfico se muestra con la flecha,
el valor máximo obtenido.

3.21. Filtrado de la señal.

Para evaluar el contenido en frecuencia de una señal acústica se necesitan sistemas electrónicos que puedan medir correctamente sus amplitudes. El micrófono transforma la señal acústica en una señal eléctrica. Esta señal eléctrica se amplifica y se filtra adecuadamente y es la que finalmente se visualizará de alguna manera en un indicador. Son pues necesarios unos circuitos electrónicos que filtren estas señales. Un filtro electrónico se caracteriza para una serie de parámetros que definen como es.

3.21.1. Tipos de filtros electrónicos.

La función del filtro se puede realizar en dos formas complementarias:

1. Filtro pasa-banda. Tiene como objetivo dejar pasar únicamente unas frecuencias, el resto no pasan. La banda es el margen de frecuencias que deja pasar.
2. Filtro rechazo-banda. Es el complementario del anterior.

Los más empleados en acústica son los filtros pasa-banda. Un filtro pasa-banda se caracteriza para diversos aspectos, los más importantes son:

- La frecuencia central a la que está sintonizado.
- El ancho de banda. Margen de frecuencias que el filtro deja pasar o rechaza.
- Precisión del filtro. Es la pendiente lateral. El filtro ideal tiene una pendiente infinita. A mayor pendiente mayor precisión tiene el filtro.
- Selectividad del filtro. Es el ancho de banda del filtro relativo a la frecuencia a la cual se encuentra sintonizado. Un filtro muy selectivo, permite discriminar unas frecuencias de otras con facilidad.

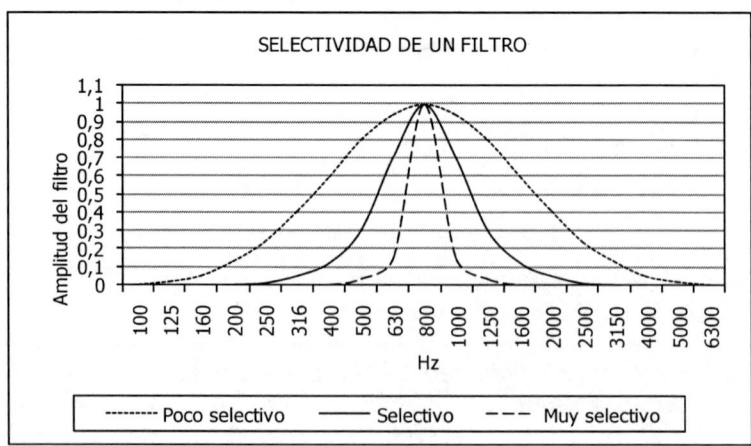

Fig. 3.43. Diferencias entre un filtro muy selectivo y uno poco selectivo.

El filtro pasa banda, es el más utilizado en acústica. Se trata de un dispositivo que deja pasar unas frecuencias y atenúa o elimina otras. En acústica ambiental o arquitectónica se suelen utilizar bandas de frecuencias, es decir, grupos de frecuencias. La razón estriba en la percepción auditiva (ver capítulo 4). En cambio en vibraciones es más usual trabajar en banda fina, es decir, frecuencias discretas, y también por bandas de frecuencias.

Los filtros pasa-banda pueden ser de dos tipos:
1. Filtros de banda constante.
2. Filtros de porcentaje constante.

3.21.1.1. Filtros de banda constante.

Como su nombre indica, son filtros que dejan pasar una banda concreta de frecuencias, independientemente de su posición en frecuencia. Por ejemplo, un filtro de 50 Hz, significa que el ancho de banda es de 50 Hz. Este filtro sintonizado a la frecuencia de 100 Hz, deja pasar las frecuencias comprendidas entre los 75 Hz y los 125 Hz. El resto de frecuencias son rechazadas y no pasan por el filtro. Este mismo filtro sintonizado a la frecuencia de 2.000 Hz deja pasar las frecuencias comprendidas entre los 1.975 Hz y los 2.025 Hz. Los filtros de banda constante se utilizan en acústica para caracterizar los sistemas electroacústicos, amplificadores, cajas acústicas, ecualizadores, mesas de mezclas, etc. Habitualmente se utiliza una señal de ruido de espectro amplio, generalmente ruido blanco. Los filtros de banda constante se pueden sintonizar a cualquier frecuencia.

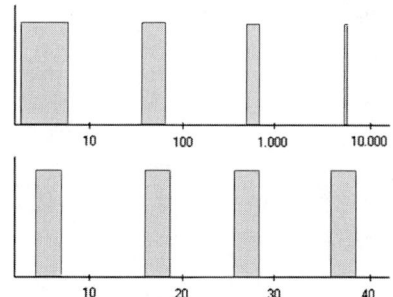

Fig. 3.44. Arriba: filtro de BC representado con un eje logarítmico de frecuencias. Abajo: filtro de BC representado con un eje lineal de frecuencias

Como se puede apreciar en la parte superior de la figura 3.44; el filtro se va haciendo estrecho a medida que aumenta la frecuencia, mientras que en la parte inferior el mismo filtro presenta un ancho de banda constante. Ambos gráficos son correctos aunque aparentemente parecen distintos.

Usualmente se utiliza un eje logarítmico de frecuencias, esto permite visualizar todo el espectro de audio sobre un eje de dimensiones aceptables. Así mismo el eje lineal de frecuencia es útil cuando se realiza un zoom sobre una zona concreta del espectro. Es aconsejable cuando se observa un gráfico de frecuencias mirar bien la escala de los ejes, antes de emitir ninguna opinión.

3.21.1.2. Filtros de porcentaje constante.

El ancho de banda de estos filtros es un porcentaje de la frecuencia a la que están sintonizados, es decir, que su ancho de banda varía en función de su posición espectral. Por ejemplo, un filtro de 10% sintonizado a la frecuencia de 200 Hz significa que el ancho de banda es de 20 Hz, o sea que deja pasar las frecuencias de 190 Hz a 210 Hz. (Estas frecuencias no son exactas, como se demuestra más adelante). El mismo filtro sintonizado ahora a 3.000 Hz tiene un ancho de banda de 300 Hz. Nótese que el filtro se "ensancha" a medida que sube la frecuencia. Esta forma tan particular coincide con el funcionamiento del oído humano. Los filtros de porcentaje constante se sintonizan a frecuencias determinadas, siguiendo la percepción auditiva. Se utiliza una escala normalizada de frecuencias que está relacionada con el concepto de octava.

Una octava es la distancia que hay entre una frecuencia F1 y una F2, cuando F2 es el doble de F1. Por ejemplo, entre 150 Hz y 300 Hz hay una octava, entre 1.000 Hz y 2.000 Hz también hay una octava. Pero la percepción auditiva se rige por filtros de porcentaje constante más selectivos, son los filtros llamados de tercio de octava. Los filtros de porcentaje constante se utilizan para medidas acústicas, como aislamiento acústico, ruido ambiental, etc. donde usualmente se utilizan señales de ruido rosa

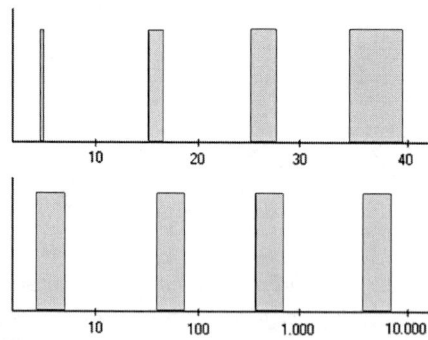

Fig. 3.45 Arriba: filtro de %Cte representado sobre un eje lineal de frecuencias. Abajo: filtro de %Cte representado sobre un eje logarítmico de frecuencias.

Como se puede observar a la figura 3.45 el comportamiento de este filtro es distinto del anterior. Representado sobre un eje de frecuencias lineal, el filtro se va haciendo más ancho al aumentar la frecuencia. Este aspecto es el más importante de estos filtros; los filtros de porcentaje constante dejan pasar más energía al aumentar la frecuencia. Si no son empleados correctamente, pueden dar errores muy importantes en las mediciones.

3.21.1.2.1. Filtros de octava.

Son filtros de porcentaje constante donde se cumple:

$$F_2 = 2 \cdot F_1 \tag{3.33}$$

$$F_0 = \sqrt{F_1 \cdot F_2} \tag{3.34}$$

Donde F_1 y F_2 son las frecuencias de corte inferior y superior respectivamente, y F_0 es la frecuencia central del filtro. Nótese que la frecuencia central F_0 no está centrada entre F_1 y F_2. Substituyendo la ecuación 3.33 en la 3.34 y despejando F_1 obtenemos:

$$F_1 = \sqrt{\frac{F_0^2}{2}} \tag{3.35}$$

El ancho de banda del filtro de octava es:

$$\Delta F(\%) = \frac{F_2 - F_1}{F_0} \cdot 100 \tag{3.36}$$

Operando se llega a que el filtro de octava tiene un ancho de banda del 70,7%.

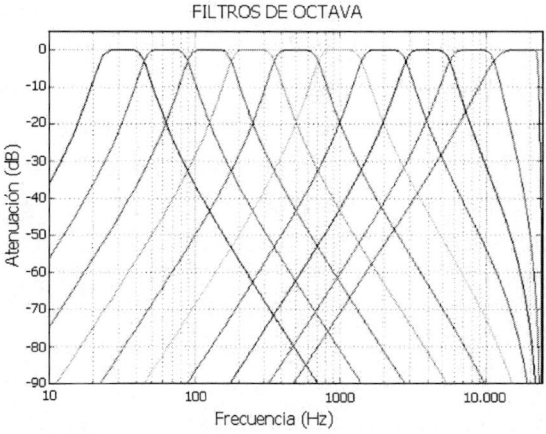

Fig. 3.46. Banco de filtros de octava en la banda de audio.

3.21.1.2.2. Filtros de tercio de octava.

Son filtros de porcentaje constante donde se cumple:

$$F_2 = 2^{\frac{1}{3}} \cdot F_1 \tag{3.37}$$

$$F_0 = \sqrt{F_1 \cdot F_2} \tag{3.38}$$

Donde F_1 y F_2 son las frecuencias de corte inferior y superior respectivamente, y F_0 es la frecuencia central del filtro. Nótese que la frecuencia central F_0 no está centrada entre F_1 y F_2. Substituyendo la ecuación 3.37 en la 3.38 y despejando F_1 obtenemos:

$$F_1 = \sqrt{\frac{F_0^2}{2^{\frac{1}{3}}}} \tag{3.39}$$

El ancho de banda del filtro de tercio de octava es:

$$\Delta F(\%) = \frac{F_2 - F_1}{F_0} \cdot 100 \tag{3.40}$$

Operando se llega a que el filtro de octava tiene un ancho de banda del 23,1%.

La figura 3.47 muestra un banco de filtros de tercio de octava. Se puede observar que el filtro de tercio de octava es más selectivo que el filtro de octava. La figura 3.48 muestra un filtro de octava y uno de tercio de octava sintonizados ambos a 125 Hz. Nótese que la frecuencia central del filtro (125 Hz) no está realmente en el centro de la banda pasante. En color azul se puede observar el filtro de octava. Las frecuencias F1 y F2 son las frecuencias llamadas de corte. Para estas frecuencias el filtro presenta una atenuación de −3 dB. La distancia entre F1 y F2 se considera que es la banda de frecuencias que el filtro deja pasar.

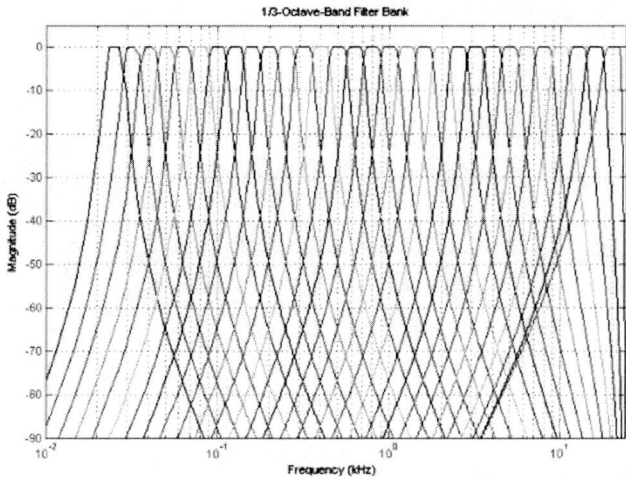

Fig. 3.47. Banco de filtros de tercio de octava en la banda de audio.

La anchura relativa del filtro respecto de la frecuencia central de éste define el tipo de filtro, octava o tercio de octava en este ejemplo. Los distintos filtros se van concatenando de manera que la frecuencia de corte superior de uno coincide con la frecuencia de corte inferior del siguiente. (ver figura 3.48 y tabla 3.7) De esta manera se garantiza que todas las frecuencias quedan "recogidas" por el banco de filtros. Los filtros analógicos presentan problemas de fase en las pendientes, a mayor pendiente mejor filtro pero mayor desfase. Los filtros digitales, implementados por "software" no tienen estos problemas. Por otro lado no tienen las derivas y variaciones propias de los componentes electrónicos ya que el procesado se hace numéricamente.

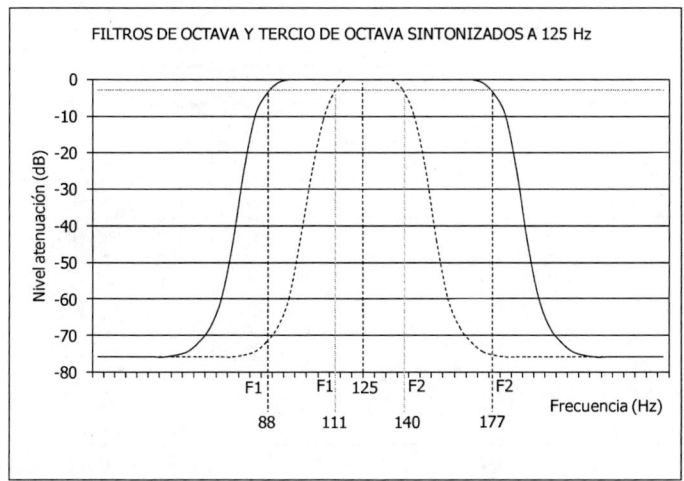

Fig. 3.48. Filtros de octava y tercio de octava sintonizados a 125 Hz.

La tabla siguiente muestra las frecuencias centrales y las frecuencias de corte para los filtros de octava y de tercio de octava entre los 16 Hz y los 20 KHz según la norma IEC 225 (1996).

1/1 Octava			1/3 Octava		
Frec. Inferior	Frec. Central	Frec. Superior	Frec. Inferior	Frec. Central	Frec. Superior
			17.8	20	22.4
			22.4	25	28.2
22	31,5	44	28.2	31.5	35.5
			35.5	40	44.7
			44.7	50	56.2
44	63	88	56.2	63	70.8
			70.8	80	89.1
			89.1	100	112
88	125	177	112	125	141
			141	160	178
			178	200	224
177	250	355	224	250	282
			282	315	355
			355	400	447
355	509	710	447	500	562
			562	630	708
			708	800	891
710	1000	1420	891	1000	1122
			1122	1250	1413
			1413	1600	1778
1420	2000	2840	1778	2000	2239
			2239	2500	2818
			2818	3150	3548
2840	4000	5680	3548	4000	4467
			4467	5000	5623
			5623	6300	7079
5680	8000	11360	7079	8000	8913
			8913	10000	11220
			11220	12500	14130
11360	16000	22720	14130	16000	17780
			17780	20000	22390

Tabla 3.7. Filtros de octava y tercio de octava a las frecuencias normalizadas.

3.21.2. Uso de los filtros.

El filtrado de la señal permite saber las frecuencias que hay en un sonido. En las mediciones de ruido se mide en tercios de octava para determinar algunos aspectos cualitativos del sonido, como la presencia de componentes tonales. La figura 3.49 muestra el análisis espectral obtenido aplicando diferentes filtros a una misma señal.

En la parte superior de la figura 3.49 se muestra un espectro en octava. Se distingue un ligero incremento en la banda de 63 Hz. El siguiente espectro corresponde a la misma señal analizada en tercio de octava. Se observa cómo el pico de octava de 63 Hz se desdobla en dos, uno a 80 Hz y el otro a 50 Hz. Finalmente el análisis en 1/12 de octava muestra con mayor claridad que el pico más importante se sitúa a 90 Hz aproximadamente. El análisis en octavas no permite una apreciación de la presencia de componentes tonales. La representación más utilizada es en tercio de octavas.

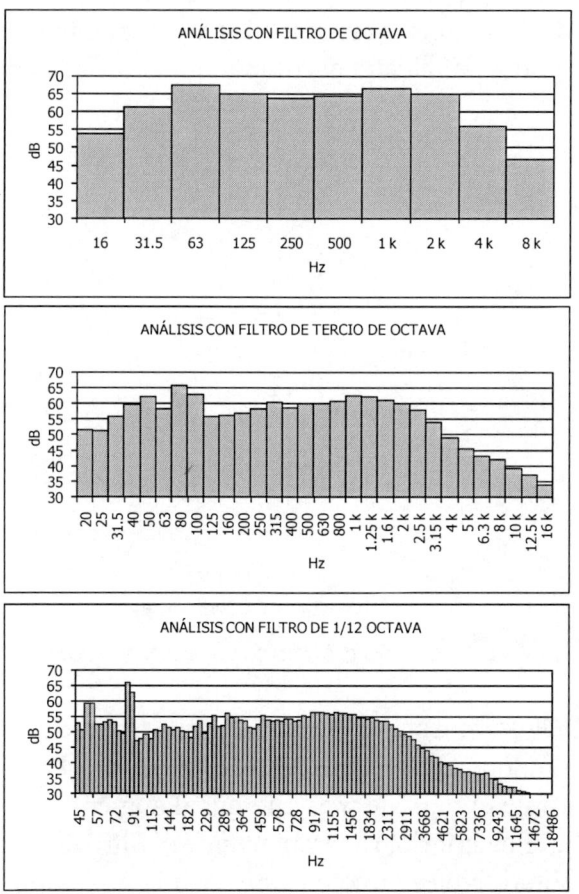

Fig. 3.49. La misma señal de ruido analizada con distintos filtros.

Los sonómetros analógicos no permiten saber el nivel del ruido para cada banda de forma simultánea. En los equipos analógicos solo existe un filtro, y éste se sintoniza a una sola frecuencia. Esto requiere ir cambiando la frecuencia central del filtro para anotar el nivel sonoro para cada banda. Como el ruido siempre es fluctuante, los errores introducidos son importantes, ya que al cambiar el filtro la distribución espectral del ruido puede fluctuar, por lo que un análisis en frecuencia preciso sólo puede hacerse con un procesado en paralelo, es decir, midiendo con todos los filtros a la vez.

Esta posibilidad es ventajosa si se utilizan filtros digitales. El filtrado se hace entonces numéricamente, y no interviene ningún circuito o componente electrónico. Los filtros digitales se hacen por "software". Esta particularidad hace que sean invariantes con el tiempo, es decir, siempre dan el mismo resultado para la misma señal a la entrada, cosa que no ocurre con los filtros analógicos, debido a las tolerancias de sus componentes electrónicos. Los filtros digitales pues, una vez probado que cumplen los requisitos IEC para los filtros de octava o de tercio de octava, no requieren ningún ajuste, y por tanto es absurdo hacer una verificación. La figura 3.50. ilustra el comportamiento de los dos tipos de filtros.

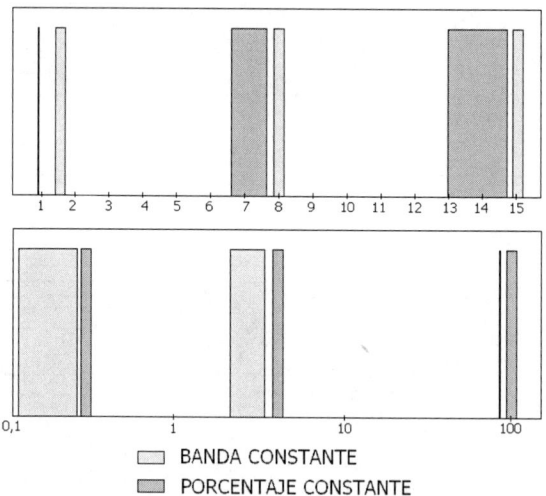

Fig. 3.50. Diferencias entre banda constante y porcentaje constante.

En la figura 3.50 se muestra que en una escala lineal de frecuencias (gráfica superior) el filtro de porcentaje constante se va "ensanchando". Esto significa que este filtro permite el paso de más energía al aumentar la frecuencia. En un eje logarítmico (gráfica inferior) aparentemente el filtro de porcentaje constante mantiene su amplitud. Nótese que en este caso la escala de frecuencias se va comprimiendo a medida que se aumenta en frecuencia.

En acústica hay dos tipos de señales de prueba con características similares:

- Ruido Blanco.
- Ruido Rosa.

El ruido blanco es una señal que contiene toda la banda de frecuencias de audio con amplitudes aleatoriamente cambiantes.

El ruido rosa es una señal de ruido blanco filtrada con un filtro de pendiente constante de –3 dB/Octava. Su energía decrece pues con una pendiente de –3 dB/Octava. Las señales de ruido blanco se utilizan para la prueba de equipos electroacústicos. Como la energía es constante con la frecuencia se debe utilizar un filtro de banda constante. Si se utiliza un filtro de porcentaje constante, la energía a altas frecuencias sería creciente, y falseará el resultado obtenido.

Las señales de ruido rosa filtradas con un filtro de banda constante darán menos energía a altas frecuencias. Con el filtro de porcentaje constante, al aumentar el ancho de banda con la frecuencia y captar más energía, ésta se compensa con el decrecimiento de nivel del ruido rosa, obteniendo también una combinación de energía constante. (fig. 3.51) Se observa que para una escala lineal de frecuencia la mayor anchura del filtro queda compensada por la menor amplitud de la señal de ruido.

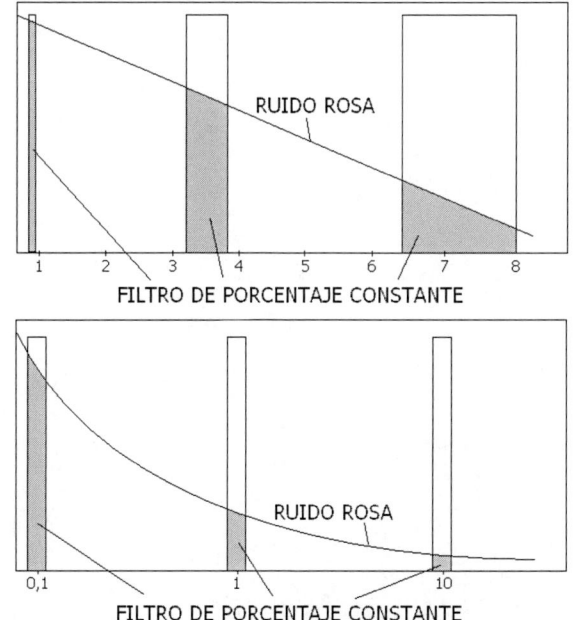

Fig. 3.51. Combinación de ruido rosa y filtro de porcentaje constante.

Cuando el eje es logarítmico, aparentemente el área de energía que deja pasar el filtro disminuye, pero debe tenerse en cuenta que el eje de frecuencias es logarítmico, y el filtro tiene realmente un mayor ancho de banda.

En resumen pues: para mediciones de sistemas electroacústicos se utiliza ruido blanco y filtros de banda constante. Para mediciones acústicas en general, aislamiento, nivel de ruido, etc. se utiliza ruido rosa y filtros de porcentaje constante. Nótese que para la medida del TR60 es indistinto el tipo de ruido o de filtro utilizado.

Capítulo 4
SISTEMA AUDITIVO HUMANO

4.1. Introducción.

El sentido del oído nos permite reconocer sonidos, comunicarnos, escuchar y disfrutar de la música, y un largo etcétera. El sistema auditivo es un sentido más importante de lo que vulgarmente se piensa. No se puede desconectar voluntariamente como podemos hacer con la vista, aspecto que a veces supone un inconveniente cuando queremos dormir y un ruido nos lo impide. El oído siempre funciona, de hecho es el órgano que nos alerta de los peligros que nos rodean. Un ruido de baja intensidad puede provocar una sensación de alarma superior a la que un sonido de mayor amplitud puede generar. Los padres desarrollan una sensibilidad especial con el llanto de su hijo, en cambio no reaccionan igual si escuchan llorar a otro niño. El sentido auditivo tiene dos partes diferenciadas:

a. Órgano auditivo como detector físico de las variaciones de presión acústica que llegan al oído.
b. Procesamiento de estas informaciones por el cerebro que "interpreta" los resultados.

Por tanto son dos aspectos íntimamente ligados pero que utilizan diferentes partes del cuerpo. La parte visible del sentido del oído es la que nos permite captar los sonidos externos. Si esta parte no funciona correctamente, no es posible escuchar sonido alguno y por tanto tampoco interpretar informaciones. También puede suceder que la parte fisiológica funcione y en cambio el problema esté con la interpretación, probablemente por un neuroma acústico sobre el nervio auditivo que dificulta o impide que las señales del oído lleguen al cerebro.

Cuando se reconoce una voz, el órgano auditivo traduce los incrementos de presión acústica que llegan a nuestros oídos, a señales eléctricas que posteriormente el cerebro descodifica e interpreta. El hecho físico de percibir los sonidos no es suficiente para identificar un locutor o reconocer una música, es necesario el proceso de descodificación que hace el cerebro en base al aprendizaje realizado. Este proceso de descodificación es mucho más complejo y algunos aspectos son aún desconocidos.

Conocer como es nuestro oído, que limitaciones presenta, puede ayudar a saber porqué un sonido molesta y otros no molestan. La sensibilidad auditiva se estudió bastante entre los años 60 y 70. Los estudios más recientes son del 2003 motivados por algunas observaciones que apuntan a la necesidad de revisar los trabajos realizados hace unas décadas. La evolución del sentido auditivo y sobre todo el ruido ambiental y los hábitos de riesgo acústico son algunos factores que han motivado la aparición de nuevos estudios audiométricos.

La capacidad auditiva de la población es un aspecto que ha preocupado siempre a las autoridades. En este sentido el verano de 1998 el gobierno francés prohibió por ley la venta de cualquier equipo reproductor de sonido portátil (mp3 o similar) que pueda dar un nivel superior a los 100 dB(A) en los auriculares. Una medida ciertamente drástica, y que está basada en muchos trabajos de investigación que han demostrado que los jóvenes franceses se están quedando sordos. Lamentablemente las medidas de protección impuestas no son suficientes para solucionar el problema. A los pocos meses de aparecer la ley, se pueden encontrar por internet "web sites" donde se explica la forma de conseguir un mayor nivel sonoro con unos auriculares diferentes a los que lleva de origen el reproductor. Este hecho corrobora la necesidad de realizar campañas de sensibilización y sobre todo de concienciación entre la población más joven, para que cuando sean adolescentes no caigan en los mismos errores que sus predecesores. Tratar con desprecio al sentido auditivo es propio de una sociedad inculta y poco respetuosa con el entorno.

4.2. Anatomía del oído.

El sistema auditivo es un órgano complejo que está dividido en tres partes: el oído externo, el oído medio y el oído interno. Cada parte tiene su función, aunque en el caso del oído interno y sobre todo en el procesamiento de los datos por el cerebro, existen muchos puntos desconocidos sobre los mecanismos de la audición. En la figura 4.1 se puede ver una sección esquematizada del oído.

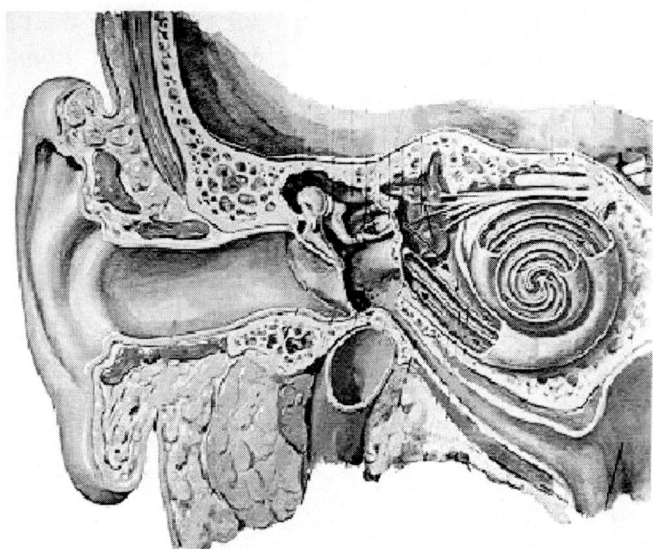

Fig. 4.1. Sección del sentido del oído.

4.2.1. Oído externo.

Está formada por el pabellón auditivo, y el conducto auditivo. El pabellón auditivo tiene una función muy importante para la localización o procedencia de los sonidos. Contrariamente a lo que se podría pensar, la ausencia del pabellón auditivo no minora de forma notable la capacidad auditiva. En contra de lo que muchas personas piensan el pabellón auditivo no es un embudo "que recoge" los sonidos y los conduce al interior del oído, aunque su forma y posición podría inducir a pensar así. El principal papel del pabellón auditivo es permitir la localización o procedencia del sonido. Los pliegos del pabellón auditivo crean constantemente interferencias cuando las señales sonoras procedentes de los diferentes puntos del espacio llegan al oído, generándose múltiples reflexiones e interferencias que son las que realmente llegan al tímpano. Por tanto, cuando escuchamos un sonido, lo que realmente estamos escuchando es el sonido procedente de la fuente de sonido pero con los matices que nuestro pabellón auditivo ha introducido. Con estas interferencias, se generan unos pequeños retardos entre las señales de los dos canales auditivos, y gracias a estas pequeñas variaciones, podemos interpretar la procedencia del sonido o también la distancia a la que se encuentra una fuente sonora. En el caso del pabellón auditivo humano, las depresiones y pliegos del pabellón auditivo permiten la localización de las fuentes acústicas en el espacio.

El pabellón auditivo actúa creando un "patrón de interferencia" de manera que, a través del aprendizaje diario durante la infancia, se asocia un determinado desfase en frecuencia y en tiempo con una procedencia concreta del sonido en el espacio tridimensional. Posteriormente el individuo al escuchar un sonido busca en su cerebro un patrón de interferencia que se ajuste al que se percibe en ese momento y "reconoce" estos patrones. Esto permite identificar la procedencia del sonido de una manera rápida y "fácil" sin necesidad, en ocasiones, de girar o ladear la cabeza. El proceso de localización de fuentes siempre implica una fase de aprendizaje, que se realiza durante la infancia, es un proceso natural y que pasa desapercibido para el individuo, ya que nadie es consciente de realizar este aprendizaje. En esta fase el cerebro memoriza multitud de situaciones acústicas que posteriormente utiliza para determinar la procedencia de un sonido o reconocer su origen. Como los pabellones auditivos son diferentes para cada individuo, el intercambio de orejas haría que la localización de sonidos del entorno fuera más difícil, aunque los sonidos se escucharían con la misma intensidad.

En el caso de no encontrar el patrón de interferencia que coincida con alguno almacenado previamente en nuestra memoria, se recurre a obtener más información moviendo ligeramente la cabeza a ambos lados o bien verticalmente y eso permite disponer de otros patrones de interferencia del mismo sonido pero en distinta posición. Con este proceso se hace realmente una triangulación para determinar el lugar exacto de procedencia del sonido. El proceso de aprendizaje de la localización de fuentes sonoras en el espacio 3D finaliza aproximadamente en la pubertad. Un proceso similar es el que se utiliza para reconocer una voz, aunque este proceso de aprendizaje nunca acaba. Ningún sistema electrónico puede reconocer una voz con el grado de fiabilidad a como lo hace con toda naturalidad el sentido auditivo. Incluso con señales distorsionadas o alteradas espectralmente, un individuo identifica fácilmente a una voz conocida. Si el sonido no es "conocido" se almacena en la base de datos (cerebro). En la figura 4.2 podemos ver la función del pabellón auditivo sobre la capacidad de localización de sonidos.

D. W. Batteau el año 1967 sugirió que los sonidos reflejados sobre el pabellón auditivo generan retardos del orden de unos 300 μseg. A pesar de ser un tiempo extremadamente corto, son fácilmente "detectables". Las frecuencias altas por encima de los 4 kHz son las más afectadas por este mecanismo. Por tanto, son las altas frecuencias las que en principio nos permiten localizar mejor la procedencia del sonido.

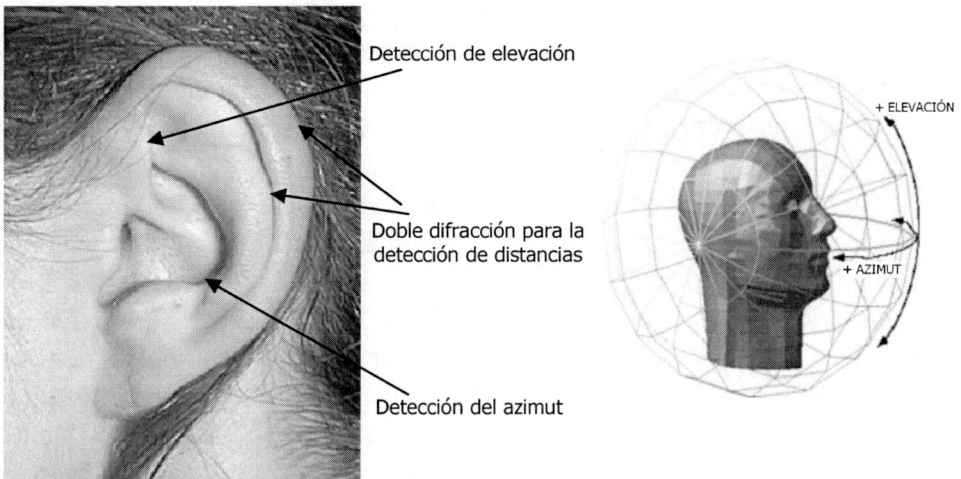

Fig. 4.2. Características del pabellón auditivo que permiten la localización de la procedencia del sonido en el espacio 3D.

El canal auditivo suele tener una longitud de unos 2,3 cm. y se puede considerar como un tubo con forma de doble Z, tapado por un extremo, donde se encuentra el tímpano, y abierto por el otro extremo, donde se encuentra el pabellón auditivo. Acústicamente su comportamiento es bien conocido; aparecerán unas resonancias con unas longitudes de onda que serán múltiples de $\lambda/4$ de la longitud del tubo. Con una longitud media de unos 2,3 cm, nos aparece una resonancia sobre los 3.800 Hz. Las diferentes anatomías humanas harán que tanto la longitud como el diámetro del conducto auditivo tengan pequeñas variaciones y en consecuencia la frecuencia de resonancia del conducto no presente el mismo valor para todos los individuos. La resonancia del canal auditivo está bastante documentada por diversos trabajos. En la figura 4.3 se puede observar la función de transferencia del canal auditivo obtenida para tres personas diferentes. Las diferencias observadas son debidas a las diferencias fisiológicas de los oídos de los individuos que intervinieron en los experimentos. Generalmente la longitud, diámetro y forma del conducto auditivo son las principales diferencias fisiológicas.

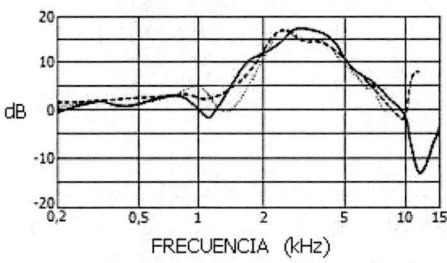

Figura 4.3. Resonancias del conducto auditivo de tres personas.

El resultado común en todos estos estudios es la resonancia que aparece cercana a los 4 kHz. La resonancia es bastante llana y varía entre los 2 kHz y los 5 kHz. Realmente no se corresponde con una resonancia de un tubo rígido semi-abierto por un extremo. Realmente esta diferencia viene motivada porque el canal auditivo no tiene una forma recta sino que tiene forma de doble Z. Las paredes de este tubo están recubiertas de múltiples pelos y de glándulas que desprenden una sustancia (cerumen) para atrapar el polvo y otros objetos pequeños y evitar que puedan llegar al tímpano. Este recubrimiento con cerumen es el que da una cierta absorción al canal auditivo. Estos factores introducen una pérdida en amplitud de la resonancia. La resonancia del canal auditivo sirve para enfatizar unos 15 dB la amplitud de la respuesta del oído a las frecuencias medias.

La función de transferencia del oído varia con el azimut de la señal incidente sobre el pabellón auditivo. Esta función de transferencia se llama HRTF (Head Related Transfer Funtion). Representa la función de transferencia con el filtrado introducido por el conjunto formado por el pabellón auditivo, los hombros, la cabeza, y parte del torso de las personas, en el proceso de audición. La obtención de la HRTF estándar es motivo de investigación de muchos laboratorios que tratan de encontrar una función HRTF universal. Teóricamente, esta función permitiría reproducir mediante auriculares o altavoces un sonido grabado en un entorno anecoico, y situarlo en cualquier punto del espacio tridimensional, dando una sensación de sonido en 3 dimensiones. La dificultad radica no solamente en la obtención de la propia función, sino en la reproducción a través de los altavoces. Las diferencias fisiológicas entre los individuos, hacen que la función HRTF sea diferente para cada individuo, y por tanto el sonido 3-D debe particularizarse para cada persona. La localización de las fuentes acústicas es importante en la vida cotidiana, ya que nos permite realizar muchas acciones de forma "automática". Por ejemplo, cuando se anda por una calle, se reconoce la presencia de vehículos u otras fuentes de ruido del entorno sin necesidad de verlas. Resulta especialmente interesante que cuando paseamos por una calle y queremos cruzarla nos fiamos muchas veces del oído, y realmente no se comprueba visualmente que no vienen vehículos. En ocasiones esta circunstancia es motivo de accidentes entre peatones y ciclistas, ya que los primeros no se perciben de la presencia de los segundos.

4.2.2. Oído medio.

El sonido se propaga por el aire y al llegar a nuestro oído, debe transformarse en una vibración en un medio líquido, que es el medio presente dentro de la cóclea. El principal papel del oído medio es la adaptación de impedancias entre un medio de propagación por vía aérea y una propagación del sonido a través de un líquido. La cadena de huesecillos y el área de la ventana oval respecto del tímpano facilitan esta adaptación. La relación de impedancias entre el líquido endolinfático y el aire es de 4000:1. En términos de energía, únicamente el 0,1% de la energía que llega por el aire incide sobre la cóclea. Esto supone pues una pérdida de 30 dB. Helmholtz sugirió, en un trabajo publicado el año 1868, que el oído medio era el causante de diversas no linealidades en el proceso de la audición. Estas no linealidades llegan a la cóclea, las cuales, según la teoría de la posición, aparecen como si fueran propias de la señal original. Asimismo, Wever y Lawrence el año 1954 publicaron un trabajo 'Physiological Acoustics' donde demuestran que el oído medio trabaja de forma perfectamente lineal. En consecuencia apuntan a la cóclea como el elemento probablemente generador o causante de las no linealidades del oído.

Los trabajos de Helmholtz sugieren que el tímpano influye sobre la efectividad de transformación del oído medio. Según esta idea, el producto de la banda de frecuencias aplicada por el desplazamiento debería ser constante. Por tanto una banda de frecuencias mayor implicaría un menor desplazamiento. Posteriores experimentos han hecho abandonar esta idea. Békésy en su trabajo 'Experiments in hearing' del año 1960 midió, con la ayuda de una sonda con cabeza extremadamente fina, los movimientos del tímpano a diferentes frecuencias. Los resultados de sus investigaciones son bastante diferentes de las propuestas de Helmholtz. Para frecuencias inferiores a los 2 kHz el tímpano se mueve como un pistón rígido. Por encima de los 2,4 kHz aproximadamente la rigidez del tímpano baja rápidamente, y entonces el movimiento de la cadena de huesecillos está retardada respecto del movimiento de la membrana timpánica.

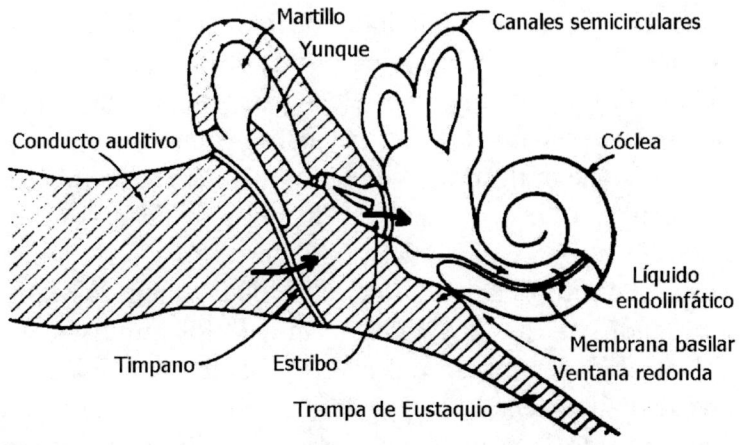

Fig. 4.4. Croquis del oído interno.

En la figura 4.4 se muestra un croquis del oído medio. Como se puede observar, la parte posterior del tímpano se comunica a través de la trompa de Eustaquio con el exterior a través del conducto nasal, para igualar las presiones estáticas a ambos lados del tímpano. La cadena de huesecillos transmite las vibraciones del tímpano hacia la cóclea y éste actúa como un transformador de impedancias: se pasa de un medio gaseoso a un medio líquido. El oído medio, por tanto, no es más que un detector y transmisor mecánico de las vibraciones del aire.

La presencia de mucosidad que obstruye la trompa de Eustaquio, dificulta o impide la igualación de presiones. Esto hace que, ante un cambio de presión estática, la membrana timpánica esté sometida a una rigidez superior. La sensibilidad auditiva es entonces menor, y además la respuesta en frecuencia también. Tenemos más dificultad en percibir las bajas y altas frecuencias, pero aún así el oído permanece suficientemente sensible para permitir una comunicación. Muchos problemas asociados con la sordera tienen su origen en esta zona. También el trauma acústico consecuencia de un accidente o una exposición a un sonido de elevada intensidad, pueden romper la cadena de transmisión mecánica, y/o el tímpano impidiendo que la información procedente del exterior llegue a la cóclea.

4.2.3. Oído interno.

Se centra en la cóclea y es el órgano encargado de transformar las vibraciones mecánicas en impulsos eléctricos que llegan al cerebro. La cadena de huesecillos trasmite las vibraciones del tímpano hacia la membrana oval. Estos desplazamientos actúan sobre el líquido endolinfático que es incompresible, situado dentro de la cóclea. El líquido, sometido a un proceso vibratorio por la percepción de sonidos complejos, presenta máximos y mínimos de presión localizados a lo largo de la membrana basilar, es decir en toda la longitud de la cóclea. En la cóclea se pasa de una información de presión presente en el líquido, a unos impulsos eléctricos gracias a las células ciliadas. La membrana basilar separa físicamente los dos conductos de la cóclea. La membrana basilar tiene multitud de células ciliadas. Estas células, cuando son estimuladas por un movimiento, envían un impulso eléctrico que tiene una forma y duración independiente del grado de estimulación. En cierta manera actúan de forma "digital". De cada célula ciliada salen dos ramificaciones hacia el nervio auditivo, que llevarán por un lado los impulsos eléctricos del oído hacia el cerebro y también del cerebro hacia las células ciliadas. Las funciones que se realizan en el proceso de audición son bastante desconocidas aún. El mecanismo de la audición está muy ligado al procesado que hace nuestro cerebro, y no es solamente una cuestión de escuchar un sonido si-no de interpretarlo. Ciertas particularidades nos ilustran de la gran potencia de cálculo que realizamos diariamente sin darnos cuenta. Por ejemplo, seguir una conversación entre otras cercanas, o bien en un entorno con mucho ruido ambiente. En la figura 4.5. podemos ver un detalle del oído interno.

La figura 4.5. muestra un esquema simplificado de la cóclea, que normalmente hace 2,5 vueltas. Las líneas discontinuas muestran un ejemplo de desplazamiento en un instante determinado de la cadena de huesecillos y de la membrana basilar por acción de una señal sonora. Este desplazamiento se traduce en una variación de la posición de la membrana situada en la ventana oval, y por tanto, en una sobrepresión dentro de la cóclea. Esta sobrepresión está simbolizada por las flechas que indican el camino que sigue la onda acústica. Como el líquido endolinfático es en principio incompresible, este desplazamiento llega hasta la ventana redonda situada al otro extremo de la cóclea. Realmente el desplazamiento dibujado corresponde a una posición estática, para un instante de tiempo t.

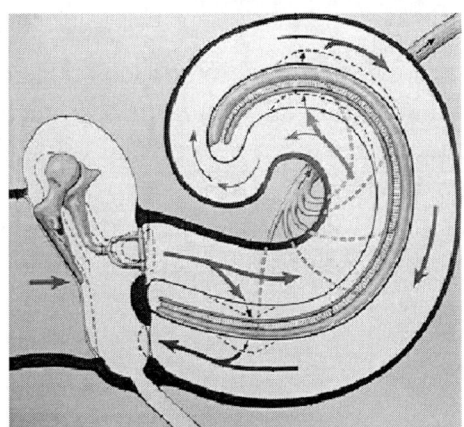

Figura 4.5. Oído interno. Detalle simplificado.

En la práctica sucede que el desplazamiento timpánico se corresponde con una vibración a una determinada frecuencia y amplitud y, por tanto, dentro del recorrido de la onda en el medio líquido se producirán unos máximos de presión localizados. Estos máximos de presión deforman la membrana de Reissner (ver figura 4.6) en unos puntos concretos y a su vez desplaza a la membrana tectónica, (ver figura 4.7) que está tocando a su vez a las células ciliadas, que al ser estimuladas envían un impulso eléctrico al cerebro a través del nervio auditivo.

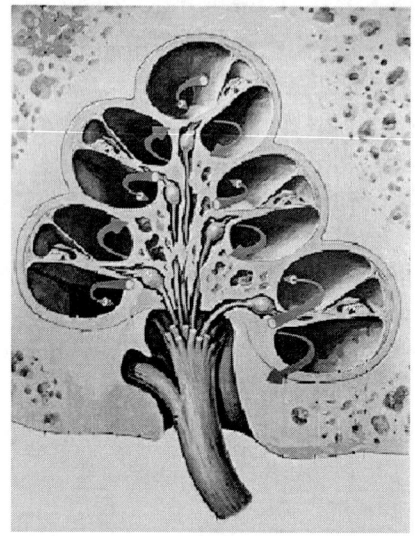
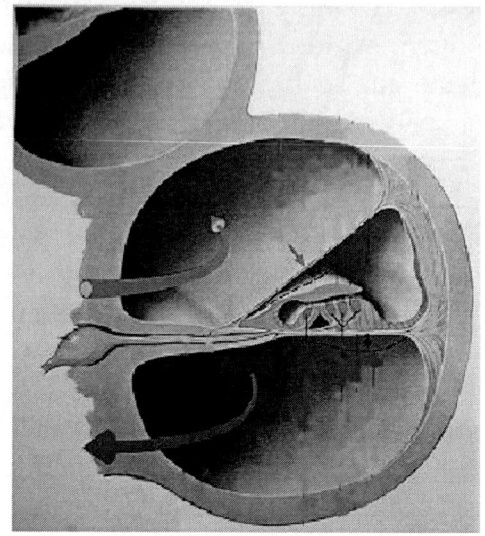

Figura 4.6. Sección de la cóclea donde se puede ver con flechas el movimiento oscilatorio del líquido endolinfático. A la derecha se observa con más detalle la membrana de Reissner indicada con una flecha pequeña.

La membrana basilar vibra por acción de las ondas que llegan a la cóclea (a). Estas vibraciones hacen que la membrana tectónica, que actúa como un "palpador", vaya excitando las diferentes células ciliadas (b).

La combinación de movimientos es lo que posibilita que las informaciones de señal acústica lleguen al cerebro. Nótese que los desplazamientos son extremadamente pequeños, y además no quedan alterados con los movimientos suaves de la cabeza.

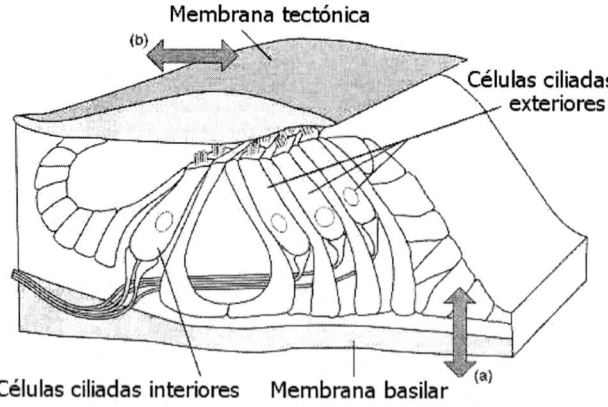

Figura. 4.7. Detalle de la cóclea donde se observa la membrana de Reissner y la membrana tectónica encargada de estimular a las células ciliadas situadas en la parte inferior de ésta.

La figura 4.8 muestra un detalle de la membrana basilar. Es gruesa y estrecha por la parte de la base, cercana a las ventanas oval y redonda, mientras que es delgada y ancha por la parte cercana al helicotrema o ápex. Esta forma permite que la parte gruesa y estrecha presente resonancias a frecuencias altas, mientras que la parte delgada y ancha presenta resonancias a bajas frecuencias.

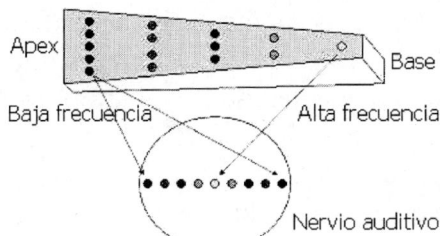

Fig. 4.8. Detalle de la membrana basilar y de la distribución cocleotópica del nervio auditivo.

Sobre este tejido se encuentran las células ciliadas que cubren la totalidad de la superficie. Existen dos tipos de células ciliadas: las interiores (CCI) y las exteriores (CCE). Las células ciliadas interiores son las que realmente dan información "sonora" al cerebro. En total tenemos unas 3.500 células ciliadas interiores, una cifra ridícula si la comparamos con los millones de elementos sensibles a la luz de que dispone el ojo humano. Las células externas son las encargadas de permitir al sentido auditivo llegar a escuchar sonidos por debajo de los 60 dB. Estas células actúan como amplificadores del sonido, incrementando la sensibilidad del oído. En total hay unas 12.500 células exteriores. Las personas que padecen de acúfenos ("tinitus") perciben constantemente ruidos en su oído, aunque no haya ruido externo alguno. Estos ruidos suelen ser componentes tonales. Este fenómeno suele aparecer después de una exposición a un sonido de elevado nivel o bien por alguna patología. Esto es debido a que las CCE están enviando impulsos eléctricos de forma aleatoria y permanentemente aunque el oído permanezca en silencio. Cuando la causa ha sido la exposición a un sonido de elevado nivel durante un tiempo, el cuerpo absorbe los compuestos tóxicos generados y se recupera la audición, teóricamente, al 100%. Cuando se trata de un fenómeno patológico, ésta se trata con fármacos que "duermen" a las CCE de manera que el paciente pierde sensibilidad auditiva pero deja de escuchar los ruidos internos. Sin duda sería de mucha utilidad que alguna vez, ante algunas agresiones acústicas que nos impiden poder dormir, se pudieran "desconectar" voluntariamente las CCE.

El nervio auditivo está formado por multitud de fibras nerviosas cada una asociada a una célula. Las terminaciones correspondientes a las células de alta frecuencia se encuentran en la parte interior del nervio auditivo, de manera que quedan protegidas en caso de padecer un neuroma acústico. Las terminaciones nerviosas externas corresponden a las células de baja frecuencia que, al ser más numerosas, no resulta tan crítico para el oído perder parte de esa información.

Cada célula se comunica con el cerebro a través de una terminación nerviosa, la dendrita. Existen dos vías de comunicación: la vía aferente donde los impulsos eléctricos se envían al cerebro, y una vía eferente en que la célula ciliada recibe información del cerebro. La vía aferente envía información al cerebro, mientras que la vía eferente es la que permite al cerebro reagrupar las células ciliadas en función de la complejidad de la señal sonora a descodificar. Cómo el cerebro decide la reagrupación de células es un mecanismo desconocido. La figura 4.9. muestra una ilustración de cómo son las células ciliadas interiores (CCI) y las exteriores (CCE).

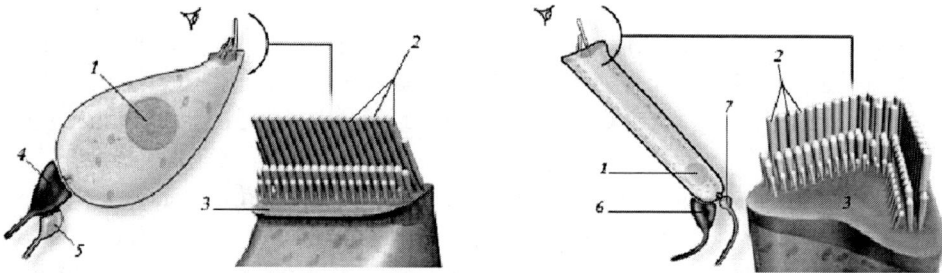

Figura 4.9. A la derecha célula ciliada exterior, a la izquierda célula ciliada interior. 1.Núcleo 2.Stereocilia 3.Plano Cuticular 4.Extremo aferente radial (dendrita de tipo I) 5.Extremo eferente lateral 6.Extremo eferente medio 7.Extremo aferente espiral (dendrita de tipo II). (Ilustración de Remy Pujol)

Los cilios de que disponen las CCI y las CCE presentan diferentes alineaciones. La figura 4.10. muestra una micro-fotografía donde se observan las tres hileras de CCE y una sola hilera de CCI.

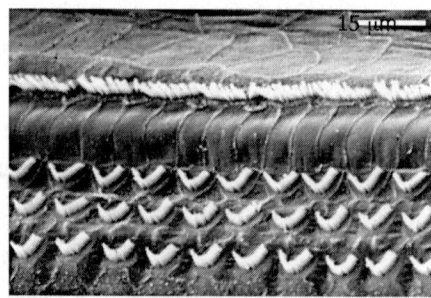

Figura 4.10. Ampliación donde se pueden observar las CCI y las tres hileras de CCE.

El desplazamiento de los cilios es de unos 100 pm, que equivale a desplazar la punta de la torre Eiffel 10 mm. Cuando la célula es excitada envía un impulso eléctrico a través de su conexión con la dendrita. El impulso eléctrico que se genera obedece a una reacción química que se produce en el interior de la célula. La conexión "eléctrica" con la dendrita se realiza por el proceso de excitotoxicidad. Excitotoxicidad es el proceso patológico por el cual las neuronas son dañadas y destruidas por las sobreactivaciones de receptores del neurotransmisor excitatorio glutamato, como el receptor NMDA y el receptor AMPAE. El glutamato es un aminoácido que está presente en la mayoría de las funciones normales del Sistema Nervioso Central (SNC), es el mayor medidor de señales excitadoras y de la plasticidad del Sistema Nervioso, pero también puede ser altamente neurotóxico. Debido a las múltiples acciones fisiológicas en las que interviene, su concentración en el espacio extracelular no puede superar determinados niveles, por este motivo la homeóstasis de los sistemas glutamérgicos (metabolismo, mecanismos de liberación, receptores y transportadores) están finamente regulados. El glutamato debe estar presente en concentraciones adecuadas, en el momento y en el lugar correctos.

Cuando muchas células ciliadas son excitadas durante un período de tiempo excesivo, los tejidos no pueden reabsorber el glutamato, de manera que aparece una concentración excesiva de este aminoácido. Las consecuencias son que la dendrita queda temporalmente "desconectada" de la terminación nerviosa (figura 4.11). Cuando esto sucede, el sentido auditivo pierde sensibilidad. Este fenómeno se conoce como pérdida temporal del oído (TTS).

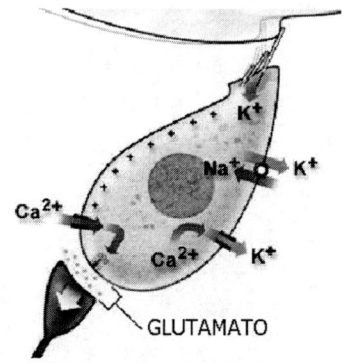

Figura 4.11. Acción del glutamato sobre la dendrita, destruyendo la conexión. (Ilustración de Remy Pujol)

Pasadas unas horas o días, las concentraciones de glutamato se restablecen y la dendrita vuelve a conectar con la célula ciliada, restableciendo la transmisión de información. Si esta "desconexión" tiene una duración elevada, la terminación nerviosa no puede restablecerse y entonces se pierde irreversiblemente la conexión con la célula ciliada. El oído entonces padece una pérdida de sensibilidad permanente (PTS). Esta pérdida a veces no es perceptible, y cuando el sujeto se da cuenta ya es demasiado tarde. La figura 4.12. muestra el proceso de recuperación de la dendrita después de sufrir un trauma acústico.

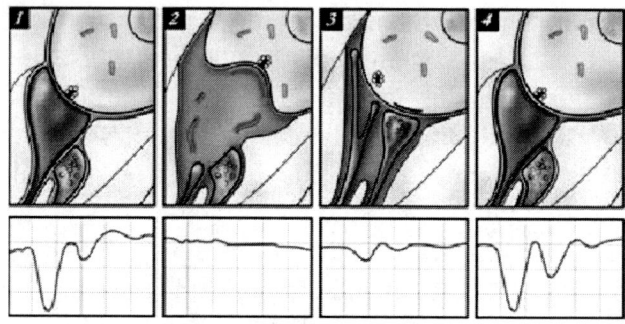

Figura 4.12. Secuencia que ilustra la "desconexión" de la CCI a causa de un trauma acústico y su posterior recuperación. (Ilustración de Remy Pujol)

En la figura 4.12. la secuencia 1 muestra que la conexión entre la CCI y la dendrita funciona perfectamente. En la secuencia 2 se observa como, por acción de un trauma acústico, la dendrita ha desaparecido. Nótese que quedan aún las terminaciones nerviosas pero que estas no "tocan" a la célula ciliada y por tanto no hay comunicación posible en ningún sentido. En esta situación el oído pierde sensibilidad. En la secuencia 3, un día después del trauma acústico y si la agresión acústica ha cesado, las terminaciones nerviosas "contactan" de nuevo con la célula. En la secuencia 4 y pasados cinco días, se restablece finalmente el funcionamiento "normal" de la dendrita completamente regenerada.

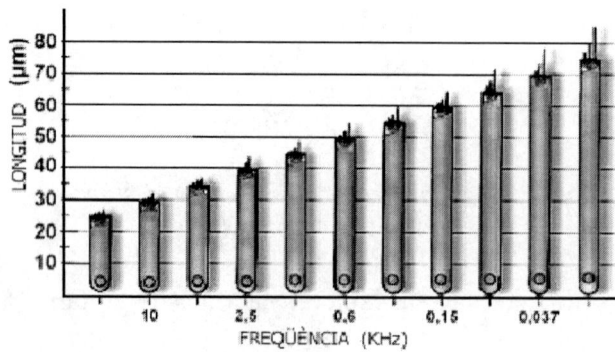

Figura 4.13. Longitud de las CCE del oído humano. (Ilustración de Remy Pujol)

Las CCE son las encargadas "de amplificar" las señales vibratorias para ayudar a las CCI a que "disparen" ante la presencia de un sonido de amplitud inferior a los 60 dB. Su longitud depende de la banda de frecuencia a la que reaccionan. Estas características se pueden ver esquemáticamente en la figura 4.13.

Las CCE más cortas tienen una longitud de 25 μm y trabajan a altas frecuencias, mientras que las más largas son de 70 μm y trabajan a 20 Hz. La fuerza que pueden ejercer las CCE es inversamente proporcional a su longitud. Las más cortas pueden hacer más fuerza, de manera que las altas frecuencias pueden ser captadas con mayor facilidad. Esto "compensa" en parte el menor número de CCI disponibles para alta frecuencia. La figura 4.14. muestra la fuerza que pueden desarrollar estas CCE.

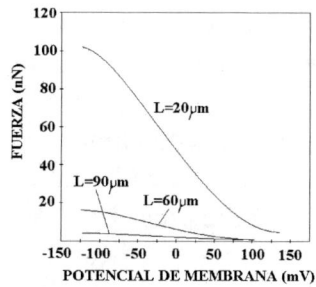

Figura 4.14. Fuerza que pueden aplicar las diferentes CCE.

Con técnicas basadas en la utilización de materiales radioactivos situados sobre la membrana basilar (desarrolladas por Békésy), es posible visualizar el desplazamiento de ésta cuando está sometida a señales externas. Para bajas frecuencias, el desplazamiento máximo se obtiene en la parte más delgada y ancha (helicotrema), mientras que para altas frecuencias sucede lo contrario. La detección tonal de los sonidos se determina por la posición de las células ciliadas sobre la membrana basilar. La figura 4.15. muestra esta característica.

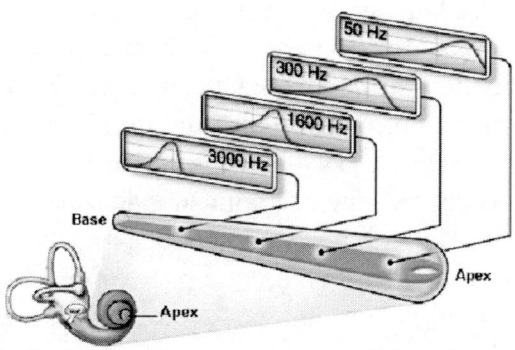

Figura 4.15. Selectividad en frecuencia del oído. (Ilustración de Remy Pujol)

En el dibujo las amplitudes de los desplazamientos son iguales para todas las frecuencias para mayor claridad. En realidad a alta frecuencia las amplitudes vibracionales son mucho menores que a baja frecuencia.

4.3. Teoría de la audición.

Existen dos teorías relacionadas con el fenómeno de la capacidad auditiva. La teoría de la posición o de la resonancia, y la teoría de la frecuencia. También existen otras teorías que son combinación de estas dos. Todas ellas tratan de explicar los fenómenos que permiten escuchar los sonidos y cuáles son los mecanismos que nos permiten discriminar unas señales de sonido de los otros.

4.3.1. Teoría de la posición (o resonancia).

Esta teoría aparece aproximadamente a inicio del 1600. Las versiones más modernas de esta teoría corresponden a la teoría de Helmholtz a finales del 1800. Helmholtz relacionó la teoría de Ohm sobre la audición y las ideas de Müller. La teoría de Ohm indicaba que el oído realiza un análisis de Fourier de los sonidos periódicos y complejos. Esto permite al oído descomponer la onda compleja en sus componentes y observar las fases entre ellas. El principal problema de esta teoría es que no permite el análisis temporal. Como es conocido, el oído es sensible tanto a las evoluciones temporales, como en frecuencia de la señal acústica. Müller defiende la idea del papel especializado de los diferentes sentidos. Por ejemplo, los sonidos son interpretados a través de las señales neuronales que procedentes del oído llegan al cerebro, la visión del ojo es posible por el estímulo de la luz o la presión sobre el globo ocular, etc.

La teoría de la posición propuesta por Helmholtz es relativamente muy simple. Presupone que la membrana basilar está formada por una serie de segmentos, cada uno tiene una frecuencia de resonancia concreta. Por este motivo una señal acústica externa produce una excitación de las partes que tienen las mismas frecuencias de resonancia. Los diferentes segmentos se encuentran distribuidos sobre la membrana basilar y su vibración indica la presencia de componentes en frecuencia en su banda. Debido a la interacción entre diferentes tonos, se producen distorsiones no lineales en el oído medio. Estas distorsiones son transmitidas a la cóclea, dentro de la cual los diferentes segmentos vibran con las frecuencias implicadas de las señales. De esta manera, la distorsión es percibida como una característica propia del sonido original.

Esta teoría tiene algunos aspectos que hacen dudar de su veracidad. En primer lugar, cuando alguna señal con componentes en frecuencia muy marcadas llega al oído medio, la teoría de la posición (o resonancia) supone que algún elemento dentro de la membrana basilar entrará en vibración, indicando la presencia de una componente en frecuencia. Pero para que esto sea posible, es necesario que la membrana basilar esté tensada. Békesy demostró que la membrana basilar no está tensada en absoluto, por tanto, es prácticamente imposible que pueda resonar a unas frecuencias concretas.

En segundo lugar, la teoría de la posición tampoco puede explicar el fenómeno "de restitución de la fundamental". Este fenómeno se produce, por ejemplo, con una señal acústica con tres componentes en frecuencia separadas 100Hz, por ejemplo: 1.100 Hz, 1.200 Hz y 1.300 Hz. Al escuchar esta señal se perciben los tonos a las frecuencias de 1.100 Hz, 1.200 Hz y 1.300 Hz. En principio no deberíamos poder escuchar el tono de la fundamental de 100 Hz. A pesar de ello, se puede percibir la frecuencia fundamental de los tres tonos que es de 100 Hz, aunque ésta no esté presente en la señal original. En la figura 4.16. podemos ver de forma exagerada una simulación de la deformación de la membrana basilar cuando es excitada con una señal.

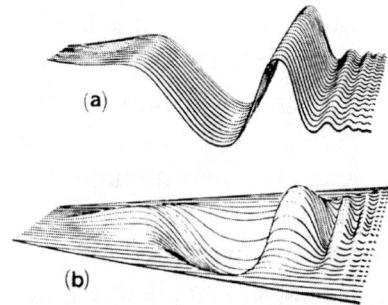

Figura 4.16. Movimiento de la membrana basilar. a) Movimiento libre.
b) Movimiento con el contorno fijo.

Otro aspecto en contra de esta teoría es que la percepción de pequeñas variaciones en frecuencia implicaría que los diferentes segmentos estarían sintonizados a frecuencias muy precisas. Pero resulta que un segmento que pueda discriminar pequeñas variaciones en frecuencia debería tener un factor de amortiguación más bajo y por tanto esto haría que, una vez pasado el estímulo externo, la vibración del segmento alargaría la duración de éste. Esta situación provocaría una reverberación interminable en nuestros oídos, cosa que evidentemente no sucede.

Asimismo, la teoría de la posición atribuye al oído medio las distorsiones que se producen. Diversos trabajos de investigación han revelado que el oído medio tiene un comportamiento totalmente lineal, y que la mayor parte de distorsiones no lineales son imputables a la cóclea.

4.3.2. Teoría de la frecuencia.

Esta teoría propone que los mecanismos periféricos del oído no pueden realizar la discriminación en frecuencia, pero sí transmitir las señales al sistema nervioso central para que éste los procese. Algunas teorías, como la de Rutherford propuesta poco después de la de Helmholtz, apuntan la similitud del proceso de audición con el proceso de comunicación vía teléfono. Por este motivo también se conocen como teorías telefónicas. Esta teoría apunta que la cóclea no es sensible en frecuencia por bandas, sino que es sensible a todas las frecuencias por igual. La tarea de las células ciliadas es simplemente transmitir todos los parámetros de la señal estímulo al sistema nervioso, y que el análisis se efectúa posteriormente a más alto nivel.

La célula ciliada únicamente puede responder de una forma discreta "todo o nada" a un estímulo exterior. La célula ciliada transmite información efectuando descargas con la misma periodicidad que la señal excitadora. La teoría de la frecuencia presupone que las fibras nerviosas pueden activarse tan rápidamente como sea necesario. Sin embargo el número máximo de disparos o descargas por segundo que puede efectuar una célula ciliada es limitada. Esta limitación es consecuencia del tiempo de recuperación necesario entre disparos consecutivos. Entre dos descargas consecutivas, el tiempo mínimo es de 1 ms. Por debajo de este tiempo, la célula ciliada no puede enviar ningún impulso, a pesar de estar estimulada. A partir de este tiempo mínimo de reacción se puede deducir fácilmente que la máxima frecuencia a la que puede trabajar una célula ciliada sola es de 1.000 Hz. Entonces, ¿cómo podemos escuchar sonidos de más alta frecuencia? La teoría de la frecuencia no puede explicar este fenómeno.

El segundo problema con esta teoría es que, ante la presencia de zonas deterioradas en la cóclea, las altas frecuencias siempre se resienten más, de manera que se produce una pérdida de la capacidad auditiva en la zona de frecuencias medias y altas. Este hecho no se puede explicar con la teoría de la frecuencia, ya que esta teoría afirma que la cóclea no tiene una respuesta diferente en función de la frecuencia sino que responde por igual a todas ellas. Por otro lado, existen muchos estudios que demuestran una considerable selectividad en frecuencia a lo largo de la cóclea.

4.4. Percepción tonal.

La sensación de tonalidad está asociada a la posición de las células ciliadas excitadas respecto de su posición sobre la membrana basilar. Una modificación importante de la teoría de la frecuencia fue introducida por E. G. Wever el año 1949. En lugar de una célula ciliada que sigue la evolución de toda la señal, Wever propone que se unen grupos más o menos amplios de células ciliadas para seguir de una forma secuencial las evoluciones de la señal sonora. Es el llamado "principio volei", según el cual diversas células ciliadas se coordinan para seguir las evoluciones de la señal estímulo. Así, por ejemplo, para seguir una señal de 4 kHz son necesarias 4 células, y cada una se descargará una vez cada 4 períodos de la señal estímulo. En la figura 4.17 se muestra un ejemplo gráfico de este fenómeno.

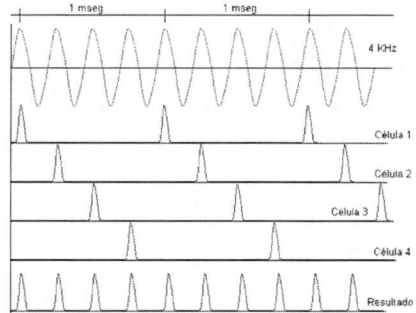

Figura 4.17. Explicación del principio "volei" utilizado por las células ciliadas propuesto por E. G. Wever en el año 1949.

Teniendo en cuenta esta teoría, para poder escuchar las altas frecuencias, el oído dedica más células. Por ejemplo, para poder decodificar una frecuencia de 10 kHz dedica 10 veces más células que para una frecuencia de 1 kHz. Esta teoría puede justificar el porqué las frecuencias altas son las primeras que con la edad se dejan de percibir. Con el paso del tiempo las células se van degenerando y mueren: es el fenómeno de la presbiacúcia, fenómeno al cual está sometido el oído humano. Al disponer de menos células ciliadas, la pérdida de algunas unidades hace que no se disponga de un número suficiente para descodificar las altas frecuencias. La sensación de tonalidad está asociada con la posición de las células ciliadas sobre la membrana basilar, tal como muestra la figura 4.18.

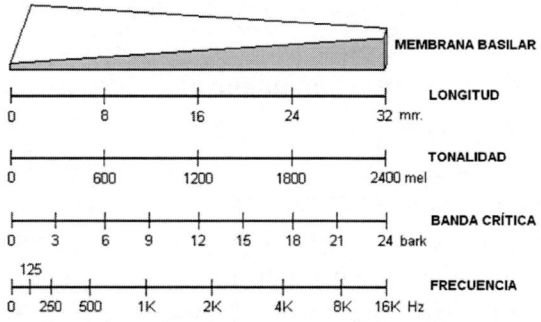

Fig. 4.18. Percepción de tonalidad en un sonido. Diferentes escalas para indicar el mismo concepto.

La figura 4.18 muestra la equivalencia entre la escala tonal en mel, la frecuencia en Hz y las bandas críticas en Bark, respecto de la distancia de separación del máximo de vibración a la base de la membrana basilar. Podemos observar el carácter lineal con la distancia de las escalas en mel y en Bark. En cambio la escala de frecuencias es logarítmica. Hay que remarcar que los impulsos que generan las células ciliadas al ser excitadas son independientes en amplitud del nivel del estímulo mecánico que reciben. Estas señales tienen un carácter digital. Posteriormente es el cerebro quien interpreta estas señales impulsivas. De una manera muy simplista, se puede afirmar que el número de impulsos eléctricos indica la amplitud de la señal sonora, y la posición de la célula ciliada excitada sobre la membrana basilar indica la frecuencia del sonido.

4.5. Discriminación temporal.

La percepción de señales de corta duración no está exenta de particularidades. Dos impulsos recibidos dentro de un intervalo de tiempo inferior a los 50 ms. no pueden ser discriminados por el oído. El oído hace una "integración" temporal de la señal, y percibimos un solo impulso de más duración. Si las señales impulsivas están separadas entre ellas más de 50 ms. entonces se detectan los dos impulsos por separado.

Este fenómeno es bastante conocido en acústica arquitectónica. Dos reflexiones recibidas con un retardo superior a los 50 ms. producirán un eco, mientras que si estas reflexiones están dentro de los 50 ms. no podrán ser distinguidas por el oído y el eco no se percibe.

En algunos casos, cuando los impulsos son múltiples y se encuentran dentro de los 50 ms la señal "suena" diferente. No es posible distinguir cuántos impulsos hay realmente, pero se percibe que el sonido suena diferente, adquiriendo un carácter de sonido "metálico". Esta situación se produce en espacios pequeños entre paredes paralelas separadas por pocos metros de distancia. Los sucesivos rebotes originan múltiples reflexiones separadas pocos milisegundos, y son las que originan el carácter metálico del sonido escuchado. Evidentemente, este fenómeno llamado eco flotante afecta a las "colas" de la señal sonora.

4.6. Fenómeno de enmascaramiento.

Consiste en que las bajas frecuencias "tapan" las medias y altas frecuencias. Esta circunstancia impide que el sentido auditivo detecte la presencia de las componentes "tapadas". La figura 4.19 muestra conceptualmente este fenómeno.

Figura 4.19. A la derecha, curva de sensibilidad del oído por un determinado nivel. Al centro, la curva isofónica se modifica ante la presencia de un tono de 250 Hz. A la derecha, un segundo tono de 180 Hz de mayor amplitud consigue "tapar" el tono de 250 Hz y por tanto éste deja de ser perceptible por el sentido auditivo.

Las vibraciones de baja frecuencia de la membrana basilar son de mayor amplitud, de manera que las células situadas en la zona de altas frecuencias se verán sometidas a desplazamientos de baja frecuencia que anulan parcialmente su capacidad de respuesta. Este efecto se traduce en que no podemos percibir los sonidos de medias frecuencias cuando estamos ante señales de gran amplitud de baja frecuencia. Es el caso que se produce cuando intentamos escuchar un pájaro cantando en un árbol y pasa un autobús. El sonido de éste impide percibir al de menor intensidad. Suponiendo que el pájaro no deje de cantar, no se percibe, pero su información acústica sigue presente. Este fenómeno es el que aprovechan algunos sistemas de grabación digital domésticos como el MD, DCC o MP3 para eliminar información que el sistema no puede almacenar.

4.7. Las audiometrías.

Como se desprende del Real Decreto 1316/86, una de las acciones preventivas más importantes (por no decir la única válida) para controlar el estado auditivo de los sujetos sometidos a niveles sonoros elevados, es la realización de controles de su edad auditiva. En estos controles se pretende conocer cuál es el umbral de audición para cada frecuencia del individuo, en cada uno de sus oídos. Estos controles que se llaman audiometrías se realizan para explorar la audición, tanto por vía aérea como por vía ósea.

La audiometría es un instrumento que genera sonidos en una banda de frecuencia de 125 Hz a 8 kHz, con unos niveles sonoros muy débiles. Los audiómetros de alta gama abarcan de 125 Hz hasta los 16 KHz, dando una información muy valiosa a las altas frecuencias. La escala de intensidad sonora va graduada en pasos de 5 dB, (aunque algunos modelos pueden llegar a utilizar pasos de 1 dB) siendo el nivel "0" de cada frecuencia, el nivel de presión sonora del umbral auditivo a esa frecuencia que no se corresponde con el "0" dBSPL. Nótese que los niveles de presión son dBHL (dB Hearing Loss) y no dBSPL. Cuando se aplica un nivel de 0 dBHL a una frecuencia determinada, el nivel sonoro que recibe el paciente a través de los auriculares no es cero. Es un nivel sonoro que, de acuerdo con los estándares, ya tiene la corrección de nivel impuesto por la respuesta en frecuencia irregular del oído. Algunos individuos pueden tener sensibilidad auditiva con valores negativos de dBHL, lo que significa que su capacidad auditiva es superior al estándar.

El equipo audiométrico más sencillo debe disponer de unos auriculares para las pruebas por vía aérea, un vibrador para las pruebas de transmisión ósea y un sistema de ensordecimiento. Aunque no es un elemento propio del audiómetro, debe considerarse la necesidad de disponer de una cabina aislada y tratada acústicamente donde realizar estas audiometrías. Esta necesidad viene impuesta por los bajos niveles de ruido ambiental necesarios para realizar correctamente una audiometría. Si los niveles sonoros procedentes del audiómetro se ven superados o enmascarados por el ruido de fondo, la prueba no tendrá ninguna validez, dando una audiometría peor de la real. Desafortunadamente, en algunos centros donde se realizan exploraciones auditivas de control o supervisión, éstas se realizan en entornos con un nivel de ruido excesivo.

En estas pruebas se debe tener en cuenta que no se obtiene el mismo valor del umbral de audición, si estimulamos con un ruido que aumenta su intensidad (umbral ascendente) o con un ruido que disminuye su intensidad (umbral descendente), o con un sonido continuo intermitente. Además deberemos considerar el hecho de que este umbral dependa del grado de atención y/o fatiga del individuo. Estos umbrales no se pueden considerar como valores fijos y absolutos, sino como zonas de probabilidad, ya que en un mismo individuo se pueden encontrar diferencias en su apreciación.

Empezando la audiometría con niveles sonoros por debajo del umbral de audición normal, llegará un momento en que el individuo tiene una sensación intermitente de audición, es el llamado umbral de detectabilidad. Si aumentamos 5 dB por encima de esta sensación, el sujeto oirá de forma continua, es el llamado umbral ascendente. Éste es el motivo por el cual la graduación de un audiómetro es normalmente de 5 dB.

4.8. El test audiométrico.

El objetivo principal es llegar a evaluar correctamente la capacidad auditiva de las personas. Para evaluar esta capacidad, se deben realizar unas mediciones utilizando un audiómetro. Existen diversas técnicas que se describen a continuación, todas ellas, en principio, igualmente efectivas para determinar el umbral auditivo.

4.8.1. Audiometría por vía aérea.

El objetivo de estas mediciones es evaluar el estado auditivo cuando el estímulo utiliza únicamente la vía aérea para ser percibido. Se empieza el examen en el oído menos sordo con la frecuencia de 1kHz y se hará buscando el umbral ascendente. Después se continúan explorando las frecuencias mayores a 1 kHz y por último las frecuencias inferiores a 1 kHz. Se debe evitar prolongar excesivamente la duración de las pruebas, ya que los valores obtenidos dependen del grado de atención y/o fatiga del sujeto. Es recomendable utilizar para estas audiometrías estímulos sonoros pulsados (no continuos), así como repetirlas en diversos días para mejorar el grado de validez de los resultados.

4.8.2. Audiometría por vía ósea.

En el mecanismo de audición, además de la vía aérea, los estímulos pueden llegar al tímpano y/o a la cóclea a través de vibraciones transmitidas por vía ósea. Es por este motivo que también puede evaluarse este canal de audición. El procedimiento es idéntico al anterior, pero en este caso los auriculares son substituidos por un vibrador que se debe colocar en el mastoide, sin que exista ningún contacto con la oreja.

4.8.3. Impedanciometría.

En el caso de las audiometrías su finalidad es evaluar la capacidad auditiva del paciente. Con ellas podemos conocer el estado del sistema auditivo, pero en ningún caso podremos diagnosticar el motivo de este estado. La impedanciometría tiene como finalidad detectar anomalías que puede presentar el sistema auditivo. Estas pruebas son mucho más delicadas y complejas de realizar.

4.8.4. Métodos clásicos.

Existen tres métodos llamados clásicos: método de los límites, método de ajuste, y método del estímulo constante. Cada uno tiene sus ventajas y sus inconvenientes.

4.8.4.1. Método del límite.

En este método el estímulo está bajo el control del experimentador, y el sujeto responde siempre después de cada presentación o prueba. Por ejemplo, cuando se hace una audiometría, se presenta un tono de un nivel moderado para que el paciente lo pueda escuchar perfectamente. Cuando el paciente escucha el tono, debe notificarlo al examinador mediante un gesto o pulsando un botón en el interior de la cabina. La señal de prueba va decreciendo de forma discreta y a cada cambio, el paciente es preguntado. Cuando la respuesta del paciente es negativa, se llega al umbral auditivo decreciente. Seguidamente debe repetirse el proceso pero aumentando el nivel, partiendo de niveles muy bajos hasta que el paciente escuche el tono, en este punto tenemos el nivel auditivo umbral subiendo. Ambos límites no son por lo general coincidentes. Entre ambos niveles es donde realmente se encuentra el umbral auditivo absoluto del paciente. Los niveles no tienen porque coincidir, ya que existe el concepto de mínimo nivel audible, y máximo nivel no audible, que no son exactamente iguales. Generalmente se escoge el valor medio entre ambos niveles.

Hay respuestas que pueden conducir a resultados erróneos. Por ejemplo, el paciente contesta que escucha el tono cuando realmente no lo está escuchando. Debe evitarse que el individuo tenga visión sobre el operador, ya que con sus movimientos puede condicionar la respuesta del sujeto. Existen diversas maneras de evitar o minimizar estos errores. Uno que resulta bastante eficaz es no emplear siempre el mismo valor de partida, de manera que el número de pasos varía cada vez y el paciente no "memoriza" cuántos saltos de nivel se deben de producir hasta llegar a un umbral "aceptable". Otra forma de minimizar estos errores es emplear el mismo número de pruebas ascendentes y descendentes en cada test independientemente de la respuesta del paciente, esto lo despista impidiendo el engaño. Los desniveles entre los sucesivos pasos no pueden ser excesivamente elevados, ya que se pierde la precisión. Con unos saltos de 10 dB, por ejemplo, será más fácil obtener un nivel mínimo audible y también un nivel máximo inaudible, pero separados 10 dB, con un error elevado. Emplear saltos más pequeños, por ejemplo 2 dB, comporta una mayor precisión, pero a su vez implica un mayor coste de tiempo. Además, encontrar el valor umbral exacto puede resultar más difícil.

4.8.4.2. Método de ajustamiento.

En este método el estímulo lo controla el paciente, y el nivel se modifica de forma continua, en lugar de hacerlo por saltos. El procedimiento para obtener el umbral auditivo es similar, primero un proceso descendente hasta que el paciente deja de escuchar la señal, y después un proceso ascendente hasta que la vuelve a escuchar. El umbral es el valor medio entre ambos niveles. Los controles que son manipulados por el paciente no tienen ninguna indicación.

Además, para evitar desviaciones, se sitúa un segundo control de nivel al cual únicamente el examinador tiene acceso, de manera que puede incrementar o disminuir el nivel de la señal de partida. Este control permite evitar que el paciente parta de unos valores preestablecidos del umbral. Por otro lado, en este método es más difícil el control de las pruebas, y además el paciente puede variar los criterios durante la realización de la prueba.

4.8.4.3. Método del estímulo constante.

Este método consiste en presentar al paciente diversos niveles de un estímulo de forma aleatoria. A diferencia de los métodos anteriores, no se trata de un método secuencial, es decir, los estímulos no se presentan de forma ascendente o descendente. El margen de niveles presentados al paciente está obtenido de pruebas previas, de manera que el verdadero valor estará dentro del margen prefijado. Una vez escogido un paso o salto entre niveles, éstos son presentados al paciente en un orden aleatorio. Durante el experimento se presentan el mismo número de estímulos de cada nivel. Para determinar el umbral auditivo de un individuo, por ejemplo, se presentan niveles entre 4 y 11 dB, sabiendo a priori que el verdadero nivel se encuentra dentro de este margen, y se envían al paciente de forma aleatoria tonos con un paso de 1 dB. Con las respuestas del paciente se evalúa cual es el nivel que corresponde a un 50% de las respuestas, el cual se considera que es el valor buscado. Este método es mejor que los anteriores ya que ofrece una mayor precisión, aunque es poco eficiente, ya que es necesario un gran número de pruebas en cada test. Además el gran número de niveles en cada prueba necesita de un tiempo de prueba elevado y provoca fatiga en el paciente la cual cosa puede conducir a resultados erróneos.

4.8.4.4. Procedimientos adaptativos.

En estos procedimientos el nivel sonoro de los tonos que se presentan al paciente dependen de la respuesta de éste. Aparentemente se podría considerar que todos los métodos utilizan procedimientos adaptativos. Realmente la diferencia está en que el nivel puede ser superior o inferior al nivel presentado al paciente en cualquier momento. Los métodos comentados anteriormente suben o bajan el nivel de forma sistemática hasta una respuesta positiva o negativa del paciente, dependiendo de la técnica. La ventaja de estos procedimientos es que no hay que saber "a priori" el umbral que se espera encontrar. El método traza una aproximación al nivel buscado de una forma rápida y bastante precisa, que hacen este procedimiento eficiente y preciso.

4.8.4.5. Método de seguimiento de Békésy.

G. Békésy el año 1960 describe un método publicado en 'Experiments in Hearing', donde el nivel aplicado al paciente varía con una pendiente prefijada, por ejemplo 2,5 dB/seg. La dirección de los incrementos la determina el paciente. Los incrementos se producen con un motor que controla el paso o avance de los niveles. El sujeto es preguntado si escucha o no el tono presentado, en caso afirmativo, mantiene apretado un botón, mientras que si no lo oye deja de apretarlo. De esta manera se llega a una oscilación constante alrededor de un punto o valor que será el nivel umbral buscado. Este valor será el valor medio de la oscilación. Con este método son deseables unos incrementos de nivel alrededor de los 2 dB/seg. Incrementos mayores conseguirán acortar el tiempo de la prueba pero con una mayor imprecisión.

4.8.4.6. Método Up-Down.

En este método el nivel del tono va subiendo siguiendo unos incrementos. Este nivel decrece cuando el paciente responde afirmativamente que oye el tono. Se diferencia del método de los límites explicado anteriormente en que el análisis no se para cuando el paciente pasa de una respuesta negativa a una positiva y viceversa. El proceso se para cuando se llega a una situación de oscilación alrededor de un valor. El método es bastante preciso aunque puede presentar desviaciones si el paciente detecta que las señales se aplican siguiendo una secuencia que pueda "memorizar".

4.8.5. Resultados de un test audiométrico.

Normalmente los audiómetros más usados habitualmente suelen trabajar entre los 125 Hz y los 8 kHz. Los resultados de un test audiométrico se representan siempre en forma de gráfico. Se dibujan dos curvas, una azul para el oído izquierdo y una roja para el oído derecho. Este gráfico indica el grado de sensibilidad de cada oído para cada frecuencia. Las frecuencias de los gráficos mostrados van de 125 Hz a 16 KHz en este caso ya que se ha utilizado un audiómetro de alta gama. Los niveles están en dBHL, y se deben confundir con los dBSPL. Por tanto el nivel de 0 dBHL es el nivel que es considera "normal" para una frecuencia determinada, y no significa que sean 0 dBSPL. En las figuras 4.20 y 4.21 se muestran audiometrías realizadas que podemos considerar normales. Las pruebas audiométricas se realizaron en una sala totalmente aislada y acondicionada acústicamente. Los individuos permanecieron al menos 25 minutos en un entorno silencioso para que el oído tuviera la máxima sensibilidad. La audiometría se realiza mediante auriculares. El orden de las frecuencias y los niveles son aleatorios para evitar su aprendizaje por parte del sujeto.

En ambos casos se trata de personas jóvenes que no presentan ninguna patología. Su capacidad auditiva se puede considerar "normal" dentro de los estándares. Los casos mostrados son de los mejores de una amplia muestra de individuos autóctonos. En una gran parte de casos se observa que su capacidad auditiva está ligeramente por debajo del cero. Esta circunstancia también ha sido observada por diversos investigadores y es motivo de estudios y debates que han conducido a una nueva propuesta de curvas isofónicas que substituyen las de Robinson y Datson que son del año 1956, y que se comentan más adelante.

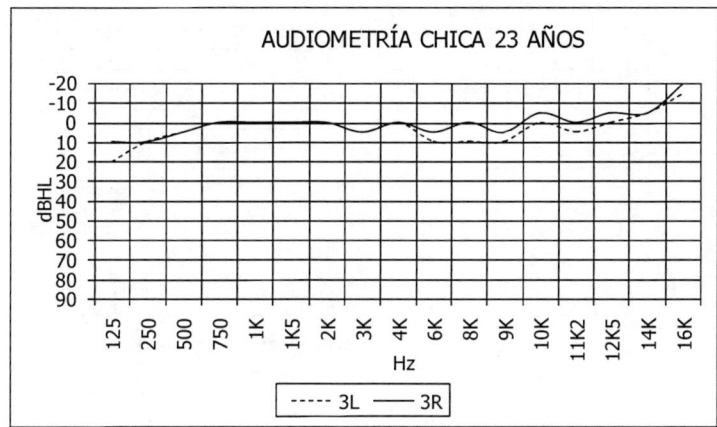

Figura 4.20. Audiometría chica joven. Percepción normal.

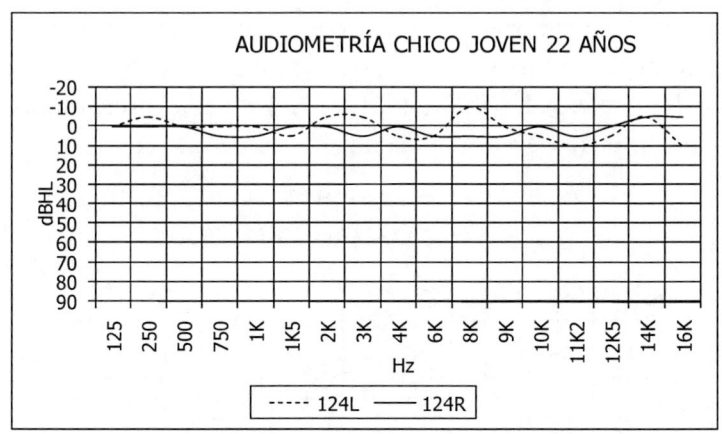

Figura 4.21. Audiometría chico joven. Percepción normal.

También conviene remarcar un hecho bastante conocido: la mayor capacidad auditiva de las chicas a altas frecuencias, respecto de los chicos. También una mayor sensibilidad auditiva. Se puede afirmar que las mujeres tienen un oído netamente superior al de los hombres. Los dos ejemplos escogidos corresponden a dos personas que realizan una vida normal por su edad, es decir, van alguna vez a discotecas, conciertos de música, y les gusta escuchar música con frecuencia. Lamentablemente se constata que una buena parte de la muestra analizada presenta unos resultados bastante diferentes a estos. En las figuras 4.22 y 4.23 muestran dos de los casos más graves analizados.

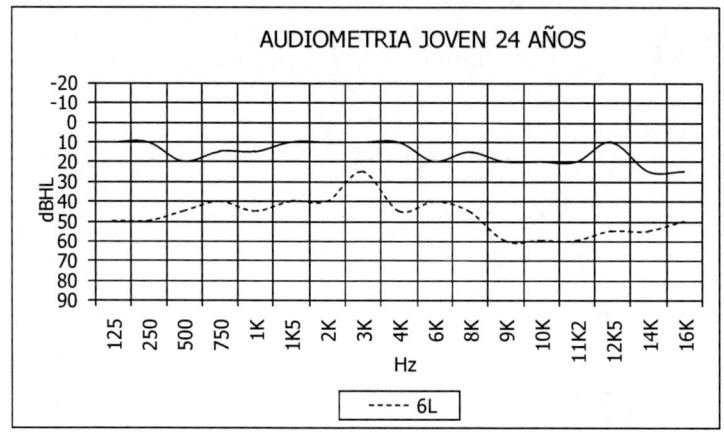

Figura 4.22. Audiometría con patología grave.

Los dos casos expuestos anteriormente son de los peores que se han analizado por el autor. El punto común entre ambos es que tocan en grupos musicales con equipos electroamplificados. Lo más preocupante es que en muchos casos no tienen derecho a una ayuda económica en forma de subsidio, ya que, aplicando los índices actuales de evaluación de la sordera profesional, ambos están dentro de la normalidad. En los dos casos presentados se observa una curva audiométrica muy maltrecha.

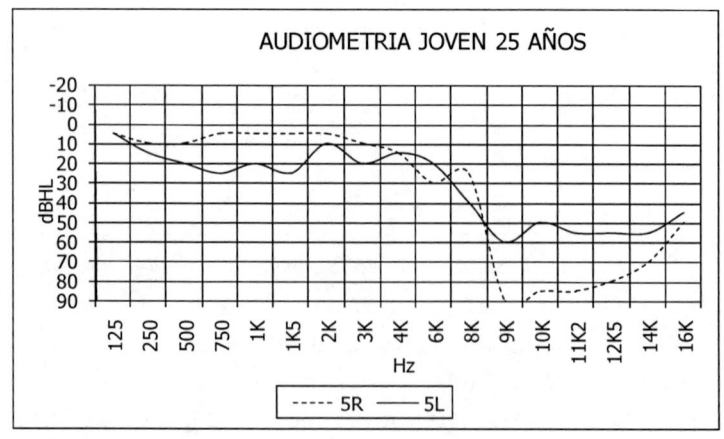

Figura 4.23. Audiometría con patología grave.

El problema de estos jóvenes, como el de otros casos similares, no radica en la percepción de sonidos de baja intensidad, ya que si se les habla en voz baja, pueden escuchar perfectamente la locución. Su verdadero problema radica en la dificultad de comunicación con otras personas en entornos ruidosos. Estar en el interior de un restaurante donde se debe gritar para que entienda el interlocutor es una prueba imposible de superar para aquellas personas con patologías similares a las mostradas, que simplemente se quedan "desconectadas".

El test audiométrico da una idea bastante precisa de las posibilidades auditivas de una persona, pero no puede evaluar su capacidad de realizar una vida "normal". En los casos mostrados anteriormente resulta obvio que ninguno de ellos podrá llegar a ser un buen ingeniero de sonido. La valoración porcentual del estudio audiométrico realizado a jóvenes catalanes entre 20 y 28 años entre los años 1998 y 1999, se resume en la tabla 4.1.

CALIFICACIÓN	BIEN	MAL	MUY MAL
PORCENTAJE (%)	55,2	27,7	17,1

Tabla 4.1. Porcentaje de audiometrías. Valoración global.

Como se puede observar, más de una tercera parte de los jóvenes presentan algún defecto auditivo digno de mención. Un 17,1% del total presentan defectos auditivos que se pueden clasificar de muy graves. Curiosamente, aplicando los cálculos de porcentaje de discapacidad auditiva, vigente en nuestro país, únicamente dos individuos de la muestra analizada presentan "oficialmente" discapacidad auditiva. Concretamente en el ejemplo mostrado en la figura 4.22, presentan un 20,6% de discapacidad monoaural, y un 3,4% de discapacidad binaural. El caso presentado en la figura 4.23, según la actual normativa, no presenta ninguna discapacidad. Nótese que aún siendo peor la valoración clásica hasta los 8 KHz no se detecta el profundo escotoma a frecuencias superiores.

Estas personas aparentemente pueden hacer vida normal. Pero un test audiométrico clásico no parece ser el mejor sistema para evaluar su discapacidad. Al margen de las pruebas por vía ósea, necesarias a partir de niveles de 40 dBHL para determinar realmente el grado de sordera, deberá hacer otras pruebas de inteligibilidad con ruidos enmascarantes. Estas pruebas son las que realmente marcan las diferencias. Escuchar unos tonos no significa que se pueda realizar una vida social de forma normal. Así por ejemplo, mantener una conversación en un ambiente ruidoso puede resultar imposible para una persona con una capacidad auditiva disminuida. Las personas que en un entorno ruidoso, como puede ser una calle transitada, tienen dificultades para entender lo que dicen los interlocutores, cuando éstos se entienden entre ellos, está con toda seguridad padeciendo un proceso degenerativo acelerado de su oído.

En la figura 4.24. se muestra el desequilibrio de sensibilidad obtenido entre los dos oídos. Se destaca un hecho curioso "a priori", la mayoría de individuos presentan un desequilibrio favorable al oído izquierdo, es decir, oyen mejor por el oído izquierdo que por el derecho.

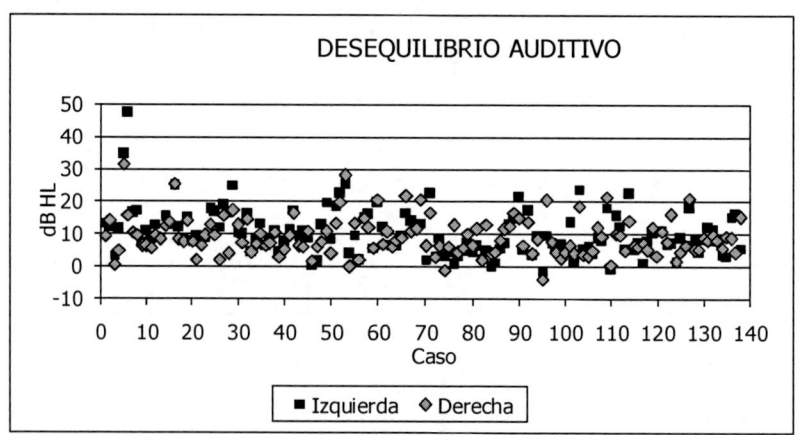

Figura 4.24. El oído izquierdo es mejor que el derecho en la gran mayoría de casos analizados.

Este hecho no tiene nada que ver con ser diestro o zurdo. Tampoco tiene nada que ver con el sexo del individuo o su edad. Este aparente desequilibrio es debido a la especialización del lóbulo derecho de nuestro cerebro en la detección de señales de corta duración. Es bien conocido que el lóbulo derecho del cerebro controla el oído izquierdo. Los tonos puros emitidos para hacer una audiometría son señales de corta duración. Ésta es la justificación del desequilibrio. Se comprueba pues que las audiometrías hechas con tonos puros no deben ser interpretadas como valores absolutos, del grado de discapacidad auditiva de una persona. Así pues de los resultados obtenidos no se puede deducir que el oído izquierdo es mejor que el derecho.

4.9. Particularidades del oído.

Debe tenerse presente que cuando se habla del oído se hace referencia tanto a la parte fisiológica, comentada anteriormente, como a la parte subjetiva. Si bien la parte fisiológica es más conocida en su funcionamiento, la parte interna de procesamiento de las señales en nuestro cerebro constituye uno de los puntos más oscuros. Ciertas particularidades del oído limitan las apreciaciones que se pueden hacer de un sonido. Por este motivo es importante conocer hasta qué punto un sonido puede ser o no molesto para una persona, a partir de saber "a priori" cuáles son estas particularidades.

4.10. Adaptación y habituación del oído al nivel sonoro.

La exposición del oído al ruido durante un período de tiempo muy largo crea una cierta adaptación. Un estudio realizado por Griffiths & Raw el año 1989, demostraba que el grado de insatisfacción disminuye mientras que las condiciones de ruido no. El efecto fue permanente en un mínimo de 2 años en algunos casos, y entre 7 y 9 años para la mayoría. Es decir, que en cierta manera los individuos se habituaban al ruido existente en una zona pasado un cierto tiempo. Pero esta habituación puede ser psicológica o también puede ser física.

Realmente son las dos cosas. Por un lado la rutina diaria de escuchar siempre el mismo ruido, con un nivel similar, produce una reacción de protección a nivel de discriminación del ruido. La persona no está atenta al ruido, llega a "desconectar" literalmente del ruido, de manera que cuando la fuente para, es cuando nos damos cuenta del ruido existente hasta aquel momento y del que no somos plenamente conscientes. Pero unido a esta desconexión, nuestro oído dispone de un sistema que es similar al de la visión, de manera que se adapta en todo momento al nivel de ruido medio. ¿Qué significa esto? Pues que si estamos en un entorno muy silencioso durante bastante rato, el oído externo llegará a presentar su máxima sensibilidad, y por tanto el tímpano presenta la mínima resistencia al desplazamiento. Si en estas condiciones, un ruido de elevado nivel nos llega al oído provocará un desplazamiento muy importante del tímpano que puede llegar a causar daños irreparables, si el nivel es realmente muy fuerte.

En cambio si estamos en un entorno más ruidoso, el mismo estímulo no producirá el mismo efecto. El oído, cuando detecta niveles importantes de presión acústica de una manera prolongada, se auto-protege, de manera que el tímpano queda tensado ligeramente. En este momento la sensibilidad del oído es menor, y por tanto también la sensación de sonoridad percibida, que a los pocos minutos es inferior. Cuando se sabe que se producirá una explosión, tensamos el tímpano de forma voluntaria protegiendo (parcialmente) el oído medio. Es importante destacar que cuando el oído está sometido a niveles elevados de presión acústica durante un período de tiempo importante (diversas horas), se llega a tener la sensación de que el sonido no suena tan fuerte como al principio. El grado de adaptación del oído puede llegar a los 30 dB.

Se puede realizar una experiencia muy simple que puede ilustrar este efecto. Se trata de reproducir a través de unos auriculares (el tipo de auricular es indiferente) una música agradable a un nivel moderadamente elevado pero únicamente por un canal, actuando sobre el control de balance del amplificador. Después de escuchar música durante unos 10 minutos al volumen deseado, póngase la pausa, y sitúese el control de balance en la posición central, para reproducir por ambos canales. Una vez hecho esto reproducir el mismo fragmento dejando el mismo volumen pero por los dos canales simultáneamente. Se observa como el oído que no recibía información de la música ahora detecta que el nivel es mucho más fuerte que el nivel recibido por el oído que recibía anteriormente la música. Este efecto de adaptación se conoce como "party effect".

4.11. Seguimiento y reconocimiento de conversaciones.

El reconocimiento del habla es una de las tareas más sencillas que se puede realizar de forma natural, y en cambio resulta compleja y dificultosa de realizar con máquinas. Es evidente que es necesario un análisis de la señal para identificar a un locutor, pero a pesar de los análisis más finos, la identificación mecánica de la voz no garantiza nunca un 100% de aciertos, y caso de hacerlo es con un vocabulario y número de locutores muy restringido.

Una situación frecuente se da cuando se está hablando con un grupo de 3 - 4 personas en un entorno donde se producen simultáneamente otras conversaciones entre otros grupos de personas. En este ambiente, somos capaces de "seguir" voluntariamente una conversación que se produce a nuestras espaldas con un nivel de señal a veces mucho más bajo que el de otras conversaciones más cercanas, y que además probablemente utiliza la misma lengua, y también la misma banda de frecuencias. Cómo realizamos esta selección es un misterio. Realmente este filtrado es el resultado de un aprendizaje previo durante nuestra infancia, que nos permite "seleccionar" una fuente de sonido entre otras. Por tanto se trata de reconocer patrones de interferencia y asociarlos a un contenido. Cuando escuchamos una voz concreta entre otras locuciones y ruidos, nuestro cerebro intenta "seguir" la conversación. Para ello utiliza técnicas de selección del espacio acústico, que permiten al sentido auditivo focalizar sobre una zona concreta. Sin embargo esto sólo es posible si las conversaciones se encuentran con ángulos suficientemente separados. Nuestro sistema auditivo realiza pues una selección en el dominio temporal no en frecuencia.

Sin embargo este proceso no funciona siempre. Por ejemplo, cuando dos conversaciones están formando un ángulo inferior a los 70° aproximadamente, no es posible seleccionar la conversación, a menos que éstas presenten algunas diferencias notables de nivel, de idioma o de contenido en frecuencia. Cuando dos personas nos están hablando simultáneamente delante nuestro no podremos escoger una u otra. Sí en cambio si una está delante y otra detrás o al lado, por ejemplo. Este proceso se llama "Cocktail-Party Effect". Cuando escuchamos conversaciones en nuestra lengua este proceso es mucho más sencillo y se realiza prácticamente sin esfuerzo. En un entorno ruidoso probablemente no se descodifican todas las palabras, pero el cerebro va reconstruyendo el mensaje, guiándose por el sentido de la conversación. Este seguimiento o selección de locutor conlleva una decodificación del mensaje, es decir, realmente seguimos la conversación. La parte de decodificación es fundamental. Nótese que al escuchar dos músicas simultáneamente, se mezclan los sonidos irremisiblemente siendo imposible que el sentido auditivo pueda seleccionar una u otra melodía.

Cuando las locuciones son en una lengua con las que no se tiene tanta facilidad de expresión, hay que hacer un esfuerzo para concentrarse más lo cual requiere una mayor atención por parte del individuo. Esta mayor concentración, implica por lo general desatender otras funciones (visión, manipulación etc.). En una locución en una lengua no familiar algunas palabras no son entendidas con claridad y el cerebro no puede suplir esta falta, ya que está "traduciendo" otras palabras. Entonces dejamos de entender parte o toda la frase. En ocasiones se dice "cállense, que no veo", el cerebro no puede atender a dos cosas de forma simultánea que precisen de la máxima atención. En otras palabras, cuando queremos "seguir" una conversación en un entorno muy desfavorable, nuestro cerebro precisa de más potencia de cálculo para descifrar la conversación y reconstruir las partes y desatiende momentáneamente otras funciones para disponer de mayor capacidad, igual a como lo hace un ordenador Pc con un procesador secuencial. Este punto es bastante delicado, ya que cuando debemos mantener una conversación y por tanto estamos decodificando constantemente mensajes, otras funciones quedan "desatendidas". Por este motivo es peligroso conducir y hablar por el móvil, resultando absurdo el disponer de manos libres o no, dado que el grado de distracción es el mismo. Pero es igualmente peligroso mantener una conversación con una persona sentada dentro del coche, el grado de distracción puede ser el mismo. Nótese que el número de accidentes que se producen por distracciones con lesiones graves en las carreteras españolas ha crecido últimamente. Los coches cada vez más silenciosos en su interior, unos asfaltos menos ruidosos y unas carreteras con trazados más suaves, propician mantener conversaciones más relajadas, y con ello pérdida de atención al volante.

Recientes trabajos de investigación intentan simular este efecto tan interesante. Se parte de un pre-procesado de la señal, se descomponen los dos canales de información en componentes analizadas por bandas críticas. Esta información sigue dos caminos; por un lado se extrae un modelo binaural, el cual a través del módulo de evaluación determina los coeficientes temporales del filtro de Wiener, el cual actúa sobre la señal binaural pre-procesada. El análisis por bandas críticas permite que el sistema sea la señal del orador deseado, el cual presenta un patrón de interferencia característico. Si la señal de determinada banda queda disminuida por el ruido externo, entonces el sistema escoge otra banda característica del orador para "seguirla". En el caso de existir muchos oradores, el sistema necesita saber la posición del orador respecto de su posición. De esta manera se puede seleccionar la señal que presente el patrón de interferencia adecuado con la dirección escogida. En definitiva, el sistema permite seleccionar una dirección preferente del sonido que llega a un receptor, sería como una antena acústica direccional.

4.12. Percepción binaural.

La percepción natural del sonido se realiza con dos oídos. Las informaciones llegan al cerebro, el cual procesa los datos e identifica señales y extrae la información. Las medidas de control de ruido actuales se hacen utilizando un solo micrófono. Realmente en muchas ocasiones las diferencias entre el sonido monoaural y el binaural son muy importantes. Esto explica que algunas veces lo que se mide no se corresponde con lo que se escucha.

Por ejemplo, una de las cosas que habitualmente las personas sin ninguna discapacidad auditiva puede hacer "gracias" a tener dos oídos, es la "cancelación" parcial del ruido de fondo, aspecto muy útil cuando mantenemos una conversación. Aunque nos hablen en un ambiente ruidoso conseguiremos, no sin dificultad, la información suficiente para entender el mensaje. Esto es posible gracias también a que el habla tiene mucha información redundante que no sería necesaria para entender el mensaje. Gracias a esta redundancia se puede perder parte de la información original y sin embargo entender el mensaje en condiciones acústicas realmente difíciles.

Podríamos decir que es como si el cerebro mejorase la relación señal – ruido. Con un experimento muy sencillo se puede entender la importancia de tener dos oídos. Se graba sobre un soporte cualquiera (cassette, MD, MP3 etc.) un fragmento de una clase situándonos en primera fila para disfrutar de un mayor nivel directo y menos ruido. La grabación se realiza en el mismo punto con un solo canal y después con 2 canales (estéreo). Al reproducir la señal grabada observaremos que con la grabación monoaural (1 canal) podemos escuchar la voz, pero el locutor parece estar mucho más lejos de la posición del micrófono de lo que estaba en realidad. Además el ruido producido en las proximidades (escritura del compañero, papel fregando con la mesa, etc.) destacan bastante más de lo que se percibía en la clase. También la reverberación de la sala parece haber aumentado. Por todo ello la locución grabada no es clara y cuesta mucho entender las palabras, siendo lo más probable que no entendamos algunos fragmentos a pesar de repetir el fragmento muchas veces.

Si escuchamos la grabación efectuada en estéreo, notaremos que el profesor está ahora mucho más cerca (igual que en la realidad), que los ruidos del entorno desaparecen, y que la reverberación es la que recordábamos. Este cambio de percepción no se debe a la grabación en sí, ni al tipo de soporte utilizado. Es la reconstrucción que el cerebro realiza partiendo de una escena bidimensional, lo que posibilita la reconstrucción del sonido tal como era. Para la grabación estéreo no hace falta un micrófono especial. Con un simple micrófono estéreo, o dos de mono, se puede hacer la grabación. El desfase de las señales entre ellas permitirá al cerebro reconstruir la situación original. Con dos micrófonos electret de bajo coste separados unos centímetros es suficiente para conseguir unas grabaciones fieles a la realidad.

Estos retardos pueden llegar a ser de pocos μseg. Aunque son muy pequeños son suficientes para dar una información de la procedencia del sonido. Los diferentes retardos aparecen cuando el sonido procedente de una o diversas fuentes llega a la persona. El cuerpo, los hombros, la cara, el pabellón auditivo, producen interferencias con el sonido directo, de manera que a la entrada del oído no llega estrictamente la señal procedente de la fuente, sino una mezcla de la señal original con las interferencias más o menos acusadas producidas por la cabeza y torso, que actúan a modo de filtro temporal – frecuencial.

La audición de una señal binaural se puede hacer con auriculares o con altavoces. La audición con altavoces estéreo utiliza un altavoz por cada canal. El canal derecho envía información a la oreja derecha, y sucede lo mismo con el canal izquierdo. Pero también una parte de la señal destinada únicamente a la oreja derecha llega a la izquierda, y viceversa. Son los llamados caminos cruzados, como muestra la figura 4.25.

La audición con auriculares tiene como principal ventaja que aíslan acústicamente a la oreja del exterior, por lo tanto las condiciones acústicas de la sala no influyen, ni tampoco el ruido de fondo (si éste es moderado). Además no tenemos cruce de información entre canales. Se trata pues de un sistema que ofrece unas prestaciones superiores en cuando a los efectos, pero en general una menor sensación de realismo, ya que el sonido queda muy cercano a la cabeza, perdiendo en parte la sensación de lejanía del sonido.

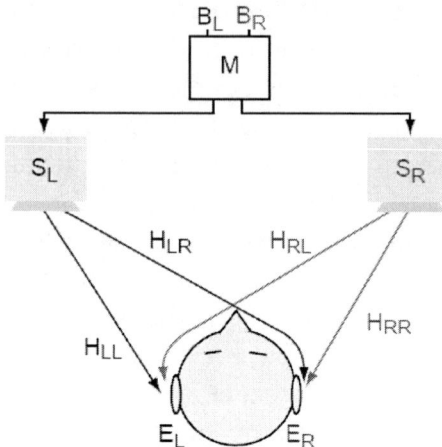

Fig. 4.25. Caminos cruzados (H_{LR} y H_{RL}) en la audición estéreo (2 canales) con altavoces.

Si se desea localizar la procedencia de las fuentes sonoras utilizando un sistema reproductor con altavoces, resultará un poco más difícil que con auriculares. Pero los auriculares, que "a priori" parecen el sistema que presenta más ventajas para reproducir señales binaurales, también tienen un defecto: los sonidos quedan muy cercanos a la cabeza. Se dice que el sonido recibido es intra-craneal. En el caso de los altavoces el sonido es extra-craneal, es decir, permite tener información de profundidad o distancia a la que se encuentra la fuente, cosa que con la reproducción con auriculares es más difícil. La figura 4.26. ilustra este fenómeno.

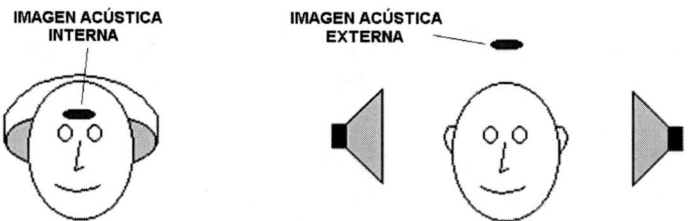

Fig. 4.26. Diferencias entre un sonido binaural reproducido con altavoces o con auriculares. Se muestra la zona donde ubicamos el sonido.

Para localizar fuentes de ruido en el espacio, aprovechamos la diferencia de fase o retardo (ITD) para frecuencias menores a 1.500 Hz, mientras que utilizamos la diferencia de nivel (IID) para las frecuencias superiores a los 1.500 Hz. La figura 4.27 ilustra este concepto.

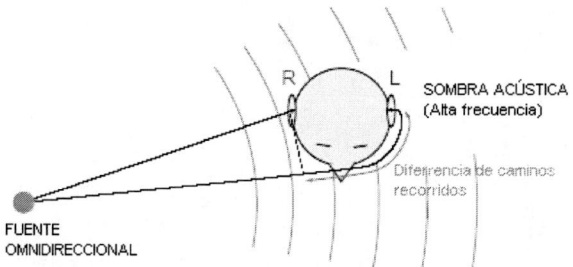

Fig. 4.27. ITD y IID como elementos que permiten la localización de fuentes en el espacio. El oído izquierdo (L) recibe un menor nivel sonoro (IID) y además un retardo (ITD) respecto al oído derecho (R).

La figura 4.28 muestra las dos señales acústicas recibidas por los dos oídos. Nótese que la derecha (R) recibe un mayor nivel sonoro, y que además la señal que recibe el oído izquierdo está retrasada ligeramente respecto del derecho.

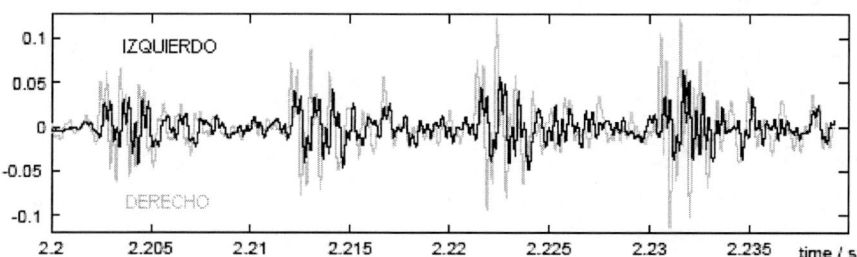

Fig. 4.28. Señales recibidas por ambos oídos ante el mismo estímulo procedente de una fuente puntual omnidireccional en campo libre.

Capítulo 5
EFECTOS DEL RUIDO SOBRE LAS PERSONAS

5.1. Efectos del ruido sobre las personas.

El ruido, igual que sucede con otros contaminantes, afecta al ser humano. Las afectaciones pueden ser de tipo fisiológico o bien psicológico. Las afectaciones sobre el oído son probablemente las más conocidas. También se producen afectaciones fisiológicas en diferentes partes y tejidos del cuerpo humano. En todo caso, está comprobado que el ruido afecta a cualquier ser vivo. El oído es un órgano sensible que está sometido al desgaste igual que otros sentidos como la vista. Asimismo, con el sentido de la visión es más fácil de comprobar que se mantiene la capacidad visual. La imagen de referencia puede ser un objeto situado a cierta distancia, un rótulo, etc. Ante una pérdida de agudeza visual, es relativamente fácil detectar la anomalía. Sin embargo, el oído no permite este tipo de comparación. No tenemos nunca la certeza de saber si escuchamos igual o peor, excepto cuando notamos realmente una diferencia, aunque para entonces ya sea demasiado tarde.

La memoria acústica de las personas es muy mala, de manera que es difícil recordar con exactitud si un sonido suena más o menos fuerte de un día para otro. Únicamente cuando los desniveles sonoros son elevados (normalmente superiores a los 8 dB), las diferencias son claramente perceptibles. Si los niveles sonoros se encuentran entre 3 y 6 dB será necesario hacer diversas pruebas para comparar los sonidos. Si éstos no se presentan de forma alternada y en un breve espacio de tiempo para recordar como son, nos será muy difícil decidir cual es el de mayor nivel sonoro. El sonido tampoco permite simultaneidad, como en la visión. Por tanto cuando comparamos sonidos debe hacerse por separado. Si se mezclan dos sonidos, se genera un nuevo sonido. Una vez mezclados no es posible deshacer la mezcla, excepto en casos muy concretos. El sonido no se ve, no se puede tocar, una vez ha pasado no deja rastro, no podemos tomar ninguna muestra. Esta especial circunstancia tan evidente hace que generalmente se considere a la contaminación acústica como un mal menor, y a la sordera un riesgo muy remoto.

El ruido afecta por igual a todos. No distingue clases sociales, culturales o étnicas. Tenemos ruido molesto o infernal, en la calle. Tenemos ruido en los restaurantes, bares, cafés, donde hay que gritar para poder superar las voces de los vecinos. Hay calles y barrios enteros donde la proliferación de discotecas y bares musicales, acaba con el merecido descanso de los vecinos. ¿Qué nos pasa? ¿Por qué cualquier manifestación de alegría se traduce en ruido? Es una cuestión cultural, deseamos transmitir nuestro estado de ánimo al prójimo, pero olvidamos que a éste no le interesa nuestro estado de ánimo. Es también una cuestión de educación y respeto hacia nuestro entorno. El ruidoso suele ser una persona mal educada, que no le importa si molesta o no, que se cree el centro del universo, quizás añorando ese cariño que de pequeño probablemente nunca tuvo. Quien se queje por motivo del ruido en este país ha de saber que puede ser motivo de burla, porque a los problemas de ruido, se los considera por ignorancia, un mal menor.

Un mismo sonido puede ser agradable para unos y desagradable para otros. Incluso el mismo sonido puede ser agradable en periodo diurno, y en cambio no ser admisible en periodo nocturno. Los aspectos subjetivos son muy importantes de cara a evaluar la afectación del ruido sobre las personas. Podemos decir sonido o bien ruido, ya que si hablamos de afectación, quiere decir que estamos presuponiendo efectos negativos sobre la población, y éstos tanto pueden proceder de un ruido como de un sonido que lleva información.

Las primeras referencias de estudios sobre la sordera de la población están fechados en 1627, con los trabajos de F. Bacon, que dedujo que los sonidos fuertes producen sordera. Aunque hoy en día puede parecer una cosa muy evidente, debe destacarse la dificultad para determinar el grado de sordera sin disponer de instrumentación alguna. Por tanto tenían que utilizar sonidos naturales, convenientemente "calibrados" que por comparación permitían comprobar "grosso modo" el grado de sensibilidad auditiva del individuo.

Sacher, en el año 1890, observó que los herreros, después de 10 años, tenían una pérdida del 50% de su capacidad auditiva. Pasados 20 años, esta pérdida aumentaba hasta el 80%. Tampoco en este caso se disponía de ningún instrumento fiable que permitiera reproducir el estudio con un mínimo de rigor. Es sorprendente que sin instrumentos de medida se pudiera discriminar unos porcentajes de pérdida auditiva. El año 1980, la OMS publica que las pérdidas auditivas a altas frecuencias son más elevadas que a bajas frecuencias. Esta circunstancia va muy ligada al hecho de que el oído es más resistente a bajas frecuencias que a altas frecuencias.

5.2. Grado de interferencia con la palabra.

Según unos estudios de Rostolland, 1985; Lazarus, 1990, manteniendo constante la relación S/N, la voz a nivel elevado es menos inteligible que la voz a niveles más bajos. Este concepto, corrobora el método de Knudsen para evaluar el grado de inteligibilidad de la palabra. En este método el máximo de inteligibilidad se obtiene con un nivel de 80 dB. Si se supera este nivel la inteligibilidad baja. Las técnicas para evaluar la inteligibilidad permiten evaluar la calidad sonora de la sala. Curiosamente, una sala destinada a locuciones sin amplificación es más difícil de diseñar que una sala destinada a audiciones musicales.

5.3. Efectos audibles.

Se basan en efectos fisiológicos sobre el oído. Esta afectación puede provocar pérdida temporal o permanente de la capacidad auditiva. El paciente puede notar o ser consciente de su disminución de la capacidad auditiva, y normalmente se asocia este hecho a un exceso de ruido recibido, un accidente grave o una enfermedad. Las pérdidas de audición pueden perjudicar a un solo oído. Esto puede resultar muy incómodo ya que todas las funciones de localización de sonidos en el espacio 3D se modifican. En estos casos el cerebro debe reconstruir una nueva base de datos a base de la experiencia diaria tal como se hace en la infancia a partir de la nueva "realidad" acústica del individuo. Normalmente la pérdida de sensibilidad auditiva se manifiesta con mayor intensidad en las bandas cercanas a los 4 kHz.

5.3.1 Efectos fisiológicos. Presbiacúcia.

El oído está sometido a un proceso de envejecimiento natural con la edad propio de todos los mamíferos, que se traduce en una pérdida gradual de la capacidad auditiva. Esta pérdida, que todas las personas padecen, es la llamada presbiacúcia. Afecta a la elasticidad de los tejidos y sobre todo al número de células ciliadas que responde bien a las altas frecuencias, que van disminuyendo con la edad. La presbiacúcia es un fenómeno que afecta a todas las personas y por tanto hay que ser conscientes de las limitaciones de este sentido con la edad y que pueden dificultar la ejecución de ciertas tareas relacionadas con el mundo del audio profesional. Por ejemplo, al mezclar diferentes pistas de sonido, la edad de la persona puede influir en la forma de ecualizar los diferentes instrumentos. Es importante remarcar que la "educación auditiva" permite detectar registros sonoros que pueden pasar desapercibidos para oídos mejores pero no "educados". Es el caso, por ejemplo, de los profesionales de la ópera que preservan su oído de las agresiones externas. Profesionales de éste ámbito con edades cercanas a los 60 años pueden captar aspectos que oídos de 20 años no saben reconocer. Por lo tanto, si bien es cierto que la presbiacúcia limita el margen audible a nivel fisiológico, la educación musical y el cuidado del sentido auditivo pueden en cierta manera llegar a "compensar" o suplir algunas carencias.

Pero al margen de la presbiacúcia, otros agentes externos modifican o alteran nuestra percepción acústica. Concretamente y como ya se ha avanzado, el ruido en las ciudades parece ser un acelerador de la pérdida auditiva. Hay que remarcar que no todas las personas reaccionan con las mismas patologías delante del mismo estímulo. Algunos jóvenes manifiestan ir a discotecas o bares musicales con frecuencia y en cambio tienen una capacidad auditiva correcta. Otros a pesar de ser más prudentes con las actividades musicales tienen una capacidad auditiva peor. De la misma manera que algunas personas deben llevar gafas y otras se quedan de jóvenes sin pelo en la cabeza, con el oído también sucede un fenómeno similar. Algunas personas tienen el sentido auditivo más débil y son propensas a perder capacidad auditiva prematuramente.

Determinados hábitos acústicos de riesgo como pueden ser frecuentar las "discos" o bares musicales con elevados niveles de sonido, tocar en un grupo musical con amplificación, usar reproductores personales de música con el volumen a nivel elevado y durante varias horas diariamente, son suficientes para que nuestro oído se resienta. Lamentablemente para nosotros, los efectos siempre son "a posteriori" cuando ya no hay solución. En la pérdida debida a los agentes externos ajenos en la propia naturaleza se llama "sociocúcia", término creado por K. D. Kryter. Según un trabajo de Gallo & Glorig, del año 1964, en zonas industrializadas las mujeres tienen un mejor oído. Esta afirmación está bastante extendida entre la población.

Se considera que la población hasta los 20 años mantiene su capacidad auditiva intacta, que típicamente abarca de 20 Hz a 20 kHz. Si bien el límite de la alta frecuencia es claro, no sucede lo mismo con las bajas frecuencias. La percepción del sonido con componentes de baja frecuencia puede realizarse a través de nuestro cuerpo por vía líquida, y llegar directamente al oído interno. Ciertos instrumentos musicales, como los órganos de viento clásicos, pueden llegar a generar frecuencias muy bajas. Estas frecuencias en principio no son audibles por vía ótica, pero si que se las puede "percibir". Cuando hacemos una audiometría debe irse con cuidado con los niveles que superen los 40 dBHL, ya que el sonido puede llegar por vía ósea hasta el oído interno. Por encima de los 20 KHz estadísticamente ninguna persona puede escuchar una señal acústica. Además la sensibilidad en frecuencia del oído no es plana.

5.3.2. Desviación temporal del umbral auditivo.

El Temporal Threshold Shift (TTS) implica una disminución temporal de la sensibilidad auditiva. La disminución de la sensibilidad afecta más a unas bandas de frecuencias que a otras. La figura 5.1. ilustra los efectos que el ruido puede tener sobre la audición. El gráfico muestra la capacidad auditiva de un apersona adulta antes y después de pilotar durante 1 hora una avioneta CESSNA 172. Tal como se puede comprobar en este caso, el ruido de la avioneta acentúa la pérdida auditiva a frecuencias medias y bajas. La gráfica en color azul muestra la curva de sensibilidad auditiva del individuo antes de la exposición al ruido.

Como se puede observar la capacidad auditiva ya presenta una notable pérdida a las bajas frecuencias y también a las altas frecuencias, probablemente debido a su profesión de piloto. La gráfica en color rojo muestra la sensibilidad auditiva del paciente después de la exposición al ruido.

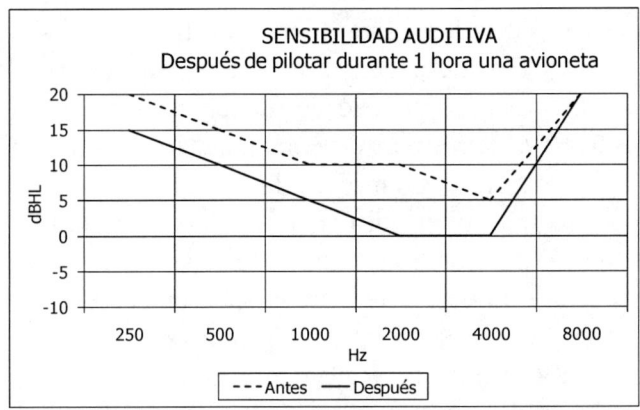

Fig. 5.1. Disminución de la capacidad auditiva de una persona adulta antes y después de volar dentro una avioneta CESSNA 172 después de 1h de vuelo.

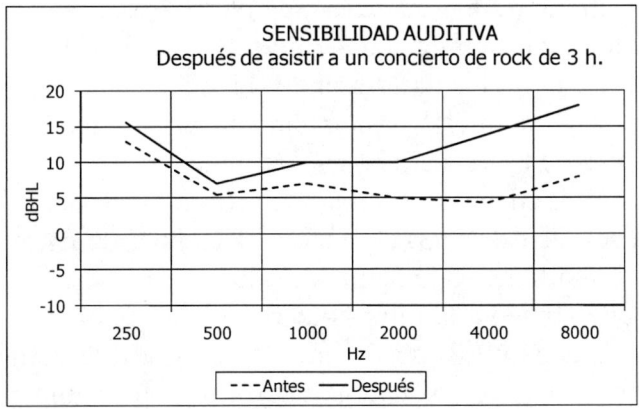

Fig. 5.2. Capacidad auditiva de una joven antes y después de asistir a un concierto de rock durante 3h. El nivel medio del concierto era de 112 dB(A).

El caso que muestra la figura 5.2. es más frecuente. Se trata de una joven expuesta durante 3 horas a un nivel sonoro medio de 112 dB(A). Las altas frecuencias son las más afectadas. La joven tiene una capacidad auditiva peor que el caso mostrado anteriormente que corresponde a un adulto.

En ambos casos se trata de pérdidas temporales de la capacidad auditiva, es decir, pasadas unas horas o días o incluso semanas, el oído recupera teóricamente el 100% de la pérdida. La afectación del ruido sobre las personas, evidentemente, depende mucho de la fisiología de cada sujeto. Un mismo ruido puede ser perjudicial para un individuo e inocuo para otro. La exposición durante un tiempo prolongado a un ruido elevado origina un mecanismo de autoprotección del oído, que hace que la sensación de nivel o sonoridad disminuya. Este efecto de autoprotección es beneficioso para nuestro oído. Sin embargo, las personas que lo utilizan para su trabajo profesional, ingenieros de sonido, técnicos de sonido, etc. deben tener en cuenta este mecanismo para corregir sus efectos. El proceso de mezcla de una producción musical, requiere que se trabaje a un nivel de sonoridad medio-alto, ni muy elevado ni demasiado bajo. Cuando se empieza la jornada laboral se suele trabajar con un nivel sonoro más bien bajo. Este nivel se va subiendo con el paso del tiempo, ya que se percibe aparentemente una sonoridad menor, pero ello conlleva un cambio de la curva de sensibilidad en frecuencia del oído. Esto afecta directamente tanto a la ecualización que se puede estar realizando en ese momento como a la mezcla. Por este motivo no es aconsejable realizar una mezcla de sonido durante más de 1 ó 2 horas seguidas. Realizando unas pausas, el oído recupera su sensibilidad inicial y permite conseguir percibir mejor los matices musicales.

Entre los factores de los que depende el TTS están: el nivel sonoro, el espectro y la duración temporal del ruido. Si el ruido de excitación es un tono puro o un ruido de banda estrecha y los niveles de presión sonora son elevados, el TTS se manifiesta principalmente a una frecuencia localizada ½ octava por encima de la frecuencia del estímulo.

Si la excitación es un ruido de banda ancha (muchos ruidos que encontramos en la industria son de este tipo) el máximo TTS aparece entre los 3 y 6 kHz, especialmente importante en la banda de 4 kHz.

A medida que aumenta la intensidad del ruido recibido, aumenta el TTS producido. Para tonos puros se ha encontrado que este aumento es suave hasta un determinado nivel excitador, a partir de este si aumentamos el nivel excitador, el TTS aumenta drásticamente para estabilizarse después.

En la tabla siguiente se presenta el TTS medido 10 segundos después de la exposición a un tono puro de 2 kHz. Nótese que hasta los 90 dB las pérdidas son moderadas. Pero crece rápidamente a partir de los 100 dB de exposición.

Nivel dB tono 2 kHz	TTS dBHL
60	6
70	7
80	9
90	10
100	17
110	56

Igualmente, al aumentar la duración de la exposición, aumenta el nivel de TTS. La dependencia fue encontrada por Ward y se expresa mediante la ecuación:

$$TS = k \cdot \log(t) \tag{5.1}$$

Donde:

k es una constante que entre otras depende del nivel de excitación.

t es el tiempo de exposición.

La recuperación del TTS inicial es función del intervalo de tiempo en que se mida de nuevo el TTS, una vez finalizada la excitación, y del TTS máximo provocado por la excitación. Esta recuperación es más rápida cuanto mayor es el TTS, existiendo un límite en torno a los 40-50 dB a partir del cual la recuperación puede durar horas y/o días para las frecuencias más castigadas.

La experiencia ha demostrado que los estímulos formados por tonos puros son más nocivos que los formados por ruidos de banda ancha, debido a que los primeros mantienen durante más tiempo el reflejo auditivo inhibidor. Si la exposición es intermitente, el oído humano puede recuperar parte de la audición perdida durante los intervalos en los cuales no existe estímulo. Se ha comprobado experimentalmente que de dos estímulos que posean la misma energía, aquel que se presenta de forma continua provoca un mayor TTS que el intermitente. Este hecho es de gran importancia a la hora de planificar exposiciones al ruido. Esta circunstancia no se ha comprobado respecto del PTS Permanent Threshold Shift (Desplazamiento permanente del umbral de audición).

Dentro del campo de ruidos intermitentes y aunque posean características que los hacen especiales, se pueden incluir los ruidos debidos a impulsos o impactos. Normalmente el TTS producido por un ruido impulsivo depende en gran medida de:

- El efecto del pico de sobrepresión.
- El tiempo de crecimiento.
- La duración del impulso.
- La frecuencia de repetición.
- El contenido espectral.
- El tipo de ambiente (anecoico o reverberante) donde se produce.

Por otro lado, la presencia de un ruido de fondo no peligroso intercalado sobre el ruido impulsivo, reduce el TTS producido por el ruido impulsivo solo. Este fenómeno se explica porque el ruido de fondo continuo hace actuar el reflejo auditivo casi constantemente, aumentando así la protección. Por desgracia, si el ruido de fondo permanece durante un período de tiempo largo, el reflejo auditivo finalmente desaparece.

El fenómeno inverso también se ha observado; así si en presencia de un ruido continuo peligroso se intercalan impulsos no peligrosos, se produce una disminución del TTS del primer ruido. Este fenómeno puede ser debido a que los impulsos reactivan el reflejo auditivo habituado o relajado por el nivel de ruido constante.

5.3.3. Pérdida permanente del umbral auditivo.

Cuando las agresiones son más frecuentes, la recuperación auditiva es más costosa, necesita más tiempo, hasta que llega un punto donde ya no se recupera todo lo que se ha perdido. A partir de este momento, las agresiones sucesivas intensas siempre producen pérdidas irreparables de la capacidad auditiva. Cuando la persona se da cuenta la pérdida auditiva es bastante significativa. Estas pérdidas acumulativas son las llamadas PTS (permanent threshold shift) y en principio son irrecuperables.

Una pérdida permanente no quiere decir una pérdida total del sentido auditivo. Un accidente grave, una enfermedad, o la explosión de un petardo en las proximidades, son las causas más frecuentes de trauma acústico permanente que no implica necesariamente una pérdida total de la capacidad auditiva. Debe tenerse presente un concepto importante para evaluar la nocividad de un ruido: el concepto nivel - tiempo de exposición, es decir, la energía que recibe el oído.

La variación del PTS con la duración de la exposición no es tan simple como con el TTS. En la región de los 3-4 kHz el deterioramiento se produce después de los primeros 10 años de exposición, mientras que en frecuencias cercanas a 2 kHz se produce después de 25 ó 30 años. En las cercanas a 1 kHz el deterioramiento es gradual con el tiempo.

Como sucede con el TTS, si el ruido de excitación es un tono puro o un ruido de banda estrecha, el PTS se manifiesta principalmente a una frecuencia localizada ½ octava por encima de la frecuencia del estímulo, mientras que si la excitación es un ruido de banda ancha el máximo PTS aparece especialmente a la banda de 4 kHz.

Los estudios realizados hasta el momento parecen indicar que a diferencia del TTS, para el PTS solamente influye la energía total percibida por el sujeto, es decir, no depende de la variación temporal de la exposición al ruido, ni del espectro del ruido. Esta teoría se conoce como el principio de igualdad de energía y establece que:

- La misma cantidad de energía sonora causa la misma pérdida de audición.
- Existe una correlación entre el nivel de ruido y el tiempo de exposición, el producto del cual es una medida de la energía acústica total recibida.
- La pérdida de audición es proporcional a una función de la energía acústica total recibida, aunque esta función puede no ser lineal.

En la figura 5.3. se muestra un ejemplo de pérdida auditiva de población expuesta al ruido de maquinaria textil. Se observa como la pérdida máxima está situada sobre los 4 KHz. Esta pérdida a 4 KHz es el punto común de todas las audiometrías que presentan traumas acústicos. Nótese que la mayor pérdida se produce siempre a la banda de los 4 KHz. Para explicar este curioso fenómeno, llamado sordera de los herreros, ya que fue el primer colectivo sobre el que se detectó el problema, existen diversas teorías.

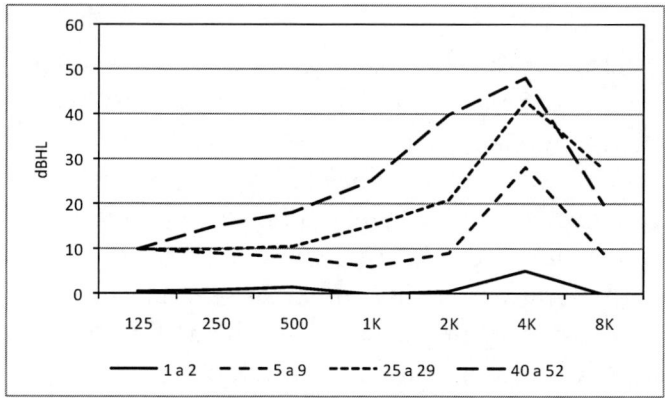

Fig.5.3. Pérdida permanente del oído para individuos sometidos al ruido de máquinas de la industria textil durante distintos períodos de tiempo.

Cabe destacar que la zona donde se produce la mayor pérdida auditiva es la de máxima sensibilidad del oído humano. Algunas tesis apuntan a que, mientras la zona de 1 a 3 kHz está protegida por el reflejo auditivo, la zona de 3 a 6 kHz padece el efecto del ruido sin posibilidad de ninguna protección. Esto hace que el máximo de pérdida inicialmente localizado sobre los 4 KHz se desplace en muchos casos hacia los 6 KHz.

Teoría de Larsen.

La membrana basilar es un órgano vivo, y por tanto necesita ser irrigado con sangre de forma constante. Concretamente un vaso sanguíneo recorre la membrana en sentido longitudinal. En un punto determinado, el vaso sanguíneo se bifurca en dos vasos capilares más pequeños para abarcar la mayor amplitud de la membrana. Larsen indica que es en este punto justamente donde supuestamente la irrigación sanguínea es peor, y que las células ciliadas son más débiles debido a una irrigación sanguínea deficiente, y por tanto al recibir una agresión externa, las células ciliadas situadas en esta zona mueren con mayor facilidad. Es justamente en la región de la bifurcación capilar, donde se encuentran las células sensibles a los 4 KHz.

Teoría de Ruedi y Furrer.

Explica el fenómeno con la aparición de una distensión en la membrana basilar en direcciones opuestas, lesionando la zona intermedia. Según esta teoría, la distensión es sitúa justamente en la zona sensible a los 4 kHz.

Teoría de Kobrak.

Existe un cambio de dirección del corriente endolinfático en la zona más sensible a los 4 kHz.

La pérdida permanente de la capacidad auditiva es un fenómeno relacionado directamente con la exposición del oído a niveles elevados de sonido. ¿Pero qué resulta más peligroso, un ruido breve pero de muy alta intensidad, o bien un ruido de menos intensidad pero mayor duración? La respuesta no es fácil. Presiones acústicas importantes aplicadas durante breves instantes de tiempo no pueden causar un daño irreparable. Este es el método empleado para detectar el umbral de máximo nivel sonoro admitido por una persona. Sin embargo, usar estas señales acústicas de elevada intensidad con un tiempo ligeramente superior, podría resultar muy peligroso.

Por ejemplo: ¿qué resultará más perjudicial, un ruido de 130 dB(A) durante 0,9 seg. o bien un ruido de 85 dB(A) durante 8h? Ambos sonidos presentan la misma cantidad de energía acústica, ¿se podría decir pues que son equivalentes? El ruido muy intenso y de corta duración corresponde al vuelo rasante de un avión de combate, y en un primer instante produce un cuadro de alerta y ansiedad. Este tipo de ruidos generan alarma, y hacen que el individuo segregue mucha adrenalina en su cuerpo. Pasados unos segundos no pasa de un susto, pero sin consecuencias fisiológicas para la persona. Sin embargo el segundo, más soportable en nivel, presenta una duración temporal mayor.

A nivel práctico, 85 dB(A) equivale a estar a unos 2 m. del paso de vehículos de una carretera. En este caso, el agotamiento psicológico y el estado nervioso que puede originar esta situación son algunos de los efectos más destacables. Tampoco hay efectos fisiológicos sobre la persona, pero sin duda los efectos psicológicos son mucho más devastadores para un sujeto sano. Por tanto, aunque en los dos ejemplos mostrados anteriormente la energía acústica es la misma, el que presenta menor nivel pero mayor duración sería a la larga el más perjudicial. Nótese que esta es justamente la situación más frecuente entre las personas que viven en ciudades densamente pobladas.

5.4. Criterios de Pérdida de audición.

Un criterio de peligro de pérdida de audición inducida por el ruido consiste en una especificación del nivel de ruido, por encima del cual existe una alta probabilidad de que los individuos adquieran un cierto grado de sordera, y que por debajo de este nivel, la probabilidad de que esto suceda es muy pequeña.

Lo primero que se debe evaluar son los valores de pérdidas audiométricas que se pueden considerar problemáticas. La Asociación Médica Americana (A.M.A) sugiere que el grado de pérdida no debe superar los 25 dB promediados aritméticamente, sobre las pérdidas en las bandas de 500 Hz, 1 kHz y 2 kHz. En la tabla siguiente se expone este criterio.

La misma pérdida de audición permitida por la A.M.A. ha estado aceptada por la norma ISO-R1999. Como se puede observar, el grado de dificultad en la comprensión de una conversación no contempla que ésta se realice en un entorno ruidoso. La tabla anterior presupone una discapacitación medida en un entorno sin ruido, evidentemente para evaluar la pérdida de forma correcta, sin la influencia del ruido de fondo.

Clase	Pérdida Audiométrica	Comprensión de una conversación
A	0-25 dBHL	Sin dificultad significativa
B	25-40 dBHL	Dificultades con la voz débil
C	40-55 dBHL	Dificultades con la voz normal
D	55-70 dBHL	Dificultad con la voz fuerte
E	70-90 dBHL	Únicamente oye gritos
F	>90 dBHL	No puede escuchar nada

Pero en la práctica nadie se comunica en entornos anecoicos y sin ruido ambiental. El ruido de fondo es el que dificulta a las personas con cierta discapacitación auditiva la comunicación oral. Por tanto la tabla anterior es un poco idealista. Realmente a partir de los 25 dBHL se empieza a tener dificultad para seguir una conversación.

Los primeros síntomas que se pueden detectar que indican la pérdida de la capacidad auditiva, se producen en situaciones cotidianas. Por ejemplo, cuando estamos hablando con dos personas andando por la calle. Normalmente las tres personas se ponen una al centro y dos a los lados. Esto quiere decir que entre los extremos la distancia es más grande y por tanto la influencia del ruido de fondo mayor. Si nos cuesta escuchar la conversación, pero en cambio notamos que los interlocutores se entienden entre ellos, quiere decir que tenemos un problema auditivo importante. Tampoco es para echarse las manos a la cabeza, es un problema que llega con la edad, o con los abusos. Podemos hacer vida normal, pero con un ruido ambiental elevado lo tenemos más difícil, y fácilmente quedamos "desconectados" de las conversaciones. Lo mismo sucede en un restaurante. Como la inmensa mayoría no tienen tratamiento acústico, el ruido interior es bastante elevado. Una persona con deficiencia auditiva tendrá dificultades para seguir una conversación en ese lugar.

Si el trauma acústico es gradual, la deficiencia pasa desapercibida hasta que es demasiado tarde. Si el trauma acústico es consecuencia de una explosión o accidente, es más fácil darse cuenta de la discapacidad, ya que en un breve espacio de tiempo se da un cambio súbito de sensibilidad auditiva. Cuando la pérdida auditiva es gradual, el cerebro va "reajustando" los parámetros internos de localización de fuentes y reconocimiento de mensajes sonoros y no somos conscientes de las pérdidas que vamos sufriendo. En cambio cuando el trauma acústico es brusco, esta fase de readaptación no es posible. En este caso el individuo se siente desorientado. No sitúa bien los sonidos en el espacio, puede padecer mareos y vómitos, durante un largo espacio de tiempo. Poco a poco el cerebro reajusta su esquema interior a la nueva situación (por ejemplo, oído dañado con pérdida parcial). Pasados unos meses o años puede recuperar gran parte de las funciones, pero nunca se llega al 100% de recuperación.

Al margen de la pérdida de sensibilidad también hay que añadir otro más preocupante: los ruidos internos del oído (tinnitus o acúfenos), que algunas personas padecen por deficiencias congénitas, aunque en la mayoría de casos se producen por someter al oído a intensidades sonoras muy elevadas. Es un ruido constante que enmascara el umbral mínimo audible. Es decir, la pérdida auditiva no se traduce en una falta de sensibilidad estrictamente, sino que en algunos casos va acompañada de ruidos internos.

En el Reino Unido, la pérdida que se considera discapacidad implica una pérdida auditiva de 30 dB, promediados entre las bandas de 1, 2 y 3 KHz. Según la AAO American Academy of Otolaryngology, 1979, se considera discapacidad a una pérdida de 26 dB de promedio para las bandas de 0,5, 1 y 2 KHz.

5.5. ¿Tienen solución los PTS?

Recientemente van apareciendo avances en el campo de la medicina que permiten ser optimistas de cara a una posible reparación de la pérdida auditiva. El Dr. Rémy Pujol y el Dr. Jean Luc Puel, de la facultad de medicina de Montpellier, experimentan con animales para poner a punto una nueva técnica que intenta "reparar" el oído. La técnica consiste en realizar una microperforación coclear para acceder a las células ciliadas. Se ha comprobado que, después de un trauma acústico importante, aparecen cantidades importantes de glutamato (ver capítulo 4). Este exceso de compuestos favorece la destrucción de las células ciliadas por procesos excitotóxicos.

Con medicamentos que disminuyen la concentración de estas substancias, se puede "recuperar" un 50% de la capacidad auditiva los 3 primeros días después de la intervención, y siguiendo una fase más lenta de recuperación que puede durar unos 25 días, el porcentaje se incrementa. Pasado este tiempo es cuando se pueden evaluar realmente los resultados obtenidos.

Otro estudio realizado el año 1998 por el Dr. Dauman, basado en una muestra de población de 184 personas de 22 años que hacen el servicio militar francés, con la particularidad de haber padecido un trauma acústico a consecuencia de un disparo de arma de fuego cerca del oído. El tratamiento se ha realizado aproximadamente a los 7 días del trauma acústico. El tratamiento consiste en una hemodisolución durante 24 h. seguido de un tratamiento intravenoso durante 3 días utilizando medicamento vaso-activos. Después del tratamiento de hemodisolución, se recuperan 15 dBHL, y después del tratamiento de tres días, 5 dBHL más, de promedio. Con estos avances, es probable que en un futuro no demasiado lejano parte de los traumas acústicos irreversibles actualmente, sean curables en parte. Actualmente se disponen de diferentes dispositivos que cuando el sistema auditivo no funciona pero el oído interno está en buen estado, permite recuperar parcialmente el sentido auditivo. El sistema consiste en utilizar un equipo electrónico que capta las señales acústicas, las procesa y ecualiza para enviarlas a través de un conector a un sistema estimulador implantado dentro de la cóclea.

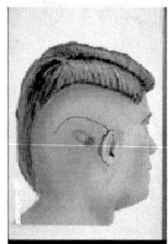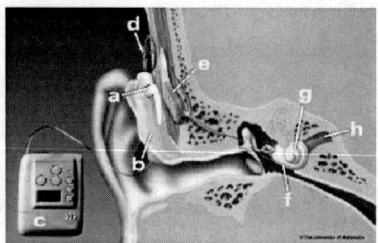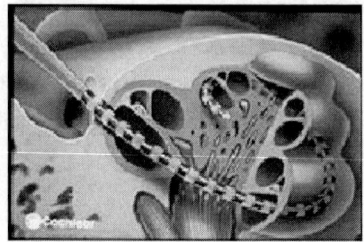

Fig. 5.4. Implante con unidad externa que dispone de un micrófono y un programa de control. A la derecha detalle del dispositivo que excita las células ciliadas.

5.6. Efectos no audibles del ruido.

En un estudio general de los efectos del ruido sobre la salud, deben considerarse un amplio número de posibilidades. Para estudiar estos efectos, en la actualidad se consideran tres hipótesis:

1. Relación causal directa entre la exposición al ruido y el deterioramiento de la salud. En estos casos existe una relación biológica, que permite explicar la acción del ruido sobre el órgano afectado. Este sería el caso de las pérdidas de audición producidas por el ruido. En estos casos la relación causal entre la exposición al ruido y la aparición de estas pérdidas es suficientemente conocida. Estos son los efectos llamados auditivos debido a que en general son perceptibles auditivamente.

2. Existencia de un proceso intermedio entre la exposición al ruido y la aparición de los efectos. La expresión generalizada de esta hipótesis se suele basar en la mediación de una reacción de estrés, desencadenada por la presencia del ruido. En estos casos el ruido actuaría como un desencadenante de una reacción de estrés en la persona expuesta. Al mismo tiempo esta reacción puede desencadenar con el tiempo la aparición de alteraciones permanentes en la salud. La característica común en estos casos es la ausencia de una causa específica de los efectos (que pueden aparecer asociados a muchos otros factores causales). Un ejemplo de estos efectos son los problemas cardiovasculares.

3. Potencial negativo del ruido al actuar sobre determinadas personas especialmente susceptibles. En estos casos el ruido actuaría como promotor, más que como iniciador, de alteraciones de la salud al actuar sobre personas propensas a acusar los efectos negativos ante la exposición al ruido. A estos casos pertenecen las alteraciones psíquicas en personas con antecedentes de salud mental.

Después de la pérdida auditiva, los efectos desencadenados por los estados de estrés debidos a la exposición al ruido son los más simples de estudiar. El estrés es una reacción no específica ante factores agresivos del entorno físico, psíquico y social. En principio, se trata de una respuesta fisiológica normal del organismo ante posibles amenazas. Así mismo, si esta reacción se repite o resulta sistemáticamente poco efectiva, puede llegar a agotar los mecanismos normales de respuesta y con el tiempo manifestarse en forma de alteración de la salud. En la aparición y magnitud de la respuesta del individuo, influyen características individuales de la persona expuesta. Aunque estas respuestas pueden manifestarse en forma de alteraciones del aparato digestivo, alteraciones del sistema inmunológico o del sistema reproductivo, son las que afectan a las enfermedades cardiovasculares las más estudiadas.

5.6.1. Efectos fisiológicos del ruido.

Además del sentido auditivo, el ruido produce afectación de diversos órganos y sentidos del cuerpo humano.

Efectos sobre el sistema nervioso central.

- Alteraciones sobre los ritmos alfa.
- Niveles de ruido muy elevados (130 dB) modifican las corrientes cerebrales (muy parecidos a los estados de agonía).
- Exposición a un ruido entre 95 y 105 dB produce alteraciones del riego en algunas zonas del cerebro.

Efectos sobre el sistema cardiovascular. **(Kent, von Gierke & Tolan, 1986).**

- El ruido altera el ritmo cardíaco.
- En personas con problemas coronarios, al estar sometidas a niveles superiores a los 90 dB durante 10 minutos, ocasiona estados similares a los producidos por esfuerzos físicos importantes. Otros estudios parecen indicar que personas que durante grandes periodos de tiempo están sometidas a niveles de 85-95 dB, pueden considerarse a efectos de enfermedades coronarias como 10 años más viejas respecto de su edad fisiológica.
- A partir de los 90 dB se producen alteraciones en la presión arterial.

Fatiga del cuerpo.

- Aparecen síntomas de extrema fatiga con señales de gran amplitud infrasónicas. (Mohr, Cole, Guild & von Gierke, 1965)

- No existe una relación sencilla entre ruido y fatiga. (Matsui & Sakamoto, 1971)
- Un vehículo de baja calidad acentúa la fatiga. La baja calidad va asociada a un mayor nivel de ruido en el interior del vehículo, además de otros factores como las vibraciones, que producen fatiga localizada, especialmente en las manos, brazos y piernas.

Efectos sobre las glándulas endocrinas.

Se conocen 4 efectos:
- Alteraciones hipofisárias.
  En ambientes ruidosos, la hipófisis humana aumenta su contenido de hormona del crecimiento.
- Alteraciones suprarrenales.
  Ruido mayor de 50 dB provoca un aumento significativo de la secreción urinaria de catecolaminas.
- Alteraciones de la glucemia.
  Exposición al ruido aumenta el nivel de glucosa en la sangre.
- Alteraciones gonadales.
  No está demostrada la influencia del ruido sobre la fertilidad humana.

Efectos sobre el aparato respiratorio.
- Aumento de la frecuencia respiratoria (incluso con individuos durmiendo)

Efectos sobre el aparato digestivo.
- Alteraciones ácidas del estómago. Úlceras.

Efectos sobre el sistema sanguíneo.
- Aumento de la viscosidad de la sangre. Aumento del riesgo de trombosis.

Algunos estudios (Altura, 1979; Ising, 1981; Dyckner & Wester, 1983) sugieren que el ruido incrementa la presencia de magnesio en la sangre, originando un desequilibrio, fruto del cual se producen contracciones progresivas de los vasos sanguíneos y espasmos que pueden originar hipertensión con las consecuencias coronarias que conlleva.

Efectos sobre el equilibrio.
- Se necesitan niveles muy elevados (más de 110 dB) para provocar vértigo, vómitos, etc.

Efectos sobre la visión.

- Niveles elevados (más de 110 dB) provocan un estrechamiento del campo visual.
- Dilatación de las pupilas.

Este último efecto tiene una especial importancia, cuando se le suman otros factores. Conducir con la música a todo volumen implica una reducción notable del campo visual, y una falta de atención sobre la conducción. Por otro lado es bien conocido que la visión nocturna es monocromática, y con bajos niveles de luz, el campo visual se hace más estrecho que en situación diurna. Con todo ello se produce un combinado que incrementa el riesgo real de tener un accidente de tráfico. No hay que entender que la música sea incompatible con la conducción, pero con niveles sonoros excesivamente elevados puede dificultar y en cierto modo entorpecer la acción de conducir. Nuestro cerebro no es capaz de realizar de forma simultánea, más de una tarea que requiera nuestra completa atención. Para realizar tareas complejas con múltiples movimientos, debe haber previamente una fase de aprendizaje. Cuando se conduce un vehículo, por ejemplo, se realizan muchas acciones de forma automática, "no pensamos" cómo realizamos la acción de cambiar de marcha. Cuando alguien aprende a hacerlo dedica buena parte de su atención a estudiar la nueva situación, habituándose al tacto y a las reacciones del vehículo.

Un efecto curioso que demuestra lo expuesto anteriormente se produce cuando se conduce un vehículo por una zona desconocida, buscando alguna indicación que nos oriente. Si en ese momento nos preguntan algo, con toda seguridad nos iremos poniendo nerviosos hasta que acabemos haciendo callar a la persona, porque no vemos bien los indicadores. "Cállense que no veo!". Parece un contrasentido, pero realmente es cierto. A mayor grado de atención menos cosas se pueden hacer de forma simultánea excepto si existe previamente una fase de aprendizaje y la acción se realiza "sin pensar". Otro gesto característico curioso es apagar la radio o la música cuando se aparca un vehículo.

Respecto de los efectos fisiológicos del ruido sobre el cuerpo humano, está comprobado que el ruido afecta a los órganos del cuerpo. Debe tenerse en cuenta que los niveles sonoros a los que se producen algunos de los efectos comentados anteriormente deben ser muy elevados. Excepto en casos puntuales, en la vida cotidiana afortunadamente los niveles sonoros son mucho más moderados.

5.6.2. Efectos psicoacústicos.

El ruido tiene efectos bastante estudiados sobre las personas. Los cambios de comportamiento y la agresividad son uno de los aspectos más destacables. La intolerancia, el mal humor, la irritabilidad, son otros aspectos fuertemente ligados al estado nervioso que el ruido puede originar, no tanto por su nivel sonoro sino por las horas a las que se produce y como se produce éste. La lavadora de nuestra casa no nos molesta tanto como la del vecino, aunque seguramente la nuestra, debido a la mayor proximidad, es más ruidosa. La del vecino nos molesta más a pesar de escucharla a un nivel inferior. El grado de molestia está íntimamente ligado con la capacidad de control sobre la fuente de ruido. Cuando se "tiene el control" sobre la fuente de ruido, el grado de molestia disminuye, ya que si realmente molesta se puede optar por parar la fuente de ruido, la persona adopta en estos casos una actitud más tolerante. Si no se dispone del control sobre la fuente ruidosa, entonces el grado de irritación y intolerancia al ruido aumenta considerablemente, y en consecuencia el grado de molestia percibido. Estos aspectos resultan de vital importancia cuando se evalúa el ruido en una vivienda. Generalmente el día de las mediciones el nivel de ruido es menor, según el afectado, aspecto que se produce en la mayoría de situaciones. La incapacidad de poder comparar niveles unido a otros factores psicológicos conduce a estas expresiones de desconfianza hacia la medición.

La mayoría de ruidos en periodo nocturno producen una sensación de molestia acusada, especialmente si éste se repite periódicamente. Un caso aparte son los ruidos extraños o no esperados que causen alarma. Estos últimos no suelen producir intolerancia, sin embargo producen un cuadro de aceleración del ritmo cardíaco, aumento del contenido de adrenalina en el cuerpo, y aumento de la presión sanguínea. Se trata en definitiva de una reacción natural, como la que alertaba a nuestros antepasados de los peligros que los rodeaban.

La capacidad de reacción o incluso de atención a determinados ruidos o sonidos varía en función de la edad y estado social. Por ejemplo, unos padres con criaturas de poca edad (menos de 3 años) desarrollan una sensibilidad muy acusada al tono y las características del llanto de sus hijos, hasta tal punto que otros llantos no les afectan de la misma manera.

5.6.3. Interferencia con el sueño.

La presencia de ruido puede dificultar tanto el inicio del sueño como interrumpirlo. Adicionalmente el hecho de dormir expuesto a niveles sonoros elevados deteriora la calidad del sueño, que pierde parte de su capacidad reparadora y de descanso. La exposición al ruido durante la fase de sueño puede desencadenar una reacción de estrés similar a las detalladas en el punto anterior. Aunque los efectos inmediatos del ruido sobre el sueño pueden ponerse de manifiesto inmediatamente (cansancio, disminución del rendimiento laboral, etc.), debe tenerse en cuenta también la existencia de efectos a largo plazo si el foco de ruido se mantiene con el tiempo.

Para evitar los efectos negativos de la fase REM del descanso, el nivel continuo equivalente máximo dentro de un dormitorio no debería de ser superior a los 30 – 35 dB(A). En caso de ruidos discontinuos, estos presentan una buena correlación con las interferencias con el descanso nocturno. Niveles bajos de 45 dB(A) producen efectos de falta de descanso, insomnio, cambios de la calidad del descanso, etc. Las medidas dirigidas a reducir los ruidos durante las primeras horas de la noche resultan las más efectivas. Los ruidos discontinuos son los que interrumpen el descanso. Si el nivel de ruido es elevado existirá cierta dificultad en poder dormir, aunque el dormir bien no es una cuestión de nivel sino de calidad sonora. Muchas personas pueden dormir en un trayecto corto dentro de un transporte público. El caso más extremo es quizás dormir dentro de un avión. La persona está sentada en un asiento bastante incómodo, totalmente vestida y además con un nivel de ruido elevado, aproximadamente de unos 85 dB(A), pero constante. En cambio estando en su habitación, estirados en su cama, con ropa cómoda y con un bajo nivel de ruido, no pueden dormir si escuchan el ritmo musical procedente de una actividad cercana con un nivel de poco más de 30 dB(A).

5.6.4. Interferencia con actividades mentales y psicomotoras.

Muchas personas han experimentado alguna vez la interferencia del ruido cuando desean realizar alguna actividad mental que requiera una atención como leer, estudiar, o sencillamente concentrarnos en alguna tarea. Se han propuesto diferentes mecanismos para explicar estas interferencias del sonido sobre la capacidad de concentración:

- Creación de un fondo acústico monótono que produce somnolencia.
- Competencia del sonido con el mecanismo de atención.
- Sobrecarga de estímulos.
- La sensación subjetiva de molestia o de estímulo no deseado.

5.7. Sonidos con finalidades terapéuticas.

Determinados sonidos resultan agradables al oído. La música produce sensaciones diferentes en función de la persona que las escucha y sobre todo de su estado de ánimo. Pero también la misma música por la misma persona puede suponer un grave inconveniente si es escuchada a altas horas de la noche. Algunas músicas con sonidos de origen oriental pueden propiciar sensaciones de relajación general. Cualquier música puede provocar unas reacciones determinadas. Algunas motivan y activan a las personas, otras invitan al relajamiento. Todas estas sensaciones suponen una predisposición por parte del usuario. Si se desea escuchar una música con "marcha", encontraremos poco adecuadas a las músicas "relajantes".

Cuando se desea estar en un estado de relajación y descansar, se pueden escuchar músicas o sonidos que inviten o propicien tal deseo. Pero realmente el único sonido que relaja es el silencio. Cualquier sonido entorpece el proceso de descanso nos guste o no. En ocasiones la música se utiliza para "tapar" otros ruidos no deseados y que nos distraen o nos impiden el descanso. Poniendo una música de fondo que no sea excesivamente rítmica, estamos propiciando una situación donde tenemos un nivel de ruido bastante constante. Este ruido constante produce somnolencia y facilita el descanso. Muchas personas se duermen con facilidad escuchando un programa de TV. La condición es que éste no sea interesante ni atraiga la atención. A pesar de que el programa presente unos niveles sonoros variables o con pausas en general las personas se duermen. Poner por ejemplo una música de fondo para poder leer o estudiar es realmente absurdo, ya que nadie puede escuchar realmente la música y simultáneamente realizar una tarea que requiere su total atención como leer o estudiar. En estos casos la música queda en un segundo plano donde sencillamente se impide que la persona sea distraída por la presencia de sonidos que puntualmente pueden generar distracción.

Los sonidos de las olas de mar, los saltos de agua, el sonido de la lluvia, son sonidos que mejoran la calidad del descanso. El ambiente exterior después de una lluvia es agradable, se respira mejor. Se dice que estos sonidos son relajantes y antiestrés. Ciertamente después de una noche de lluvia moderada, la ciudad despierta bastante cambiada. La circulación de tráfico durante las primeras horas del día es bastante relajada. Los vehículos no luchan entre ellos para llegar primero que los otros. Se respectan las distancias, incluso se puede salir de un estacionamiento sin dificultad porque se cede el paso amablemente. Naturalmente siempre hay excepciones, pero el cambio de actitud es bastante notorio. ¿Cuál es la causa?

No es el sonido de la lluvia lo que ha relajado a las personas. En el aire existen muchas partículas en suspensión. Entre otras, existen partículas que tienen carga eléctrica de signo positivo o negativo, son los llamados iones. La presencia de iones en el aire es bastante frecuente. Los iones positivos aparecen en la mayoría de procesos industriales del hombre. La climatización centralizada, los equipos electrónicos, la circulación de vehículos, la ropa sintética, zapatos con suela de goma, el suelo sintético, etc. son elementos que enfatizan la presencia de iones positivos. Los iones tanto positivos como negativos hacen que las plantas sean exuberantes, como es el caso de las selvas o vegetaciones de los climas tropicales que presentan gran concentración de iones.

Sobre las personas los iones positivos actúan de forma muy diferente a los negativos. Las cargas positivas potencian la actividad humana pero con una componente importante de agresividad e irritabilidad. Dos componentes que podemos reconocer en un cuadro de estrés. La absorción de los iones se realiza por la piel del cuerpo. Llevar ropa sintética o calzado muy aislante facilita que estemos permanentemente "cargados" positivamente aspecto que nos hace ser muy activos, pero también más agresivos. Podemos ver un ejemplo a diario en la circulación rodada en cualquier ciudad.

Los iones negativos en cambio hacen que las personas sean activas pero sin la componente de agresividad. Este tipo de iones se generan de forma natural con los saltos de agua, la lluvia, las olas del mar, etc. Son los iones negativos los que realmente relajan, no existe ningún sonido que relaje. No se puede imputar a determinados sonidos unos efectos que no le corresponden. Una concentración de iones localizada sobre la piel permite, además, una cicatrización de heridas mucho más rápida. Muchos hospitales disponen de sistemas de ionización negativa para mejorar las condiciones de salubridad y de recuperación de sus pacientes. El efecto más importante es la reducción del estrés debido a que los iones negativos reducen la hormona de la serotonina, que es conocida como la hormona del estrés. Últimamente van apareciendo en el mercado sistemas de climatización que incorporan ionizadores negativos para mejorar la calidad del aire. En parte estos sistemas compensan la generación de iones positivos que el propio equipo genera, de manera que el balance final puede ser la presencia neta de iones negativos en el ambiente.

Los países de la antigua órbita soviética, y Rusia especialmente, experimentaron mucho con estos elementos. Observaron que con determinadas condiciones climáticas, el número de suicidios aumentaba de forma espectacular. Un viento con una componente muy positiva es el Foehn, un viento seco del sur de Suiza que pasa por los Alpes al principio de la primavera y en el otoño. Cuando sopla este viento no se hacen intervenciones quirúrgicas en los hospitales de las zonas por donde pasa, a menos que sea un caso de vida o muerte, debido al elevado número de postoperatorios con complicaciones que se han observado con el paso de los años. Otros vientos de estas características son el siroco en Italia, y el mistral en Francia.

Efectos obtenidos respecto de la cantidad de iones negativos (por cc):

0-100 Dificultad de concentración, crecimiento de virus y gérmenes.

500-1000 Aire normal en un edificio con las ventanas abiertas cuando la contaminación es baja.

1000-5000 Aire fresco del campo, lejos de aglomeraciones urbanas, es el nivel mínimo que debería tener un hogar, dormitorio o lugar de trabajo.

5000 Aire excepcionalmente fresco y limpio.

50000 Aire puro, muy estimulante y relajante, los gérmenes no pueden vivir en este ambiente.

Concentración de iones negativos (por cc) en diferentes ubicaciones:

0-250 Edificios de oficinas cerradas herméticamente con aire acondicionado y calefacción central.

0-250 Ambiente interior con humo.

20-250 En el interior de un avión.

250-500 Ambiente interior normal.

250-750 Ambiente urbano en una ciudad industrial.

1000-2000 Ambiente del campo.

2000-5000 Ambiente de montaña.

2500-10000 Olas del mar rompiendo en la costa.

5000-20000 En el interior de cuevas.

25000-100000 Saltos de agua importantes.

5.8. Normativa Española. RD 286/2006.

La salud laboral de los trabajadores está siendo motivo de preocupación de los gobiernos de los países desarrollados, en las últimas décadas. Por ejemplo, la UE desde sus inicios ha desarrollado una amplia legislación sobre el tema, que progresivamente ha estado absorbida por los países miembros.

La aprobación del RD 286/2006 de 10 de marzo, sobre la protección de la salud y la seguridad de los trabajadores contra los riesgos relacionados con la exposición al ruido, permite disponer de una legislación actualizada. Ese cuerpo normativo está integrado por diversas directivas específicas. En el ámbito de la protección de los trabajadores contra los riesgos relacionados con la exposición al ruido ha sido adoptada la Directiva 2003/10/CE del Parlamento Europeo y del Consejo, de 6 de febrero de 2003, sobre las disposiciones mínimas de seguridad y de salud relativas a la exposición de los trabajadores a los riesgos derivados de los agentes físicos (ruido).

El real decreto introduce la excepción otorgada por la directiva para situaciones en que la utilización de protectores auditivos pueda causar un riesgo mayor para la seguridad o la salud que el hecho de prescindir de ellos, en determinadas condiciones y con una serie de garantías adicionales.

5.8.1. Ámbito de aplicación.
1. Las disposiciones de este real decreto se aplicarán a las actividades en las que los trabajadores estén o puedan estar expuestos a riesgos derivados del ruido como consecuencia de su trabajo.
2. Las disposiciones del Real Decreto 39/1997, de 17 de enero, por el que se aprueba el Reglamento de los Servicios de Prevención, se aplicarán plenamente al conjunto del ámbito contemplado en el artículo 1, sin perjuicio de las disposiciones más rigurosas o específicas previstas en este real decreto.

5.8.2. Valores límite de exposición y valores de exposición que dan lugar a una acción.
1. A los efectos de este real decreto, los valores límite de exposición y los valores de exposición que dan lugar a una acción, referidos a los niveles de exposición diaria y a los niveles de pico, se fijan en:
   a) Valores límite de exposición: $L_{Aeq,d} = 87$ dB(A) y $L_{pico} = 140$ dB(C), respectivamente;
   b) Valores superiores de exposición que dan lugar a una acción: $L_{Aeq,d} = 85$ dB(A) y $L_{pico} = 137$ dB (C), respectivamente;
   c) Valores inferiores de exposición que dan lugar a una acción: $L_{Aeq,d} = 80$ dB(A) y $L_{pico} = 135$ dB (C), respectivamente.

2. Al aplicar los valores límite de exposición, en la determinación de la exposición real del trabajador al ruido, se tendrá en cuenta la atenuación que procuran los protectores auditivos individuales utilizados por los trabajadores. Para los valores de exposición que dan lugar a una acción no se tendrán en cuenta los efectos producidos por dichos protectores.

3. En circunstancias debidamente justificadas y siempre que conste de forma explícita en la evaluación de riesgos, para las actividades en las que la exposición diaria al ruido varíe considerablemente de una jornada laboral a otra, a efectos de la aplicación de los valores límite y de los valores de exposición que dan lugar a una acción, podrá utilizarse el nivel de exposición semanal al ruido en lugar del nivel de exposición diaria al ruido para evaluar los niveles de ruido a los que los trabajadores están expuestos, a condición de que:

a) El nivel de exposición semanal al ruido, obtenido mediante un control apropiado, no sea superior al valor límite de exposición de 87 dB(A).

b) Se adopten medidas adecuadas para reducir al mínimo el riesgo asociado a dichas actividades.

Los parámetros para evaluar el lugar de trabajo utilizados por el Real Decreto 1316/89 son el nivel equivalente diario $L_{Aeq,d}$, el nivel pico L_{pico}, y en aquellos casos en que las características de un puesto de trabajo impliquen la variación significativa de la exposición al ruido entre diferentes jornadas de trabajo, se puede utilizar el nivel de exposición equivalente semanal $L_{Aeq,s}$.

Cada uno de estos parámetros se define como:
Nivel Equivalente Diario $L_{Aeq,d}$

$$L_{Aeq,d} = 10\log\left(\frac{1}{8}\sum_{i=1}^{m}T_i 10^{\frac{(L_{A,eq})_{T_i}}{10}}\right) \qquad \sum_{i=1}^{m}T_i = 8 \text{ horas} \qquad (5.2)$$

Donde:
$(L_{Aeq})_{Ti}$ es el nivel equivalente medido durante el periodo.
Nivel Equivalente Semanal $L_{Aeq,s}$

$$L_{Aeq,s} = 10\log\left(\frac{1}{5}\sum_{i=1}^{m}10^{\frac{(L_{A,eq}d)_i}{10}}\right) \qquad (5.3)$$

Donde el subíndice m indica el número de días trabajados y el índice i indica el nivel del día i-ésimo.
Nivel pico L_{pico}

$$L_{pico} = 10\log\left(\frac{p_{pico}}{p_0}\right)^2 \qquad (5.4)$$

Donde:
p_{pico} es el valor de pico de la presión acústica instantánea.
p_0 presión de referencia $2\cdot10^{-5}$ N/m^2

Las mediciones deberán realizarse, siempre que sea posible, en ausencia del trabajador afectado, colocando el micrófono a la altura donde se encontraría su oído. Si la presencia del trabajador es necesaria, el micrófono se colocará, preferentemente, frente a su oído, a unos 10 centímetros de distancia; cuando el micrófono tenga que situarse muy cerca del cuerpo deberán efectuarse los ajustes adecuados para que el resultado de la medición sea equivalente al que se obtendría si se realizara en un campo sonoro no perturbado.

5.8.3. Medición del Nivel de exposición diario equivalente ($L_{Aeq,d}$)

Sonómetros: los sonómetros (no integradores-promediadores) podrán emplearse únicamente para la medición de Nivel de presión acústica ponderado A (LpA) del ruido estable. La lectura promedio se considerará igual al Nivel de presión acústica continuo equivalente ponderado A ($L_{Aeq,T}$) de dicho ruido. El Nivel de exposición diario equivalente ($L_{Aeq,d}$) se calculará con las expresiones dadas en el punto 4 del anexo 1. Los sonómetros deberán ajustarse, como mínimo, a las especificaciones de la norma UNE-EN 60651:1996 para los instrumentos de «clase 2» (disponiendo, por lo menos, de la característica «SLOW» y de la ponderación en frecuencia A) o a las de cualquier versión posterior de dicha norma y misma clase.

Sonómetros integradores-promediadores: los sonómetros integradores-promediadores podrán emplearse para la medición del Nivel de presión acústica continuo equivalente ponderado A ($L_{Aeq,T}$) de cualquier tipo de ruido. El Nivel de exposición diario equivalente ($L_{Aeq,d}$) se calculará mediante las expresiones dadas en el punto 4 del anexo 1.

Los sonómetros integradores-promediadores deberán ajustarse, como mínimo, a las especificaciones de la norma UNE-EN 60804:1996 para los instrumentos de «clase 2» o a las de cualquier versión posterior de dicha norma y misma clase.

Dosímetros: los medidores personales de exposición al ruido (dosímetros) podrán ser utilizados para la medición del Nivel de exposición diario equivalente ($L_{Aeq,d}$) de cualquier tipo de ruido. Los medidores personales de exposición al ruido deberán ajustarse a las especificaciones de la norma UNE-EN 61252:1998 o a las de cualquier versión posterior de dicha norma.

5.8.4. Medición del Nivel de pico (L_{pico})

Los sonómetros empleados para medir el Nivel de pico o para determinar directamente si se sobrepasan los límites o niveles indicados en el articulo 4 deberán disponer de los circuitos específicos adecuados para la medida de valores de pico. Deberán tener una constante de tiempo en el ascenso igual o inferior a 100 milisegundos, o ajustarse a las especificaciones establecidas para este tipo de medición en la norma UNE-EN 61672:2005 o versión posterior de la norma.

Capítulo 6
LA SONORIDAD DEL SONIDO

6.1. Sonoridad de una señal acústica.

Aunque para algunas áreas de la Acústica la reacción humana no se tiene en cuenta, en Acústica Ambiental es fundamental poder evaluar el grado de molestia que el ruido genera sobre la población. Todos los campos de trabajo de la Acústica Ambiental están dirigidos a estudiar y minimizar el impacto sonoro que provocan determinadas actuaciones sobre el hombre o la comunidad. Estas consideraciones conducen al estudio tanto de las magnitudes físicas, como de las sensaciones subjetivas que los sonidos generan sobre el hombre.

Un sonido puede caracterizarse físicamente por su espectro, donde se encuentran dos magnitudes físicas que lo definen: frecuencia y amplitud. La frecuencia de un sonido genera una sensación que se llama tono o sensación de agudeza. Entre dos sonidos parece más agudo aquel que tenga una frecuencia más elevada. La amplitud de un sonido genera una sensación que llamaremos intensidad. Entre dos sonidos nos parecerá más intenso aquel que presente unas variaciones de presión acústica más grandes. En principio a mayor nivel de señal más sensación de nivel, el sonido suena más fuerte. Pero esta afirmación no siempre es cierta, ya que para distintas frecuencias la sensibilidad del oído es distinta, y a su vez esta sensibilidad en frecuencia depende del nivel del sonido. Hay que hablar entonces de sonoridad de un sonido, como la sensación subjetiva que una presión acústica a una frecuencia determinada produce sobre el sentido auditivo. La valoración subjetiva del ruido es un aspecto poco conocido y que depende de múltiples factores. No se disponen de indicadores que sean suficientemente fiables para evaluar todas las sensaciones que un sonido puede producir sobre las personas. A igualdad de presión acústica, aquellos casos donde las señales sonoras producen una sensación de nivel más elevado tienen componentes en frecuencia cercanas a los 3 kHz donde nuestro oído es más sensible. En esencia la sonoridad tiene en cuenta tanto a la frecuencia como a la amplitud de la señal acústica, de acuerdo con unas curvas obtenidas experimentalmente con una muestra significativa de personas.

Si estas sensaciones subjetivas dependieran únicamente de un solo parámetro físico, encontrar la correlación entre magnitud física y sensación subjetiva seria mucho más sencillo de lo que es en realidad. El hecho de que la percepción de la tonalidad de un sonido dependa también de su amplitud, y la sonoridad de un sonido dependa también de la frecuencia, complica esta correlación. Además, la procedencia geográfica de la persona, su cultura, su área de trabajo profesional, etc. condicionan en gran medida como se valora un sonido. Por ejemplo, determinados atributos del sonido de un vehículo a motor, pueden ser apreciados positivamente por algunos profesionales vinculados al sector, como ingenieros, mecánicos, pilotos, etc. mientras que para otros colectivos, como administrativos, abogados, gerentes, etc. con la misma edad y probablemente con similar respuesta auditiva, son valorados negativamente. Que el sonido se perciba con mayor o menor intensidad, no es simplemente una cuestión de amplitud y de frecuencia, intervienen otros factores importantes como los culturales, el período horario, etc.

De todo esto se obtiene una conclusión que la propia experiencia diaria nos confirma; el oído humano no tiene la misma sensibilidad a todas las frecuencias. El conjunto oído humano - cerebro es un órgano muy complejo que realiza potentes tareas sin precisar de nuestra atención. Un aspecto muy importante es conocer lo que se llama sensación de sonoridad. El nivel de presión se utiliza para evaluar un aspecto físico del sonido. Podemos decir que la presión acústica es la medida "grosera" del sonido, donde únicamente se valora una magnitud física. La respuesta de nuestro oído no es plana, y por tanto la sensación subjetiva que un sonido produce no depende únicamente del nivel de señal, sino de las componentes en frecuencia implicadas. La respuesta subjetiva de las personas no correlaciona bien con las medidas procedentes de un simple sonómetro. La sonoridad es la medida de "como suena" el sonido. La sonoridad se mide en Sons.

6.2. Valoración de la Sonoridad.

Como ya se ha avanzado, la sonoridad subjetiva que percibe un oyente es función del nivel de presión sonora y de su frecuencia. Si partimos de dos sonidos puros con una única frecuencia, el nivel de presión sonora es una magnitud directamente proporcional con la sonoridad, pero si comparamos dos sonidos con dos frecuencias diferentes esto no se cumple. Cualquier sonido se puede descomponer en una serie de frecuencias simples mediante la transformada de Fourier. Como es bastante improbable, que dos sonidos tengan exactamente la misma descomposición espectral en frecuencias simples, se evidencia que el nivel de presión sonora de un sonido complejo no es suficiente para evaluar la sonoridad de éste.

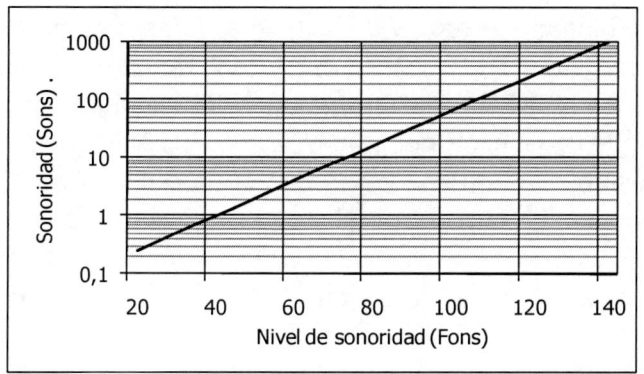

Fig. 6.1. Relación entre la sonoridad y el nivel de sonoridad de un sonido.

Durante varias décadas y hasta aproximadamente los años 60 se realizaron un gran número de experiencias, encaminadas a conseguir una descripción isofónica del campo audible por el oído humano. Para esta descripción se utiliza una magnitud llamada *son* (*sone, sonio*) para medir la sensación de sonoridad. El nivel de sonoridad es la expresión de la sonoridad en dB, y su unidad es el *fon* (*phon, fonio*). El nivel de referencia de 1 Son corresponde a 40 Fons, que es el nivel de sonoridad de un sonido con una presión acústica de 40 dB a la frecuencia de 1 kHz.

La relación entre Son y Fon se puede encontrar con la expresión (6.1). La figura 6.1. representa esta expresión.

$$S = 2^{\frac{fons-40}{10}} \tag{6.1}$$

Las curvas isofónicas representan los estados de frecuencia y nivel de presión sonora, que generan el mismo nivel de sonoridad. Estas curvas se consiguen comparando dos tonos, uno de referencia de 1kHz y el otro de la frecuencia que se está analizando. Así, un tono de 60 fon genera la misma sensación de sonoridad que un tono de 1kHz, con un nivel de presión sonora de 60 dB. Nótese que se habla de sensación sonora percibida por un individuo, y no únicamente de nivel de presión acústica. Por definición, el nivel de sonoridad a cualquier frecuencia se referencia al nivel de sonoridad a la frecuencia de 1 KHz.

Las primeras gráficas de igual sonoridad están fechadas en los años 30 con los trabajos de Flecher y Munson. Actualmente las curvas de igual nivel de sonoridad (isofónicas) aceptadas internacionalmente son las publicadas por Robinson y Dadson (1956). Estas curvas fueron obtenidas analizando muchas personas con el oído normal. Escuchaban tonos puros procedentes de un altavoz en campo libre (cámara anecoica). Al sujeto se le presentaba siempre primero el tono de referencia a 1 kHz con un nivel determinado, por ejemplo 60 dB. Posteriormente se le presentaba un segundo tono de una frecuencia diferente, por ejemplo 200 Hz. El nivel del tono a la frecuencia de 200 Hz se ajusta para producir el mismo nivel de sonoridad que el tono de 1 kHz. Cuando esto se consigue, se anota el nivel correspondiente, se pasa a otra frecuencia y se repite el proceso. De esta manera se obtiene la curva isofónica a 60 Fons. Subiendo y bajando el nivel de referencia se obtiene la familia de gráficas de la figura 6.2.

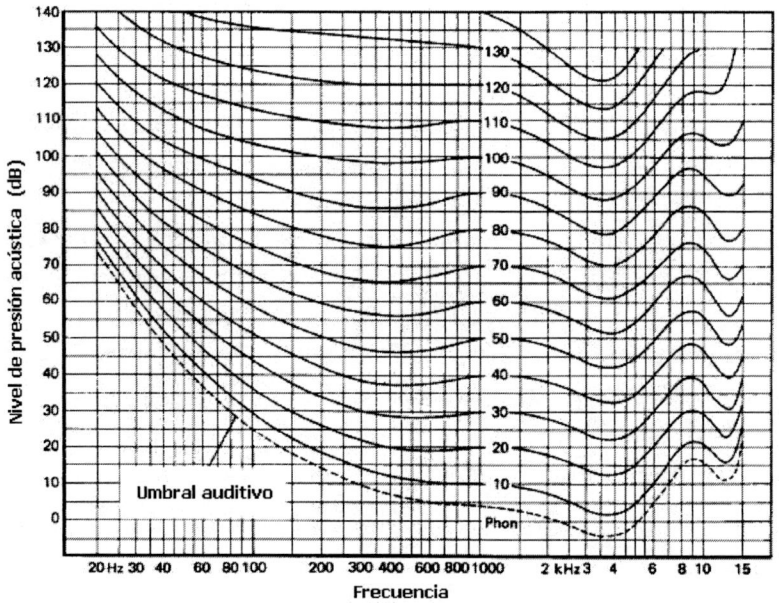

Fig. 6.2. Curvas Isofónicas de Robinson y Datson (1956).

El nivel sonoro más bajo perceptible por el oído humano es el llamado umbral auditivo. Sonidos con un nivel por debajo de este umbral no pueden ser escuchados por la mayoría de la población. El umbral auditivo para cada persona puede variar de unas a otras, ya que los estándares se han obtenido con una muestra amplia de población. Es posible que algunas personas puedan escuchar sonidos con niveles por debajo de la media, esto no es un hecho excepcional. Asímismo se habla de valores globales de sonido, pero realmente el oído no tiene la misma sensibilidad para bajas frecuencias que para altas frecuencias.

Nótese que para escuchar un sonido de baja frecuencia con el mismo nivel de sonoridad que un sonido de frecuencias medias, hay que subir su nivel unas decenas de dB. Esto es lo que habitualmente se hace de forma intuitiva para escuchar la música. Se aumentan el nivel de los graves y de los agudos, y de esta manera se compensa la falta de sensibilidad del oído en estas frecuencias. Pero el sentido auditivo es bastante complejo. Nótese que a medida que sube el nivel de sonoridad, las curvas se hacen cada vez más planas. Esto significa que para escuchar música a niveles elevados, no es necesario enfatizar los graves y los agudos en la misma proporción que para escuchar la música con niveles más moderados.

La respuesta de nuestro sentido auditivo es logarítmica con el estímulo. Así un sonido con una sonoridad de 1 Son equivale a 40 Fons (por definición), un nivel de 2 Sons equivale a 50 Fons, un nivel de 4 Sons equivale a 60 Fons, y así sucesivamente. Doblar la sonoridad equivale a incrementar 10 Fons. Si además estamos justamente a la frecuencia de 1 kHz, estos incrementos de 10 Fons coincidirán con los 10 dB de incremento de nivel de presión acústica. Generalizando se puede decir que un incremento de 10 dB produce un incremento aproximado del doble de sonoridad. El vocablo "aproximado", viene condicionado por la frecuencia. Nótese que a frecuencias bajas esta afirmación no es estrictamente cierta. Esto limita nuestro margen dinámico en estas bandas.

Estas curvas posteriormente han sido estandarizadas como una norma internacional ISO 226:1987, y han sido las vigentes hasta la aparición de la ISO 226:2003 que modifica este estándar. Como ya se ha comentado anteriormente, estas curvas son válidas únicamente para tonos puros. Esto descarta a prácticamente todos los sonidos que podemos encontrar producidos por la actividad humana, que son generalmente complejos. La determinación de las curvas de igual nivel de sonoridad se ha basado en la aportación de diversos estudios. Todos estos trabajos han utilizado diferentes técnicas de presentación de los sonidos a los "pacientes" y con diferentes márgenes de frecuencia de análisis.

Por ejemplo el trabajo de Fletcher - Munson (1933) se basó en una muestra de personas que en el año 1929 visitaban la World Trade Fair de NY, empleando auriculares con corrección para reproducir los sonidos, y con un margen de frecuencia entre 62 Hz y 16 kHz. El trabajo de Robinson - Datson (1956) se basó en una muestra de personas de edades comprendidas entre los 16 años y los 63 años, y utilizaba un margen en frecuencia de 25 Hz a 15 kHz trabajando en campo libre. Los más recientes de Takeshima (2001) se basan en personas con edades comprendidas entre los 18 años y los 25 años, medido en campo libre y entre 50 Hz y 16 kHz, y posteriormente el año 2002 con una muestra de personas entre 20 y 25 años y con un margen de frecuencias entre 1 kHz y 12,5 kHz.

Cuando se produce un sonido y se le añade otro el incremento de sonoridad percibida depende de la relación en frecuencia entre ambos. La teoría de la posición auditiva y la percepción tonal intervienen en este proceso. Si el segundo tono está muy separado del primero, ambos tonos no compiten para destacar dentro del mismo segmento de la membrana basilar. En este caso, si el segundo tono tiene el mismo nivel de sonoridad que el primero, el resultado es una sonoridad final doble.

Pero si ambos tonos se encuentran muy próximos en frecuencia y están dentro de una misma banda crítica, se produce un efecto de saturación de la cóclea, de tal suerte que la sonoridad conjunta de los dos tonos se incrementa ligeramente, pero no se dobla como en el caso anterior. Esta saturación es debida a que las células ciliadas en la banda crítica afectada, no pueden disparar más rápidamente.

6.3. Estándar ISO 226:2003.

Un equipo internacional de expertos formado principalmente por estudiosos japoneses y con la colaboración de alemanes, daneses, ingleses y americanos, han desarrollado unas nuevas curvas de igual sonoridad. Estas quedan resumidas en un "draft" del 15 Agosto de 2003. El nuevo estándar de las curvas de igual nivel de sonoridad es la ISO 226 :2003. Las diferencias entre los trabajos de Fletcher - Munson y Robinson - Datson comparados con la reciente propuesta ISO 226:2003, se muestran en la figura 6.3.

Recientemente se ha despertado de nuevo el interés por las curvas de igual nivel de sonoridad. Este interés se ha originado con unos trabajos de Fastl y Zwicker (1987) que observaron dispersión de valores en la región cercana a los 400 Hz. Estas desviaciones se confirman poco después con los trabajos de Betke y Mellert (1989), Suzuki (1989), Fastl (1990) entre otros. Los nuevos trabajos muestran que las bandas por debajo de los 800 Hz ofrecen niveles más elevados que los indicados por Robinson y Datson (1956). Por ejemplo, para la curva de 40 Fons se obtienen diferencias de 12,7 dB a 20,6 dB a la frecuencia de 125 Hz.

Se observan unas diferencias bastante importantes, especialmente en las bajas frecuencias. Se observa un ligero desplazamiento de la máxima sensibilidad de los 4 kHz a los 3,5 kHz. Por otro lado aparece una disminución de sensibilidad a la frecuencia cercana a los 1,3 kHz. Este nuevo estándar se espera que tenga un papel muy importante en el desarrollo de tecnologías de audio de gran precisión dentro del mundo digital.

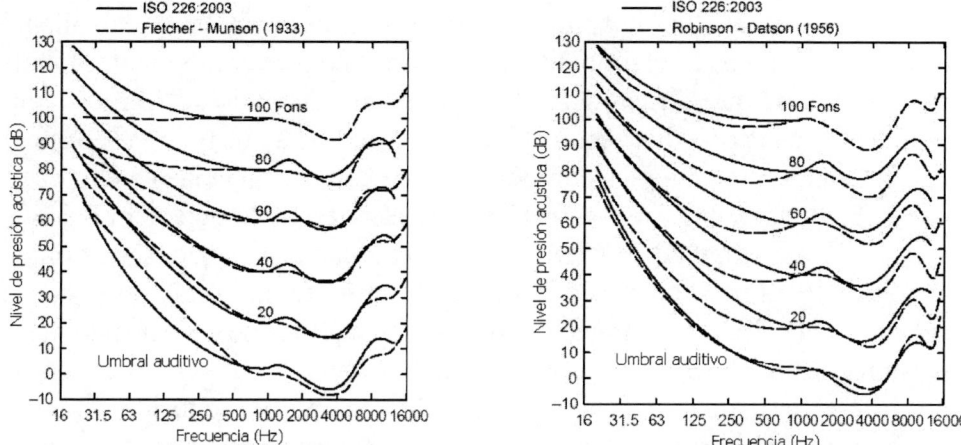

Fig. 6.3. Propuesta de nuevo estándar ISO 226:2003 con las nuevas curvas isofónicas.
Izquierda, respecto de los trabajos de Fletcher – Munson (1933).
Derecha, respecto de los trabajos de Robinson – Datson (1956).

Uno de estos campos es la compresión de datos para música, y la determinación de la frecuencia óptima para los sistemas de alta definición de audio. El aspecto más esperado es el referente a la medida del ruido, donde probablemente se pueda profundizar en encontrar métodos para evaluar eficientemente la sonoridad de un sonido. La ecuación que define exactamente la sonoridad para niveles muy bajos no está del todo clara.

Como se puede observar en la figura 6.3. la principal diferencia en ambos casos está en las bajas frecuencias. Globalmente, se observa una disminución de la sensibilidad para cada nivel de sonoridad. Esto coincide con los resultados de algunos trabajos sobre la capacidad auditiva de los jóvenes realizados recientemente por el autor.

6.4. Cálculo de la sonoridad.

La mayoría de sonidos en la vida real son señales complejas, tanto en frecuencia como temporalmente. Las gráficas anteriores aplicables únicamente a tonos puros no sirven para evaluar la sonoridad de una señal compleja donde existen diferentes frecuencias con diferentes amplitudes. P.F. King el año 1947 con su obra *Aeromedical aspects of Vibration and Noise* fue seguramente el primero en proponer un método para calcular la sonoridad percibida de una señal de sonido complejo. Unos años más tarde aparecieron dos métodos diferentes para evaluar la sonoridad de un sonido complejo.

6.4.1. Método de Stevens MARK VI. ISO 532-A:1975.

La norma ISO 532A es el método que Stanley S. Stevens en el año 1966 propuso para evaluar la sonoridad de un sonido. Es el primer método desarrollado para evaluar la sonoridad de un sonido complejo, y es aplicable únicamente a señales en campo difuso y sin presencia de componentes tonales puras. A pesar de que el método de Stevens es muy fácil de utilizar, el campo de aplicación en la práctica es muy restringido debido a que no tiene en cuenta el efecto enmascarante de las componentes de baja frecuencia.

S.S. Stevens publica el año 1961, y después de muchos trabajos de investigación, el método MARK VI para evaluar la sonoridad de sonidos complejos. El nivel de sonoridad de cada banda toma como referencia la banda de 1 kHz. Stevens demuestra que con este método se obtiene una mayor precisión que con los métodos que simplemente suman los valores en sonidos de las diferentes bandas de octava. Para evaluar el nivel de sonoridad se dibuja el perfil espectral en tercios de octava sobre las curvas del método Mark VI como muestra la figura 6.8. Para cada banda se encuentra el nivel parcial de sonoridad, que permitirá obtener posteriormente el nivel global de sonoridad con la ecuación (6.2). Debe tenerse presente que el perfil espectral utilizado para evaluar su sonoridad es lineal, o sea, sin ningún tipo de ponderación.

La ecuación de cálculo de la sonoridad es la siguiente:

$$\text{Sonoridad} = S_m + f \left[\sum_{i=1}^{n} S - S_m \right] \tag{6.2}$$

Donde:

$\sum S$ es la suma de todos los niveles de sonido de cada banda.

S_m es el valor máximo de sonoridad.

f es una constante que vale $f = 0{,}3$ cuando el análisis es hace por octavas, o bien

$f = 0{,}15$ cuando se analiza en tercios de octava.

La figura 6.4. muestra el gráfico para obtener la sonoridad de un sonido según el método de Stevens Mark VI. El sonido debe ser previamente analizado en tercios de octava. Por ejemplo, el ruido del interior de un restaurante lleno de comensales y el ruido de una carretera densamente transitada como la N-II a su paso por el Maresme. La figura 6.4. muestra el espectro en tercios de octava para ambos ruidos.

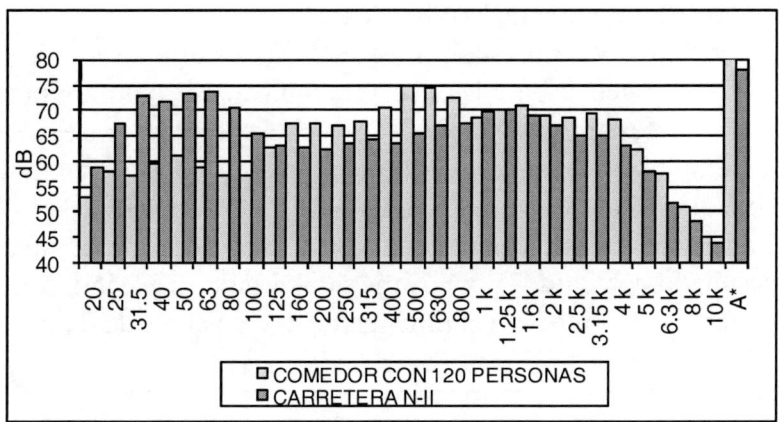

Fig. 6.4. Espectro de ruido en el interior de un restaurante y en una carretera. Nótese la diferencia en su distribución espectral.

A los ruidos mostrados en la figura 6.4 se les aplica el método de Stevens Mark VI mostrado en la figura 6.5.

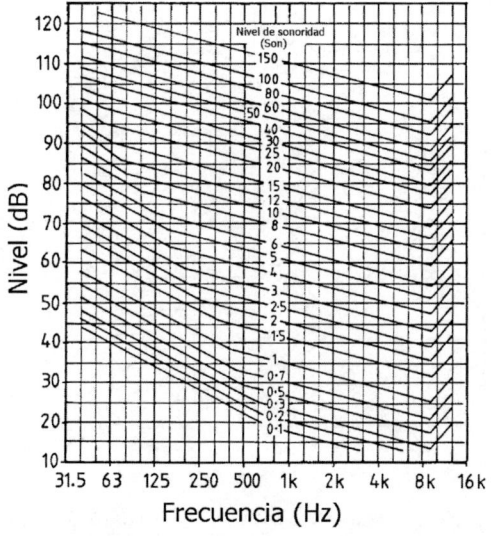

Frecuencia (Hz)

Fig. 6.5. Gráfico para el cálculo de sonoridad de sonidos con el método de Stevens Mark VI a partir de su espectro en tercio de octava.

	Restaurante	Carretera N-II
Nivel de presión acústica (dB(A)	81,1	77,9
Nivel de sonoridad (Sons)	36	30,6

Tabla 6.1. Ejemplo de cálculo de la sonoridad según método de Stevens Mark VI.

6.5.2. Método de Stevens MARK VII.

El método Mark VII no está normalizado. Utiliza una serie de curvas de ponderación en frecuencia basadas en el promedio de 25 contornos obtenidos de datos experimentales. En este método la frecuencia de referencia es de 3.150 Hz. Las curvas empleadas en este método (Figura 6.9.) son bastante diferentes a las del método Mark VI, y se parecen más a las conocidas de Robinson y Datson. Las ecuaciones de cálculo son las mismas que para el método Mark VI. Los resultados obtenidos por los métodos Mark VI y Mark VII son muy similares aunque con un desnivel prácticamente constante de 8 dB.

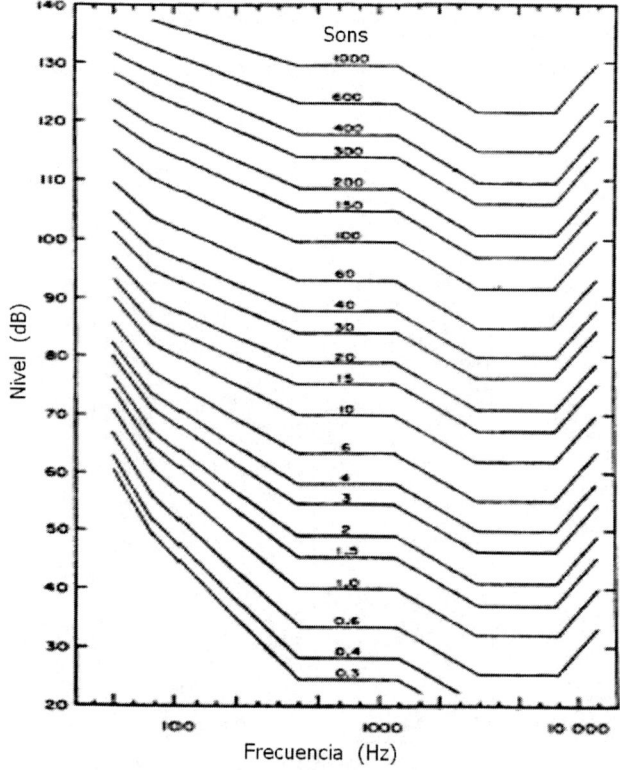

Fig. 6.6. Curvas para evaluar el nivel de sonoridad.
Método de Stevens Mark VII.

6.5.3. Método de Zwicker. ISO 532B:1975.

Eberhard Zwicker presentó el año 1975 un método alternativo para el cálculo del nivel de sonoridad. Es un método aplicable tanto a campo difuso como a campo libre, y admite discretamente la presencia de componentes tonales puras. La principal novedad respecto del método de Stevens es que tiene en cuenta el efecto de enmascaramiento. Por este motivo el método de Zwicker es preferible, aunque sin la ayuda de un programa informático específico, los cálculos son bastante complejos.

Realmente este método, al utilizar la distribución de energía en bandas críticas en lugar de hacerlo en octaves o tercios de octava, da unos resultados más realistas. La principal diferencia respecto el método de Stevens Mark VI, es el efecto de enmascaramiento de las bajas frecuencias sobre las adyacentes superiores que son tenidos en cuenta en este método. La novedad de este método radica en el hecho de considerar una nueva distribución de bandas de frecuencias para evaluar la sonoridad. Los especialistas en audición, como Zwicker, consideran que el oído se comporta como un conjunto de 24 receptores independientes. Cada uno de estos receptores presenta una sensibilidad propia y dispone de una sensibilidad, frecuencia central y ancho de banda distintas. En la tabla 6.2. se muestran las frecuencias centrales y el ancho de banda de cada una de las 24 bandas críticas.

Frecuencia Central	Ancho de Banda
50	100
150	100
250	100
350	100
450	110
570	120
700	140
840	150
1000	160
1170	190
1370	210
1600	240
1850	280
2150	320
2500	380
2900	450
3400	550
4000	700
4800	900
5800	1100
7000	1300
8500	1800
10500	2500
13500	3500

Tabla 6.2. Frecuencias centrales y ancho de banda para las bandas críticas del oído.

Para comprobar la presencia de las bandas críticas se aplica un ruido de banda estrecha que se sitúe dentro de una banda crítica. En estas condiciones se percibe el sonido con una determinada sonoridad. Si se desplaza la frecuencia central del ruido sin modificar su amplitud, de manera que la banda de ruido quede ahora entre dos bandas críticas, la sonoridad del sonido aumenta, ya que las dos bandas críticas son excitadas por el ruido. Hasta las frecuencias cercanas a los 400 Hz, el oído humano tiene un filtrado de banda constante, mientras que para frecuencias mayores el ancho de banda aumenta progresivamente (filtro de porcentaje constante).

Fletcher y Munson sugieren la posibilidad de que el nivel de sonoridad sea proporcional al número de impulsos por segundo que llegan a las fibras nerviosas. Posteriormente se ha comprobado que dos tonos cercanos, que inciden sobre la misma banda crítica, pueden sumar sus efectos de sonoridad, y que determinadas bandas de frecuencias se pueden agrupar. Zwicker, Flottorp, y Stevens publican un trabajo el año 1957 donde a este agrupamiento de frecuencias lo llaman *frequenzgruppen*. Estos grupos son realmente las llamadas bandas críticas. La anchura de estos grupos la determinaron los estudios de Fletcher y Munson experimentalmente.

Para estudiar la sonoridad de un sonido, se descompone el sonido complejo en frecuencias simples centradas sobre las bandes críticas. Para cada una de ellas se mide el nivel de presión sonora y se obtiene el nivel de sonoridad en Fons mediante una ecuación. Este nivel en Fons se convierte a nivel en Sons, y una vez sumados, dan la sonoridad del sonido complejo. Las bandas críticas tienen una anchura constante de 100 Hz para frecuencias inferiores a los 400 Hz aproximadamente, y tienen una anchura de 1/3 octava para frecuencias superiores, siguiendo el funcionamiento del oído humano. Zwicker desarrolla un método gráfico para evaluar la sonoridad de un sonido complejo, que podemos ver resumido en la figura 6.7. El método de Zwicker da unos niveles de 5 Fons más que el método de Stevens.

En la figura 6.7. se muestra como se realiza el cálculo del nivel de sonoridad de un ruido con el método de Zwicker. El área cerrada por el nivel distribuido en bandas del ruido es igual al área que queda por debajo de la línea horizontal, que nos da el nivel total de sonoridad.

Cabe destacar que las gráficas de Zwicker son en realidad una familia de gráficas que tienen un margen dinámico de 50 dB. El ejemplo mostrado en la figura 6.10. es para niveles sonoros entre 40 dB y 90 dB. Existen otras gráficas que permiten evaluar sonidos de 20 dB a 70 dB por ejemplo, o para niveles superiores, pero siempre con un margen dinámico de 50 dB. Como en el caso de Stevens debe conocerse la distribución espectral de la señal en tercios de octava. En el caso de Zwicker, el análisis en frecuencia debe ser estrictamente por bandas críticas normalizadas.

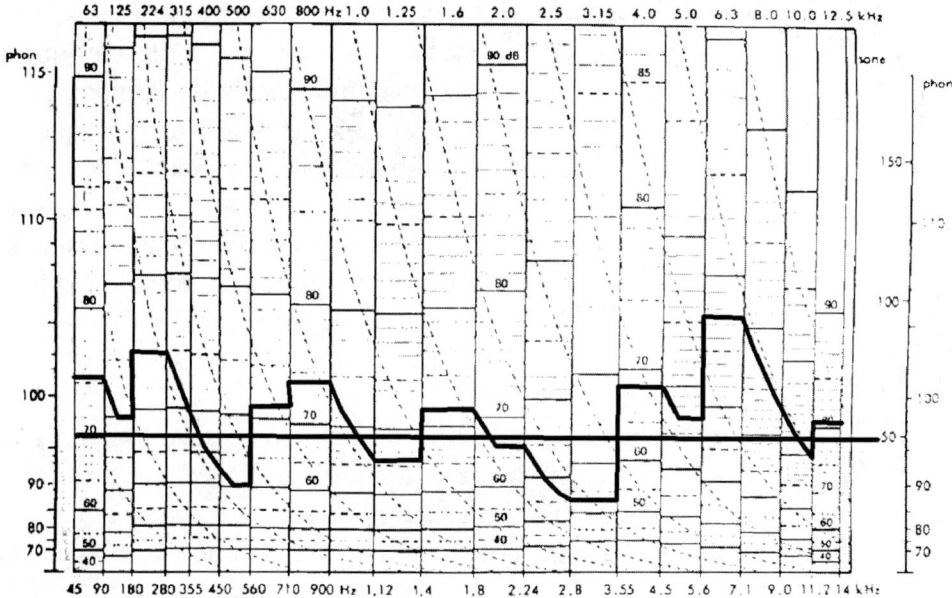

Fig. 6.7. Ejemplo de cálculo del nivel de sonoridad de un ruido con el método de Zwicker.

Como muestra la figura 6.7 se ha dibujado el espectro de la señal en tercios de octava (trazos horizontales). Una vez hecho esto y comenzando por la parte izquierda del gráfico (baja frecuencia), se dibujan las pendientes del efecto de enmascaramiento, siguiendo las líneas discontinuas de ayuda que el mismo gráfico proporciona. El efecto de enmascaramiento únicamente se produce cuando una banda supera en nivel a la inmediatamente superior en amplitud. Cabe destacar que estas "pendientes" corresponden al fenómeno de enmascaramiento. Las líneas de puntos sirven de guía. Cuanto más sube el nivel de la banda de baja frecuencia respecto del nivel de la banda adyacente superior, más importante es el efecto de enmascaramiento, hasta el punto de que algunas bandas del ruido quedan "tapadas" y por tanto no pueden ser escuchadas ni contribuyen pues a la sonoridad global. En la figura 6.7. las bandas de 350 y de 450 Hz están parcialmente enmascaradas por la banda de 250 Hz.

6.6. Evaluación del Grado de Molestia.

Un sonido puede sonar fuerte y en cambio no ser molesto. Otros en pueden tener un nivel moderado y en cambio resultar muy molestos. El profesor Karl

D. Kryter ha publicado innumerables trabajos sobre el grado de molestia que el ruido de aviación produce sobre la población, y sus trabajos han supuesto un gran avance en este ámbito.

La evolución del sonido también puede motivar o producir molestia. Un sonido discontinuo o intermitente ocasiona siempre más molestias que un sonido constante o con suaves fluctuaciones. La fluctuación del sonido permite que una persona se percate de su presencia con más facilidad, mientras que si es continuo, las personas se habitúan. Un estudio realizado a principios de los años 90 en un área cercana a una carretera, demostraba que el número de quejas por el ruido era especialmente importante durante los primeros años de residencia en la zona. Pasado este tiempo el número de quejas bajaba notablemente. La causa no era otra que la habituación al ruido de los residentes.

6.6.1. Método de Kryter.

Karl D. Kryter desarrolló el año 1959 el concepto de nivel de ruido percibido L_{pn}. El concepto de molestia del ruido supuso la introducción de un parámetro basado en las sensaciones subjetivas y personales. A partir de datos estadísticos Kryter desarrolló una serie de curvas donde las unidades de molestia son los Noys. Su forma recuerda vagamente las de igual sonoridad de S.S. Stevens. Estas gráficas se pueden ver en la figura 6.8.

El origen de los estudios de K. D. Kryter fue desarrollar un indicador para valorar la molestia que ocasionaba el ruido de aviación sobre la población. Los primeros estudios se modificaron posteriormente, para incluir la valoración del efecto de las componentes tonales del ruido, cosa muy frecuente en ruido de aviación. Este nuevo indicador es el llamado Effective Perceived Noise Level (EPN) y se expresa en dB. Como no era fácil aplicar este nuevo criterio de una forma simple en todas las medidas de ruido, se desarrolló la ponderación D, basada en un igual nivel de molestia percibida y que recoge la normativa IEC 537, de 1976. Esta ponderación se puede aplicar únicamente para evaluar la molestia del ruido de aviación. Con la tecnología existente en la actualidad sería posible implementar los filtros para que actuaran en función de la amplitud de la señal. Sin embargo a pesar de ello, se sigue utilizando la tecnología de los años 60, con los inconvenientes y limitaciones que ello conlleva.

El grado de molestia de un sonido complejo se calcula con la expresión siguiente.

$$N = N_m + f \sum_i \left(N_i - N_m\right) \tag{6.3}$$

Donde:

N_i es el valor en *noys* de la banda *i* extraída de unas curvas de igual sonoridad.

N_m es el valor máximo de las diferentes sonoridades.

f es una constante que adopta el valor f = 0,15 para sonidos analizados en 1/3 de octava. f = 0,3 para sonidos analizados en 1/1 de octava.

A partir de este valor podemos definir el Nivel Sonoro Percibido como:

$$L_{PN}\,(\text{dBPN}) = 40 + 33,22 \cdot \text{LogN} \tag{6.4}$$

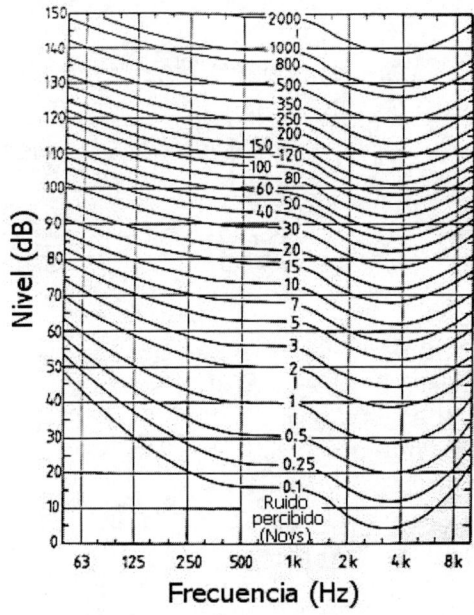

Fig. 6.8. Curvas de igual nivel de molestia.

Se mide en decibelios de ruido percibidos o dB(PN). Este indicador apareció con la irrupción de los motores a reacción en la aviación, utilizándose para su cálculo los análisis en octavas. Con la aparición de los motores "turbofan" con características espectrales diferentes, se utiliza el análisis en 1/3 de octava y se aplican otras correcciones más elaboradas, que dan lugar al decibelio efectivo percibido dB(EPN).

6.7. Nivel efectivo de percepción de molestia. L_{EPN}.

Este indicador fue desarrollado principalmente por K. D. Kryter. Esta escala de valoración se aplica especialmente para ruido de aviación, y tiene en cuenta el espectro de la señal y su duración. La expresión se muestra en la ecuación 6.5.

$$L_{EPN} = L_{TPN_{max}} + D \qquad (6.5)$$

Donde:

L_{TPNmax} es el valor máximo obtenido durante el sobrevuelo del avión del nivel corregido con las componentes tonales L_{TPN}

$$L_{TPN} = L_{PN} + C \qquad (6.6)$$

Donde:

C es una corrección por componente tonal aplicada cuando una banda de tercio de octava supera a las adyacentes.

D es un factor corrector temporal dado por la expresión 6.7.

$$D = 10 \cdot \log\left(\frac{\tau}{\tau_{ref}}\right) \qquad (6.7)$$

Donde:

$\tau_{ref} = 10$ s.

El valor de τ viene dado por la expresión 6.8.

$$\tau = 10^{-\frac{L_{TPN_{max}}}{10}} \int_{-\infty}^{+\infty} 10^{\frac{L_{TPN}}{10}} \, dt \qquad (6.8)$$

El nivel efectivo de percepción de molestia viene dado por la expresión 6.9.

$$L_{EPN} = 10 \cdot \log\left[\frac{1}{\tau_{ref}} \int_{-\infty}^{+\infty} 10^{\frac{L_{TPN}}{10}} \, dt\right] \qquad (6.9)$$

El tiempo de referencia es de 10 s. En la práctica la integración se limita o acota a un intervalo finito donde se cumple la desigualdad 6.10.

$$L_{TPN} \geq L_{TPN_{max}} - 10dB \qquad (6.10)$$

Este indicador ha sido adoptado por la Organización de Aviación Civil Internacional (OACI) como indicativo del nivel de ruido percibido. Nótese que el resultado no se expresa en dB(A).

6.8. Sonoridad de señales impulsivas.

Hasta la fecha se ha encontrado que en las señales de corta duración, la sonoridad es proporcional a su energía (amplitud x duración). Sin embargo, muchos estudios muestran resultados contradictorios. Algunos investigadores encuentran que la sonoridad varía menos rápidamente que la energía cuando la duración aumenta. Otros autores en cambio encuentran que la sonoridad varía más rápidamente que la energía cuando su duración aumenta.

Los estudios de Cavé y Chocholle, 1979; Coles y Rice, 1968; Mery, 1967 y Port, 1963, revelan que para las señales impulsivas de intensidad constante, la sonoridad aumenta con un incremento de duración.

Según un reciente trabajo de Sabine Meunier y Guy Rabau (2002) se demuestra que la relación entre sonoridad, energía y duración de la señal, depende del nivel de la señal y su estructura temporal. Para niveles bajos (70 a 85 dB pico a 4 ms), la sonoridad aumenta al incrementar la duración del impulso, manteniendo su energía constante. Para señales de elevada amplitud (100 dB pico a 4 ms.) la sonoridad no depende de la duración del impulso, manteniendo la energía constante. La sonoridad aumenta más rápidamente cuando la duración aumenta para bandas de ruido en lugar de tonos puros.

Las señales impulsivas son muy incómodas de medir. Su evolución temporal es muy importante de cara a su mayor o menor nocividad. El concepto de señal impulsional no siempre queda claro. En muchas ocasiones se habla de señales con una duración menor de 1 s. Realmente una señal impulsiva tiene una duración mucho menor. El cierre de una puerta por ejemplo presenta una duración de unos 300 ms. como mucho. Un objeto duro que impacta contra una superficie dura presenta tiempos menores a los 80 ms. El problema de estas señales no es sólo determinar su sonoridad sino detectarlas.

Capítulo 7
ANÁLISIS EN FRECUENCIA

7.1. Análisis Espectral.

La distribución de nivel de presión acústica en función de la frecuencia se llama espectro. El espectro permite saber que amplitud presenta la señal para cada frecuencia. Podemos entender como análisis espectral de un sonido, la representación de la amplitudes de sus componentes en función de la frecuencia. Este análisis espectral será más o menos complejo en función del tipo de sonido que se está analizando. Así, para un sonido puro es suficiente con conocer el nivel de presión sonora y su frecuencia; para sonidos más complejos deberemos conocer una serie de niveles de presión sonora con las frecuencias correspondientes que forman el sonido. El ruido puede presentar diferentes características según la fuente que lo genere, pero en acústica ambiental la inmensa mayoría de fuentes presentan una característica común: la generación de ruido fluctuante con predominio de la baja frecuencia.

El ruido ambiental se caracteriza por su continua fluctuación con el tiempo, siguiendo fielmente las fluctuaciones de las actividades. Esto significa que si medimos el nivel de presión sonora en un instante temporal, esta medida sólo sirve para saber el ruido en este momento preciso, pero no del siguiente instante. Realmente las actividades no generan un ruido constante. Pueden haber muchas causas, pero la presencia de más o menos público dentro de una actividad, el paso de mayor o menor número de vehículos, el ciclo de trabajo de una sistema de climatización, etc. suelen ser las causas más usuales. Establecer cual es el período óptimo para realizar la medición que refleje la situación real de la actividad es una tarea que requiere conocer el funcionamiento de ésta. Por ejemplo, un horno de pan suele trabajar de madrugada, y por tanto las mediciones deben realizarse en ese intervalo de tiempo. Toda magnitud que varíe de forma aleatoria con el tiempo, se debería estudiar aplicando métodos estadísticos. Sin embargo lo más frecuente es realizar una integración de los niveles durante un tiempo de medida preestablecido. Los parámetros que en un primer momento podríamos pensar en utilizar son el valor medio, y los valores máximos y mínimos obtenidos durante el período de medida, pero esta información es muy pobre para caracterizar el ruido ambiental.

El análisis espectral permite evaluar el contenido en frecuencia de la señal. La figura 7.1. muestra tres señales sinusoidales de diferentes frecuencias y amplitudes.

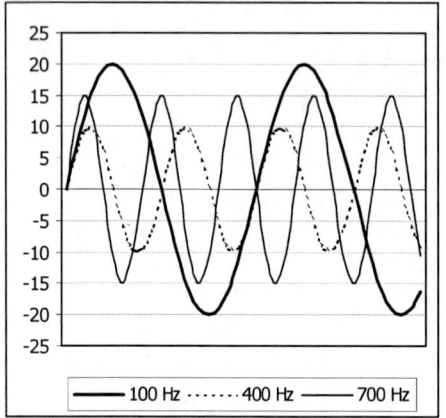 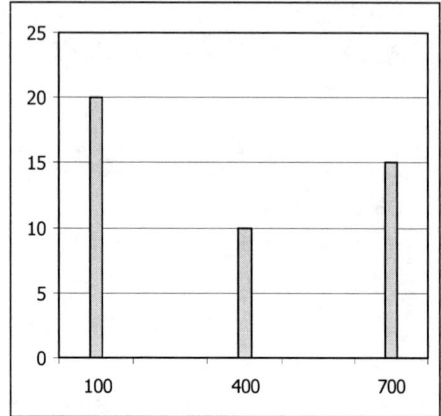

Fig. 7.1. Representación temporal y en frecuencia de tres señales sinusoidales.

A la derecha se representan las señales en el dominio temporal, y a la izquierda en el dominio de la frecuencia. El gráfico de la izquierda muestra que la señal de mayor amplitud es de 20 unidades, pero no sabemos a qué frecuencia. Hay que saber el período de la señal para evaluar este dato. El gráfico de la derecha ofrece mucha más información, ya que además de la amplitud se pueden ver las componentes en frecuencia.

7.2. La transformada de Fourier.

Como muestra el gráfico 7.1. podemos representar una señal en el dominio temporal, y también en el dominio en frecuencia. Para pasar de uno al otro hay que aplicar la Transformada de Fourier (1768 –1830). Así, para pasar del dominio temporal al dominio en frecuencia, se aplica la transformada directa:

$$S_x(f) = \int_{-\infty}^{\infty} x(t) \cdot e^{-j2\pi ft} dt \tag{7.1}$$

Para pasar del dominio en frecuencia al temporal se aplica la transformada inversa:

$$x(t) = \int_{-\infty}^{\infty} S_x(f) \cdot e^{j2\pi ft} df \tag{7.2}$$

Estas funciones son continuas y debido a los límites infinitos no pueden ser evaluadas ya que no se obtendría nunca un resultado. En la práctica los límites de integración son finitos, puesto que debe obtenerse un resultado en un plazo de tiempo razonable. Por otro lado, al utilizar tecnología digital, en lugar de una integración continua de una función, se utiliza una integración numérica entre dos límites finitos substituyendo la integral por un sumatorio finito de términos. Esto conlleva una serie de limitaciones y de restricciones técnicas que deben tenerse muy en cuenta a la hora de realizar un análisis espectral.

7.3. Análisis digital de la señal.

Los circuitos electrónicos para realizar filtros como los explicados en el capítulo anterior son analógicos, esto quiere decir que la señal eléctrica pasa físicamente por estos circuitos. El principal inconveniente de la tecnología analógica es la poca precisión y las desviaciones constantes de sus componentes que conllevan a errores sistemáticos. La electrónica digital permite disfrutar de unos niveles de precisión no igualables con la tecnología analógica. Además las señales digitales son más inmunes al ruido y esto es especialmente útil en acústica donde con frecuencia se trabaja con señales de muy poca amplitud.

En todo proceso digital se establecen una serie de pasos:

1. *Discretización de la señal.* La señal analógica original se trocea y se toman unas muestras con una cadencia temporal regular llamada frecuencia de muestreo. La señal resultante es una señal que ya no es continua, es discreta (tiene un número finito de muestras); pero tampoco es digital. Cuantos más puntos se tengan de la señal original, más precisión.

2. *Cuantificación de las muestras obtenidas.* Las muestras obtenidas se clasifican en función de su amplitud y se les asigna un valor codificado.

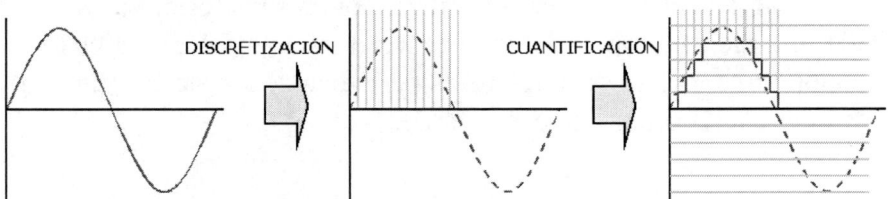

Fig. 7.2. Proceso muy simplificado de digitalización de una señal.

3. Como se puede observar en la figura 7.2, el resultado del proceso de digitalización es la obtención de una señal discreta en forma de escalera. El siguiente paso es la codificación, que es asignar a cada nivel de "la escalera" un valor binario. (Fig. 7.3.).

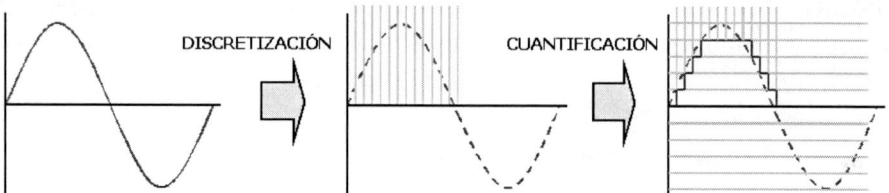

Fig. 7.3. Codificación de una señal discreta.

Los paquetes de valores obtenidos se guardan en algún soporte digital. Así el primer semi-período del ejemplo de la figura 7.2. sería la secuencia:

$$0000$$
$$0001$$
$$0010$$
$$0011$$
$$0100$$

Cada cifra representa 1 bit, así, en la serie anterior tenemos 5 puntos de la señal original codificados con 4 bits. Con 4 bits se podría codificar una señal con 16 niveles (2^4). Para tener una buena precisión se trabaja con un mayor número de bits, de esta manera la similitud entre la señal original y la réplica discreta es mayor. Actualmente los sistemas de adquisición de señal más universales trabajan con 32 o 64 bits. Nótese que el formato CD trabaja con 16 bits.

7.4. La Transformada de Fourier Discreta DFT.

La DFT se utiliza en el dominio discreto, es decir, una vez la señal analógica ha estado digitalizada en un número finito de muestras. La integral utilizada por la transformada de Fourier se substituye por un sumatorio. La DFT permite pasar del dominio temporal al dominio en frecuencia. La DFT se aplica a señales de duración finita T, y se supone que es periódica dentro de este tiempo T. La DFT de una señal de una serie discreta p_n es:

$$F = \frac{T}{N} \sum_{n=0}^{N-1} p_n e^{-\frac{j2\pi kn}{N}} \tag{7.3}$$

La transformada inversa será:

$$p_n = \frac{1}{T} \sum_{k=0}^{N-1} F \cdot e^{j \frac{2\pi kn}{N}} \tag{7.4}$$

Δt es el tiempo entre dos muestras consecutivas, es decir, la resolución temporal:

$$N = \frac{T}{\Delta t} \tag{7.5}$$

Δf es la distancia entre dos frecuencias discretas consecutivas, es decir, la resolución en frecuencia:

$$\Delta f = \frac{1}{T} \tag{7.6}$$

El uso de la DFT precisa de procesadores con gran capacidad de cálculo. A mayor precisión o resolución, mayor número de operaciones. Para evaluar una DFT de N puntos, se necesitan aproximadamente N^2 operaciones con números complejos.

7.5. La Fast Fourier Transform (FFT).

El coste computacional de la DFT es muy elevado. Esto ralentiza los procesos de análisis de señal que no pueden llegar a ser en tiempo real. Elliot y Rao propusieron el año 1982 el método FFT para evaluar el espectro de una señal, imponiendo la condición de que N sea una potencia de 2. Entonces el número de operaciones queda en $N \cdot \log_2 N. < N^2$

Para N=1024, la FFT es unas 100 veces más rápida que la DFT. En el caso de valores reales a la entrada del sistema, se pueden aprovechar algunas propiedades de simetría de la DFT para disminuir más el coste computacional. Dos secuencias reales de N puntos pueden ser consideradas como la parte real e imaginaria de una secuencia, y una secuencia de 2N puntos se puede transformar con una operación simple. Según los trabajos de Narasimha y Peterson el año 1978, el número de operaciones se reduce a $(N \cdot \log_2 N) / 4$.

Existen muchos algoritmos de cálculo de la FFT. Todos ellos trabajan con un número de muestras $N = 2^m$. Típicamente m = 10, entonces N = 1024 y por tanto:

$$T = N\Delta t \qquad (7.7)$$

$$\Delta f = \frac{1}{T} \qquad (7.8)$$

$$F_{máx} = \frac{N}{2}\Delta f \qquad (7.9)$$

Para un tiempo entre muestras determinado, se obtiene una frecuencia máxima analizada. Para aumentar esta frecuencia hay que disminuir el tiempo entre muestras, es decir aumentar la frecuencia de muestreo. Pero esta operación implica por un lado aumentar la resolución temporal y del otro disminuir la resolución en frecuencia. Para mantener la misma resolución en frecuencia hay que aumentar el número de muestras.

Por ejemplo:

Si se desea hacer una FFT de 1024 puntos con una frecuencia de muestreo de 10 kHz, se obtiene: N=1024

$\Delta t = 1 \cdot 10^{-4}$ s.

Entonces:

T= 0,1024 s.

Δf= 9,76 Hz

$F_{máx}$= 5.000 Hz

Si se desea mejorar la resolución en frecuencia hay dos opciones: disminuir la frecuencia máxima o bien aumentar el número de muestras, pasando por ejemplo a una FFT de 4096 puntos. Si se opta por esta segunda opción:

N= 4096

Δt= $1 \cdot 10^{-4}$ s.

Entonces:

T= 0,4096 s.

Δf= 2,44 Hz

$F_{máx}$= 5.000 Hz

Nótese que para mejorar la resolución en frecuencia, es necesario un mayor tiempo de adquisición de señal. En los ejemplos anteriores se pasa de 0,1024 s. a 0,4096 s. Esto supone una limitación para analizar señales de corta duración.

7.5.1. Ventaneo temporal. Error de "leakage".

El algoritmo de la FFT utiliza bloques de señal de pocas décimas de segundo. Por tanto es necesario tomar un trozo de la señal a analizar para aplicar el algoritmo FFT. A este proceso se le llama ventaneo, por el cual se toma una parte de la señal temporal. Hay diversas formas de ventanear la señal. Las más importantes son: la ventana rectangular y la hanning. La primera abre y cierra el paso de la señal bruscamente, mientras que la segunda abre y cierra el paso de la señal de forma progresiva. La ventana rectangular, se utiliza para señales con una duración inferior al de la ventana temporal, y siempre que ésta tenga una amplitud cero en el momento de abrir o cerrar la ventana. En el resto de casos, la ventana podría "cortar" la señal y añadir artificialmente la presencia de componentes de alta frecuencia inexistentes en la señal original, o bien interpretar un período diferente del real. La figura 7.4. muestra una señal periódica y el espectro esperado.

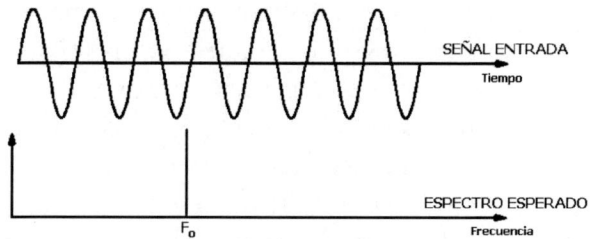

Fig. 7.4. Espectro de una señal sinusoidal periódica.

La figura 7.5. muestra el efecto devastador de un ventaneo inadecuado. El analizador toma 2,5 períodos como el período de la señal. El resultado es un espectro con error de leakage (derrame), que no se corresponde con el espectro esperado para este tipo de señales. Este derrame aparece en forma de componentes en frecuencia por encima y por debajo de la frecuencia real de la señal.

Mientras que los errores de aliasing pueden ser eliminados o minimizados, los errores de leakage nunca pueden ser reparados, por tanto debe tenerse mucho cuidado en la correcta elección de la ventana temporal de medida. Algunos equipos de medida permiten al usuario trabajar con el ventaneo deseado. Normalmente esta función no está disponible, ya que el equipo selecciona automáticamente una ventana, y generalmente esta suele ser la Hanning. Esto disminuye las prestaciones del equipo de medida pero a cambio de facilitar el uso de esta poderosa herramienta para personas sin conocimientos específicos.

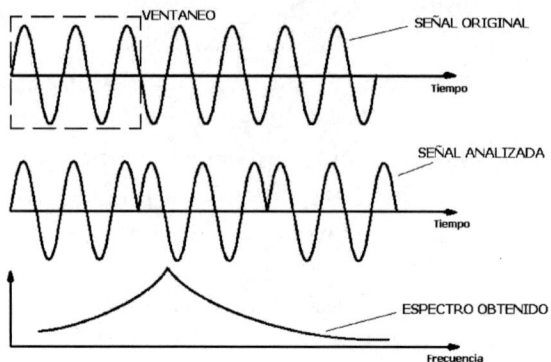

Fig. 7.5. Error de leakage debido a un ventaneo incorrecto.

7.5.2. Elección de la ventana temporal adecuada.

Existe un amplio repertorio de ventanas que el usuario de un analizador espectral puede utilizar para cada caso particular. La correcta elección de la ventana es la que permite obtener unos resultados más fiables y esto requiere conocer previamente cómo es la señal. En acústica, las señales adoptan formas bastante comunes por lo que no es necesario disponer de un gran surtido de ventanas. Una elección incorrecta de la ventana puede causar la aparición de componentes en frecuencia inexistentes o distorsionadas. Para evitar estos problemas generalmente los equipos de medida suelen tener una ventana fija que cubre la mayoría de casos. La selección de la ventana es importante cuando se quiere analizar con detalle la señal.

Para un análisis de señales transitorias utilizar:

Uniform	Para uso general.
Force	Para impulsos y transitorios de corta duración. Mejora la relación señal – ruido.
Exponencial.	Para señales transitorias que tienen una duración superior al tiempo de captura del analizador.

Para un análisis de señales continuas utilizar:

Hanning	Para uso general.
Blackman o	
Kaiser-Bessel	Si la selectividad es importante, y se desea detectar componentes harmónicas con diferencias de nivel muy elevadas.
Flat top	Para procedimientos de calibración y cuando el valor exacto de la amplitud sea muy importante.

Uniform   Únicamente para señales sinusoidales con frecuencia central situada en el centro de la banda analizada.

7.5.3. Errores de ventaneo.

Se pueden distinguir dos errores:
a. Amplitud. La amplitud se restablece al valor original.
b. Energía. El factor corrector se aplica a una banda de frecuencia concreta. Este es el único método utilizado en análisis de banda ancha.

Cualquier ventana continua, modifica la amplitud de la señal analizada, como muestra la figura 7.6. La señal ventaneada (tono sinusoidal x ventana Hanning) presenta un espectro que tiene la mitad de amplitud que la señal sin ventanear. Para compensar este error de medida, la amplitud del espectro resultante se multiplica por un factor 2.

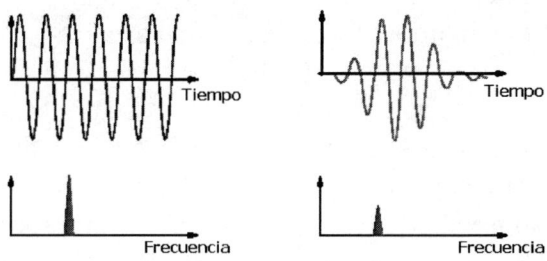

Fig. 7.6. La amplitud espectral derecha del señal sin ventanear tiene la mitad de amplitud que la señal ventaneada a la izquierda.

7.5.4. Fenómeno de aliasing.

Cuando la señal original se discretiza, de cada período de la señal original se obtienen diversas muestras. A medida que la frecuencia de la señal aumenta, el número de muestras por período va disminuyendo, hasta el punto en que únicamente hay una muestra por período. Cuando esto sucede, no es posible reconstruir la forma de onda de la señal, se produce el error de aliasing. El analizador interpreta que la frecuencia de la señal es mucho más baja que la real. Este error se llama aliasing ("Alias" o frecuencia fantasma). Para evitar este problema todos los analizadores disponen de un filtro llamado anti-aliasing que permite limitar las componentes de frecuencia de la señal de entrada adecuándolos a las características seleccionadas por el usuario. Si se selecciona una frecuencia máxima de análisis de 1 kHz por ejemplo, las componentes en frecuencia superiores a 1 kHz son rechazadas por el filtro antialiasing situado justo en la entrada del sistema, y no son analizadas. La figura 7.7. ilustra el error de aliasing.

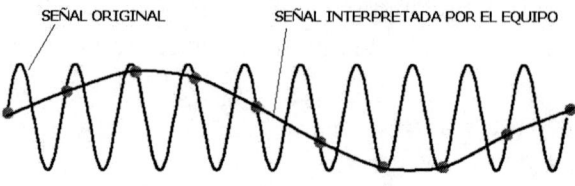

Fig. 7.7. Error de aliasing.

Como muestra la figura 7.7, el analizador interpreta una componente en frecuencia menor de la que realmente llega al equipo, produciendo un error por efecto de aliasing. El vocablo "alias" viene a simbolizar la presencia de una componente fantasma o inexistente.

7.5.5. Error de "picket fence".

El número de líneas espectrales (resolución en frecuencia) habitualmente suele ser de 400 líneas, aunque también puede tener valores superiores e inferiores. Esto define la finura o resolución del espectro. A mayor número de líneas mayor resolución espectral. Cuando se visualiza un espectro, se tiene una resolución en frecuencia discreta, de manera que en la pantalla no siempre se puede ver todos los picos de la señal a la frecuencia exacta. Sin embargo observando como quedan las líneas espectrales en la pantalla del analizador, podemos evaluar su frecuencia exacta y también su amplitud exacta, haciendo uso de la figura 7.8. y el gráfico de la figura 7.9. En la representación de un pico de señal en un analizador FFT, podemos encontrar tres casos:

a. Destaca una línea espectral con dos adyacentes de idéntica amplitud. Esto significa que la frecuencia de la línea central es exacta y coincide con la señal real.
b. Dos líneas con el mismo nivel, indican que la frecuencia real está justo entre las dos líneas espectrales.
c. Cuando la frecuencia real y la amplitud no se pueden representar correctamente aparecen tres líneas espectrales de amplitudes similares.

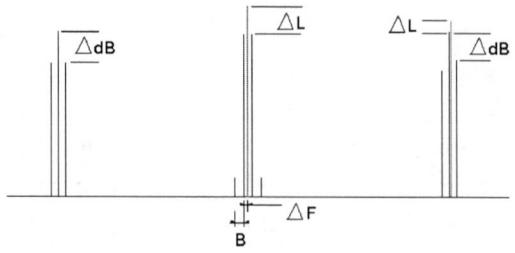

Fig. 7.8. Tres casos posibles de representación gráfica de un pico de señal.

Las figuras 7.8 y 7.9 son el resultado de aplicar la ventana Hanning. Para la figura 7.8. si la altura de las dos líneas espectrales es la misma, la frecuencia es exactamente la mitad de B sumada a la línea de más baja frecuencia.

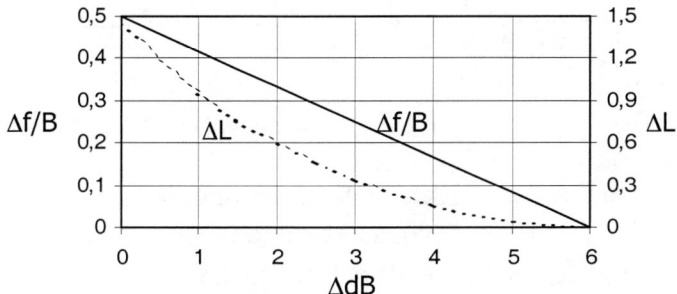

Fig. 7.9. Compensación en frecuencia y amplitud.

El nivel del pico se halla con la figura 7.9. haciendo $\Delta dB = 0$, entonces se calcula $\Delta L = 1,5$ dB. Si estamos en el caso de la derecha de la figura 7.8, a partir del valor medido de ΔdB, se puede encontrar, con la curva discontinua ΔL, mientras que con la curva continua se halla la relación $\Delta f/B$. Como B es conocido, se puede encontrar el valor exacto de la resolución en frecuencia.

7.6. Técnicas Wavelet.

El análisis FFT presenta algunos inconvenientes. Si deseamos mucha resolución temporal, tendremos que disminuir la banda analizada y en consecuencia se pierde información de alta frecuencia. Existe un compromiso entre tiempo de análisis y frecuencia máxima analizada, siempre estos términos van en sentido contrario uno del otro.

A bajas frecuencias las evoluciones temporales de las señales son lentas y por tanto, se podría aprovechar este hecho para sacrificar resolución temporal innecesaria, a cambio de tener una mayor resolución en frecuencia.

Para altas frecuencias, las evoluciones temporales de las señales son mucho más rápidas y aquí es necesario una mayor resolución temporal, y en cambio no es necesario una resolución en frecuencia tan elevada.

Este es el principio de funcionamiento del oído, que como es conocido se basa en el filtrado con bandas críticas. El oído puede distinguir entre dos tonos de 100 Hz y de 110 Hz, pero no puede detectar esta diferencia de 10 Hz cuando la frecuencia es mayor, por ejemplo entre 4000 Hz y 4010 Hz. La forma de conseguir esta mayor resolución temporal y con frecuencia variable se consigue con la técnica Wavelet. La figura 7.10. muestra la diferencia básica entre la técnica FFT y la técnica Wavelet.

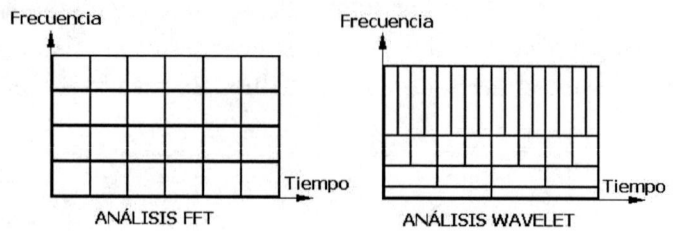

Fig. 7.10. Diferencia de ventaneo entre el análisis FFT y el Wavelet.

Como muestra la figura 7.10, el análisis Wavelet permite obtener muy buena resolución a bajas frecuencias, y a su vez una buena resolución temporal para altas frecuencias. Pero también se observa que se tiene una mala resolución temporal en baja frecuencia y una mala resolución en frecuencia altas.

Una de las aplicaciones más interesantes de la técnica Wavelet en mediciones acústicas, es el análisis de transitorios de corta duración, como el cierre de una puerta. Con la FFT tradicional no es posible analizar este tipo de señales, especialmente a baja frecuencia, ya que el algoritmo necesita un tiempo mínimo de señal. La figura 7.11. muestra el cierre de una puerta de coche. En la parte superior la evolución temporal de la señal. Se observa que la duración total es de unos 275 ms. En la parte inferior el sonograma obtenido con técnica Wavelet, donde se distinguen claramente las componentes en frecuencia que intervienen en el ruido. Se observa la presencia de componentes de alta frecuencia que se producen en el momento de impacto del cierre de seguridad con la puerta.

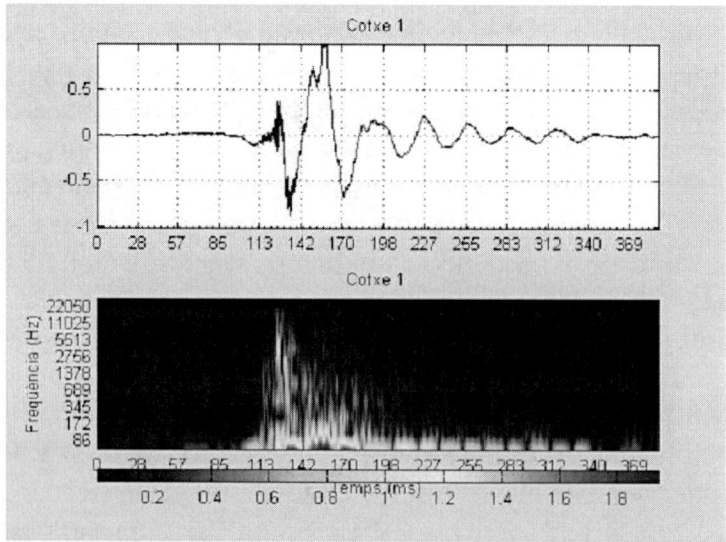

Fig. 7.11. Cierre de una puerta de coche. Parte superior, evolución temporal.
Parte inferior, evolución del espectrograma.

Capítulo 8
RUIDO DE TRÁFICO

8.1. Ruido de tráfico.

El ruido de tráfico es con diferencia la fuente principal de ruido ambiental en nuestra sociedad. Encontramos coches circulando en cualquier parte. El ruido de tráfico llega por igual a cualquier zona o área de una ciudad sea esta de mayor o menor nivel adquisitivo. Actualmente la población mundial tiende a concentrarse en grandes ciudades que van creciendo constantemente. Esta concentración de personas facilita las aglomeraciones de gente y también la generación de ruidos. Además de los ruidos propios del vecindario, restauración, diversión, etc. el tráfico es el ruido residual que queda tanto en las zonas residenciales como en las zonas comerciales de la ciudad. Aproximadamente un 80% de las quejas de los vecinos de una ciudad son relativas al ruido, en cualquiera de sus expresiones. Este ruido de tráfico es el resultado de la contribución colectiva del ruido producido por todo tipo de vehículos con un punto común: utilizan propulsores de combustión interna. Por las calles circulan autobuses, coches, motos, todos ellos de diferentes potencias y con diferentes velocidades de circulación. Los vehículos particulares circulan con un estilo de conducción que influye notablemente sobre el nivel de emisión acústica. En muchas ocasiones el mismo vehículo circulando a la misma velocidad, pero conducido por personas con hábitos y preferencias diferentes, producen distinto nivel de ruido.

Los vehículos modernos cada vez son más silenciosos. Aunque las mecánicas son cada vez más silenciosas, el foco principal de ruido sigue siendo el motor y el ruido de los neumáticos en contacto con la calzada. El ruido generado por un vehículo tiene diferentes orígenes. Por un lado, el motor con todos los elementos asociados para su funcionamiento, del otro, elementos auxiliares para su funcionamiento como, por ejemplo, frenos, dirección asistida, bomba de inyección, etc. A mayor cilindrada en principio mayor nivel de ruido, aunque en muchas ocasiones esto no se cumple. Como el origen principal de ruido de un vehículo es su motor, las frecuencias que más destacan tienen una relación directa con el régimen de giro de éste. Por otro lado la velocidad del vehículo, la superficie sobre la que circula, etc.

determinan la calidad del sonido emitido. Tenemos pues dos tipos de ruidos de tráfico: los relacionados directamente con el motor y los que dependen de otros factores externos, como por ejemplo el ruido de rodadura o el ruido aerodinámico muy ligados ambos a la velocidad del vehículo.

8.2. Ruido de vehículos.

Entre los diferentes tipos de vehículos podemos generalizar y definir cuatro grupos diferentes:

- Coches (Gasolina / Diésel).
- Vehículos Pesados (Diésel con potencias 50-250 kW y capacidades de 3,5-38 Tm).
- Vehículos Comerciales Ligeros (Gasolina / Diésel).
- Motocicletas.

Dentro de estos cuatro grupos podemos hacer una segunda simplificación y quedarnos con dos categorías:

- Vehículos Ligeros (<1.525 kg)
- Vehículos Pesados (> 1.525 kg)

El ruido generado por cada uno de estos vehículos depende de:

- Tipo de vehículo (coche, camión, autobús, motocicleta, etc...).
- Medidas correctoras del ruido empleadas en el su diseño.
- Condiciones de mantenimiento.
- Modo de conducción (velocidad, aceleración / desaceleración, marchas, etc...).
- Condiciones de propagación (Superficies reflectantes, absorbentes, etc...).

Para cuantificar el ruido generado por un vehículo individual podemos disponer de dos métodos diferentes: la prueba descrita en la normativa ISO R362:1961, o en la norma inglesa BS 3425:1966 muy similar a la ISO, con las variantes del reglamento R-41 y R-51. El primer método utiliza una área plana sin obstáculos en 50 m. donde se somete al vehículo a un serie de pruebas estandarizadas, y con unas condiciones de funcionamiento particulares. Los reglamentos R-41 y R-51, aplicables a las motos y a los coches, medición del ruido de escape en campo cercano (a 0,5 m de distancia). La normativa BS 3425 utiliza medidas de tráfico real con un amplio grupo de vehículos en circulación real, midiéndose los picos de ruido de estos vehículos individualmente. Recientemente la ISO 362:1994, incorpora algunas mejoras relativas a las pruebas que realizan los vehículos, acercándolas más a la realidad de la circulación urbana. Las efectuadas en campo cercano (a poca distancia del tubo de escape de gases) son las más discutibles, ya que si bien son muy fáciles de realizar, no tienen en cuenta otros focos de ruido del vehículo.

8.3. Fuentes de Ruido en Vehículos.

Las fuentes de ruido en un vehículo se pueden reunir en diferentes grupos, en función de su origen:

- Potencia (motor, entradas de aire, escape de gases).
- Transmisión (caja de cambios, transmisión a ejes).
- Ruido de rodadura (aerodinámica, interacción rueda / tierra).
- Otros (Refrigeración, Frenos,...).

La importancia relativa de cada una de estas fuentes depende del tipo de vehículo, y de su modo de conducción. Así, en vehículos ligeros el ruido del motor es dominante en velocidades lentas y marchas cortas. Cuando aumenta la velocidad y la marcha, el ruido de rodamiento pasa a ser del mismo orden o superior al ruido de motor. En vehículos pesados diesel el ruido de refrigeración y salida de gases podrá ser considerable en aceleraciones con carga importante, mientras que el ruido de rodadura puede llegar a ser muy elevado a altas velocidades y con ruedas de dibujo transversal pronunciado (neumáticos de tracción).

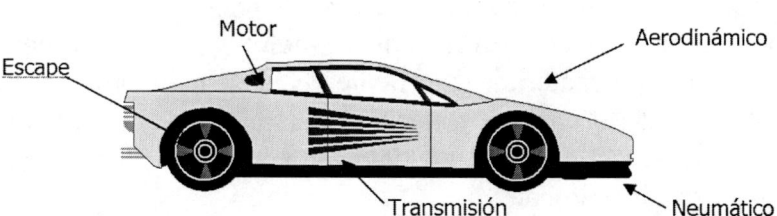

Fig. 8.1. Contribución de las diferentes partes de ruido de un vehículo.

Un vehículo automóvil es una fuente de ruido compleja donde intervienen muchos elementos que radian ruido. Se trata de analizar la contribución de las diferentes partes que lo forman al ruido total del vehículo. Las partes consideradas son: motor, escape, admisión, aerodinámico y neumáticos. A baja velocidad, es decir, en circulación urbana, el ruido aerodinámico no influye. Respecto del escape, se considera únicamente la radiación "de cola", es decir, de la salida de gases, no se contempla la radiación de las diferentes marmitas que formen el silenciador o grupos de silenciadores del vehículo. Los resultados se muestran en la figura 8.2.

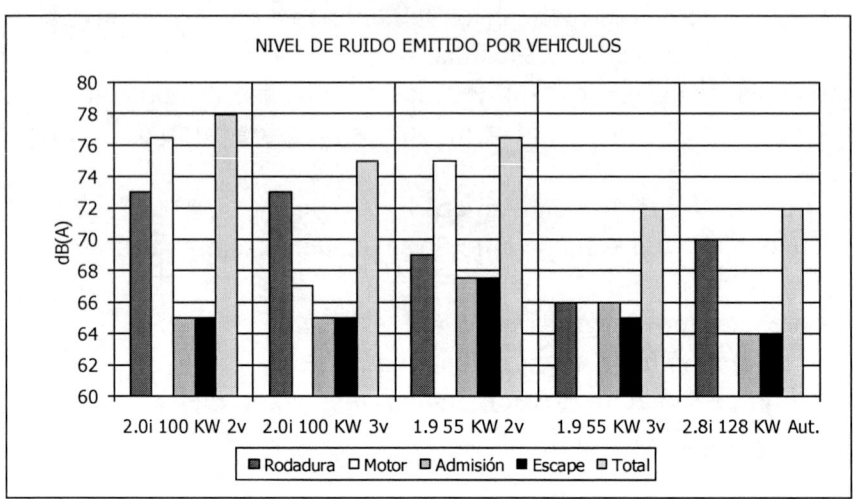

Fig. 8.2. Contribución de las diferentes partes al ruido total de un vehículo.

Para poder distinguir el ruido emitido por cada una de las partes consideradas del vehículo y diferenciarla del resto, se utiliza la conocida técnica de eliminar o rebajar al máximo todos los ruidos generados por el resto de componentes, dejando únicamente la fuente de la cual se quiere evaluar su nivel sonoro. Como no se puede eliminar completamente el ruido de las distintas partes, se recurre a tapar o ensordecer al máximo cada contribución individual.

En el caso de medir el ruido procedente del escape se encapsula al motor. Para ello se cubre con unos elementos a base de resinas y plásticos resistentes a las temperaturas que envuelven todo el motor y que por la parte interna están recubiertos de material absorbente. Estas condiciones se mantienen únicamente durante el ensayo, y deben sacarse inmediatamente al terminar las pruebas, ya que la temperatura del motor aumenta cuando éste se para pudiendo llegar a incendiarse.

Si se desea silenciar el escape de gases o la admisión, se sitúa generalmente en la parte superior del vehículo un gran silenciador. En el caso de silenciar los neumáticos, se ponen unas protecciones laterales al vehículo que tapan prácticamente toda la rueda dejando un pequeño espacio para rodar sobre el asfalto.

La figura 8.2. muestra la contribución al ruido global del vehículo de cada una de las cinco fuentes de ruido consideradas. Las pruebas efectuadas, revelan que los ruidos de admisión y escape, para el modelo utilizado, son muy inferiores a los ruidos ocasionados por el motor y de rodadura. Las pruebas están hechas con el mismo modelo de vehículo pero con tres motores distintos. Además la tercera opción incorpora un cambio automático.

Las dos primeras columnas a la izquierda corresponden a un vehículo con motor gasolina 2.0 circulando en 2ª y 3ª marcha a 50 Km/h. Las siguientes columnas corresponden al mismo modelo pero con motorización diésel 1.9 también circulando en 2ª y 3ª marcha a 50 Km/h. Finalmente la columna de la derecha corresponde al mismo modelo con motor de gasolina 2.8 circulando también a 50 Km/h.

Nótese como el ruido del motor es muy importante en la circulación en 2ª velocidad, y como éste se reduce unos 10 dB(A) pasando de 2ª a 3ª marcha. Este dato es muy significativo, ya que si se pretende reducir la contaminación acústica del tráfico rodado, reduciendo su velocidad, puede suceder un efecto contrario al deseado. Circular a 50 Km/h en 3ª marcha es posible para todos los vehículos, pero circular a 30 Km/h, puede ser más problemático, pasándose con facilidad a utilizar la 2ª marcha haciendo probablemente más ruido.

Se puede observar como el vehículo diésel tiene un ruido de admisión superior al modelo de gasolina. Obsérvese que tanto el ruido de admisión como el de escape "a priori" son los más ruidosos, y tienen el porcentaje menor. Finalmente indicar que el ruido de neumático va muy ligado a la anchura de éste y a su perfil. Los modelos de mayor potencia presentan mayor anchura y por tanto mayor nivel de ruido. Nótese como además el ruido del neumático representa un porcentaje bastante respetable del total.

8.4. Comparación entre ruido de motor y de rodadura.

Para simplificar el problema de las fuentes de ruido en el vehículo, podemos considerar una segunda clasificación de las fuentes de ruido. En esta segunda ordenación se consideran dos tipos diferentes de fuentes: aquellas que se deben al hecho de que un motor impulsa el vehículo, y aquellas que se deben al hecho de que el vehículo se desplaza (independientemente del motor). Al primer tipo de fuentes se les llama genéricamente ruido de motor, mientras que a las segundas se les llama ruido de rodadura y ruido aerodinámico. El ruido de motor depende del régimen de giro y del esfuerzo mecánico que debe realizar, y esto está muy condicionado por la marcha utilizada y la aceleración solicitada, mientras que el ruido de rodadura y aerodinámico aumentan siempre con la velocidad. El ruido que procede del motor tiene componentes tonales claramente perceptibles, mientras que el ruido de rodadura y aerodinámico principalmente está formado por bandas de ruido.

8.5. Características del ruido de automoción.

A un observador situado en el exterior del vehículo, el ruido le llega procedente de diversos focos sonoros. Independientemente de la categoría, y del tamaño y potencia del propulsor, en términos generales los elementos mecánicos son los causantes del ruido que llamamos ruido de tráfico. Disponer de los valores absolutos del nivel de ruido que genera cada categoría de vehículo, supondría una inmensa base de datos difícil de obtener por el gran número de fabricantes, los diferentes modelos y versiones, así como el gran número de factores a considerar (forma de conducción, velocidades, marcha seleccionada, carga del vehículo, nivel de mantenimiento, etc.).

Un vehículo está compuesto por muchas partes mecánicas que contribuyen en mayor o menor medida al ruido global generado por éste. La figura 6.3 refleja el reparto del porcentaje de contribución de los distintos focos de ruido al nivel global de ruido. El gráfico corresponde a una circulación a velocidad moderada y sin una solicitud mecánica de motor importante. Para una conducción extrema con el pedal del gas pisado a fondo, el ruido de escape junto con el ruido de admisión son los focos de ruido más importantes. En conducción más relajada y no tan extrema no son el escape ni la admisión los focos principales de ruido. El motor y especialmente el ruido de rodadura son los ruidos más importantes. El ruido de rodadura es especialmente importante para velocidades elevadas. El ruido de admisión tiene mucha importancia dentro del habitáculo del vehículo. En el exterior este ruido no tiene tanta importancia, respecto de otros focos sonoros.

Nótese que el porcentaje más importante de ruido procedente de un vehículo procede del motor, seguido del de rodadura, del ruido de escape y del ruido de admisión. Si tenemos en cuenta que tanto el escape como la admisión dependen directamente del funcionamiento del motor, podemos concluir que en un vehículo, el motor es el causante principal del ruido con un 65% de contribución. Este porcentaje puede variar en función de la velocidad del vehículo. A velocidades elevadas, el ruido de rodadura y aerodinámico incrementan mucho su porcentaje.

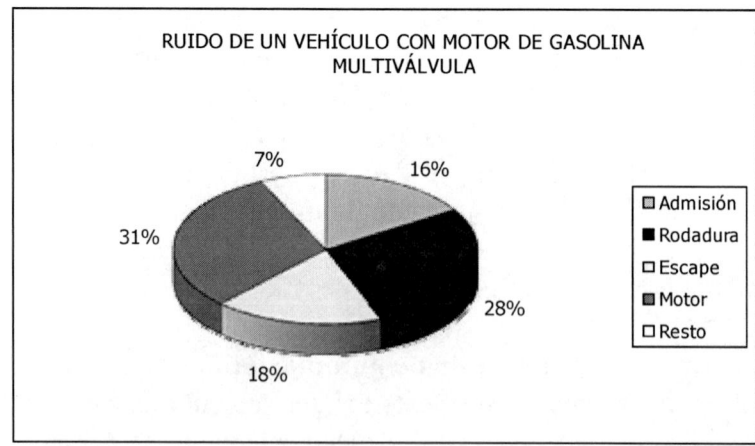

Fig. 8.3. Contribución de las diferentes partes de un vehículo al ruido generado.

8.6. Ruido del propulsor.

El propulsor de un vehículo es la fuente principal de ruido. Además del ruido interno del propulsor, otros ruidos se producen de forma simultánea, como el ruido de escape, el ruido de admisión, el ruido del cambio de marchas, y el ruido de los rodamientos, entre otros. El motor es el elemento más ruidoso y el elemento origen de todos los ruidos en un vehículo automóvil. Por tanto cualquier ruido debe tener una parte correlacionada con el régimen de giro del motor. En una primera clasificación, se distingue entre motores de gasolina y motores diésel. Sin entrar en las diferencias mecánicas entre ellos, el hecho más diferencial radica en la forma de detonar la mezcla de combustible. Esta mezcla está formada por aire y gasolina pulverizada o bien diésel pulverizado y aire.

En los motores de gasolina se hace estallar la mezcla con una chispa procedente de la bujía, aunque a veces se produce la combustión llamada interna, que indica un mal funcionamiento de la puesta a punto del motor, y se produce por una precombustión, donde la mezcla detona por efecto de la compresión y de la elevada temperatura del motor. Este fenómeno es el que justamente se utiliza en los motores diésel, para detonar la mezcla por compresión, sin chispa que actúe de detonante. Para propiciar la detonación de la mezcla se comprime fuertemente a la mezcla. La relación de compresión en un motor diésel es mucho más elevada que en uno de gasolina. Valores típicos de relación de compresión para un motor de gasolina puede ser 9:1 mientras que para un motor diésel puede ser de 18:1. Acústicamente el ruido emitido por ambos motores es necesariamente distinto.

El rápido aumento de la compresión en los diésel y su posterior detonación origina un ruido característico, como de golpeteo de partes metálicas. Este ruido parece tener su origen en la onda circular que se produce en los cilindros por efecto de la detonación espontánea en el seno del gas al ser comprimido fuertemente, mientras que cuando la detonación de la mezcla se produce por chispa, este fenómeno no se produce. Por otro lado el régimen de giro de un motor diésel es inferior al de un motor de gasolina. Aunque últimamente los regímenes de giro de los motores diésel se acerca a los de gasolina, el elevado grado de compresión precisa de un desplazamiento importante del pistón, aspecto que limita su régimen de giro. Desde el punto de vista mecánico, el esfuerzo que han de soportar las piezas con grandes recorridos y aceleraciones elevadas es muy importante y es difícil de conseguir un motor con un gran recorrido del pistón que supere las 6.000 r.p.m. por ejemplo, con materiales de uso habituales. Un motor de gasolina con recorridos del pistón notablemente inferiores, sí que puede llegar a sobrepasar con mucha facilidad estos regímenes. Los motores utilizados en los vehículos de competición utilizan materiales altamente resistentes y ligeros, que resisten elevadísimas aceleraciones, y que resultan prohibitivos por su elevado precio para vehículos de uso particular, además de presentar una duración muy limitada. Estos materiales permiten obtener regímenes de giro bastante elevados, ya que pueden soportar las elevadas aceleraciones a que están sometidas las piezas en movimiento. Un motor convencional de gasolina puede llegar a las 7.500 r.p.m. mientras que un motor de competición puede superar las 20.000 r.p.m. Por otro lado los motores de uso privado están diseñados para poder funcionar durante mucho tiempo, garantizando que el vehículo pueda recorrer más de 200.000 Km sin problemas. Un motor de competición no llega ni a una centésima parte.

El ciclo de trabajo en los motores de combustión interna corresponde al ciclo OTTO, de 4 tiempos: admisión, compresión, explosión / expansión y expulsión. La mayoría de vehículos llevan motores de 4 cilindros, y en menor cuantía llevan motores de 5 o más cilindros. La mayoría de motos de pequeña cilindrada tienen 1 cilindro mientras que las de gran cilindrada suelen ser de 2 o más cilindros. En los motores de 4 cilindros, estos se numeran 1-2-3-4. El orden de explosión de los cilindros siempre es alternado, para disipar lo mejor posible el calor generado. El fabricante decide el orden. Por ejemplo el orden de explosión de los cilindros podría ser 1-3-2-4. Los pistones están alineados de dos en dos, es decir mientras dos pistones "suben" dentro de los cilindros, los otros dos "bajan", con un decalado de 180° entre ellos. Este hecho tiene una importancia crucial en el comportamiento acústico del motor.

En primer lugar, la alternancia de los dos grupos de pistones provoca que el giro de este motor siempre produzca vibraciones importantes a regímenes bajos (ralentí). El segundo factor es que la frecuencia acústica fundamental generada es proporcional al doble de la frecuencia de giro del motor. Este fenómeno se conoce como "segundo orden motor". Su origen radica en el hecho de que a cada vuelta del motor se producen dos golpes sobre el cigüeñal, ya que para cada vuelta del eje del motor, se producen dos explosiones. De aquí que la frecuencia que más destaca acústicamente en un motor de explosión de 4 cilindros y de 4 tiempos es el segundo orden motor. Por ejemplo si el motor gira a 3.000 r.p.m. (50 Hz) la frecuencia más destacable no es la de 50 Hz si no la de 100 Hz. En los vehículos diésel con la misma configuración de cilindros, se constata exactamente lo mismo. El nivel de la banda del segundo orden motor, llega a ser superior al nivel global en dB(A).

Los vehículos con más cilindros, presentan la ventaja mecánica de estar más equilibrados, y por tanto tener un funcionamiento más regular y vibrar menos, y en consecuencia radiar menos energía. El motor de 6 cilindros por ejemplo, también tiene emparejados los cilindros de dos en dos, pero con un decalado entre ellos de 120°. El resultado es un equilibrado mecánico mucho mejor y que genera un menor nivel de vibraciones. Al ralentí parece que el motor esté parado. Para los motores de 6 cilindros y de 4 tiempos, predomina el tercer orden motor.

Cuando un vehículo de estas características acelera, el sonido que produce es más agudo que el procedente de un motor de cuatro cilindros. El espectro de ruido es diferente y la evolución de las componentes armónicas también. Asímismo, las frecuencias donde radian más energía los motores son las bajas frecuencias. Se ha comprobado experimentalmente que durante el 98% del tiempo que un vehículo circula por una ciudad lo hace por debajo de las 3.000 r.p.m. Esto quiere decir una frecuencia de segundo orden motor máxima de 100 Hz. Cuando un vehículo arranca en un semáforo, la frecuencia que más destaca se sitúa entre 40 y 80 Hz.

Dentro del motor existen multitud de elementos que radian energía acústica. Los más importantes son: el escape de los gases, la admisión del aire, y los ruidos mecánicos producidos por el giro del motor. El de nivel más elevado es, en principio, el de escape. Cuando un tubo de escape está en mal estado se puede detectar fácilmente, aunque justamente este ruido es uno los más controlados, ya que se puede conseguir silenciar mucho el ruido generado, a base de aumentar el volumen de las "marmitas" (cavidades de los silenciadores).

La relación entre el ruido emitido por un motor respecto del régimen de giro puede considerarse lineal, aunque para cada tipo de motor podemos tener una pendiente diferente. En general se puede afirmar que un motor diésel es más ruidoso que un motor de gasolina, a igualdad de prestaciones y potencia mecánica. El origen de esta diferencia de comportamiento está en la mayor compresión del diésel delante del de gasolina. Las tendencias más innovadoras en este campo apuntan a que en un futuro la mayoría de motores podrían ser diesel, ya que la única forma de reducir las emisiones contaminantes, es reducir el consumo, aspecto que con un motor de gasolina resulta más difícil. los motores con tecnología diesel ofrecen hoy en día prestaciones muy similares o superiores a los de gasolina con cilindradas similares, y tienen un par motor notablemente superior.

Los próximos años aparecerán en el mercado productos nuevos como por ejemplo motocicletas o vehículos unipersonales con propulsión diésel o híbrida diésel-eléctrico. En resumen pues, el tipo de propulsor vendrá muy condicionado por una contaminación atmosférica cada vez menor. Los motores eléctricos son los únicos que poden cumplir perfectamente con el reto de conseguir un medio de transporte con tasa de emisiones cero. Además no necesitan el mantenimiento ni los cambios de aceite que precisan los motores de combustión interna. Los motores híbridos formados por un motor de combustión interna y uno eléctrico, parecen ser la solución más razonable a corto y medio plazo.

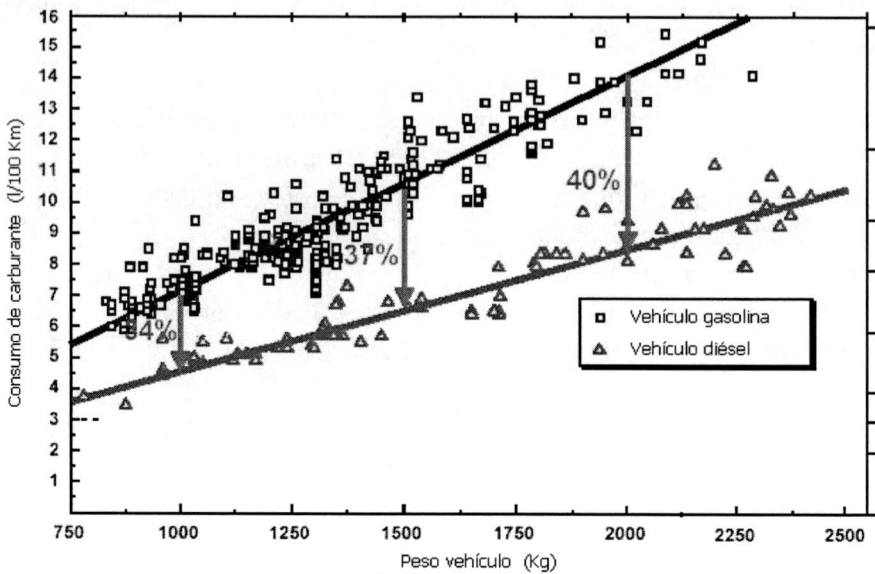

Fig. 8.4. Consumo de combustible para motores de gasolina y diésel.

Como muestra el gráfico de la figura 8.4. el ahorro de combustible entre una motorización de gasolina y una diésel llega a ser bastante notable a medida que el peso del vehículo aumenta. Este aspecto es el que marcará en un futuro cercano nuevos conceptos de diseño de propulsores, como el HSDI (High-Speed Direct Injection), una realidad actualmente, pero aún no disponible en el mercado. Este motor diésel permite aumentar el número de r.p.m. del motor, gracias a que reduce el recorrido del pistón. Esto modifica también el tipo de ruido generado acercándose más al de un motor de gasolina.

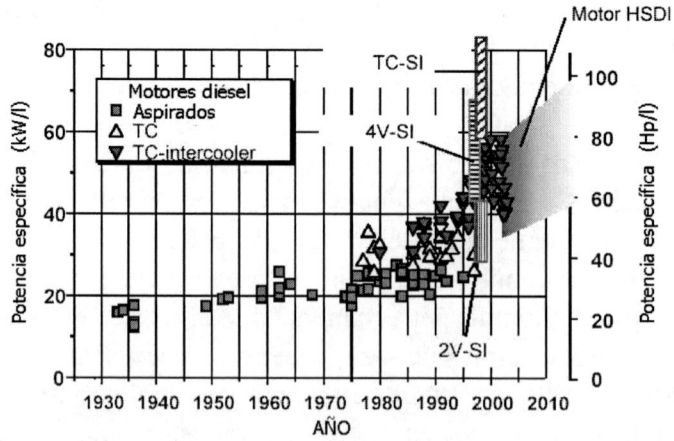

Fig. 8.5. Evolución de la potencia obtenida por motores de combustión interna con diferentes tecnologías.

8.7. Ruido de admisión.

El ruido de admisión no es tan fácil de detectar a simple oído sin un entrenamiento previo. Presenta una componente de muy baja frecuencia. Es un sonido menos agresivo al no incluir el efecto de la explosión y salida violenta de los gases del motor, que origina un mayor contenido de altas frecuencias, como en el caso del escape. El ruido de admisión puede llegar a niveles realmente elevados, ya que generalmente los vehículos no llevan silenciadores de admisión realmente eficaces. Algunos modelos incorporan un resonador para reducir alguna frecuencia o banda de frecuencias muy concreta que destaca dentro del vehículo. El nivel de ruido en el interior del vehículo es debido principalmente al ruido de admisión, aunque este nivel depende mucho de las condiciones de solicitud mecánica del motor. El ruido de admisión se puede detectar fácilmente en las aceleraciones con carga y una marcha larga o bien en una subida. En estas circunstancias el motor aspira con intensidad y la rumorosidad de baja frecuencia se nota bastante dentro del vehículo. Todos los modelos de vehículos incorporan un filtro de aire para evitar que el polvo llegue al interior del motor. El filtro de aire va montado dentro de una cavidad que comunica la entrada de aire del motor con el exterior, generalmente a través de un tubo. En algunos casos se aprovecha algún espacio dentro del compartimiento del motor para que este tubo no comunique directamente con el exterior, sino a través de un resonador de Helmholtz, sintonizado donde el efecto de aspiración es más ruidoso.

8.8. Ruido de escape.

Sobre este ruido influye mucho el diseño del tubo de escape. Actualmente el diseño del tubo de escape no busca únicamente reducir el ruido, sino que busca satisfacer las expectativas del usuario. Se trata en definitiva de que un motor poco potente "suene" como un motor más potente. En este sentido en Europa existen dos líneas claramente diferenciadas. Por un lado los países nórdicos, que prefieren reducir al máximo el contenido de baja frecuencia, y prefieren el sonido de alta frecuencia, y por otro lado la opción de los países mediterráneos, donde el contenido de baja frecuencia es importante. El llamado "sonido deportivo" tiene bastantes adeptos entre los países de clima cálido como el nuestro. Dentro de los sonidos llamados "deportivos" encontraremos los sonidos "vulgares" que principalmente quieren hacerse notar en base a destacar la frecuencia del segundo orden motor y para cualquier régimen de giro del motor. Con estos sistemas, el nivel de ruido generado siempre es superior al máximo permitido. Esto se consigue mediante la substitución del silenciador original por uno sintonizado a tal efecto. Lejos de dar más potencia lo que se consigue es un ruido ensordecedor, tanto para el exterior como para el interior. Con este vulgar sistema se consigue ruido siempre y para cualquier régimen de giro del motor.

Por otro lado tenemos el sonido "deportivo elegante", aquel que destaca cuando se pisa el acelerador, y únicamente en una parte bien estudiada del régimen de giro del motor. Este segundo sistema es mucho más efectivo ya que se deja "sentir" cuando se solicita potencia al motor. Cuando realmente el usuario desea "escuchar" los CV de su motor es en las aceleraciones, y no cuando va por la autopista a una velocidad constante de 120 Km/h durante 500 Km por ejemplo. Naturalmente que los valores máximos indicados por la normativa y medidos en dB(A), no se pueden sobrepasar. Con un buen diseño se puede conseguir una mayor componente "deportiva" respetando la normativa vigente. En las figuras 8.6. y 8.7. podemos ver los sonogramas de dos vehículos de marcas distintas con la misma motorización y diferente escape. Por confidencialidad se denominan SS y AA.

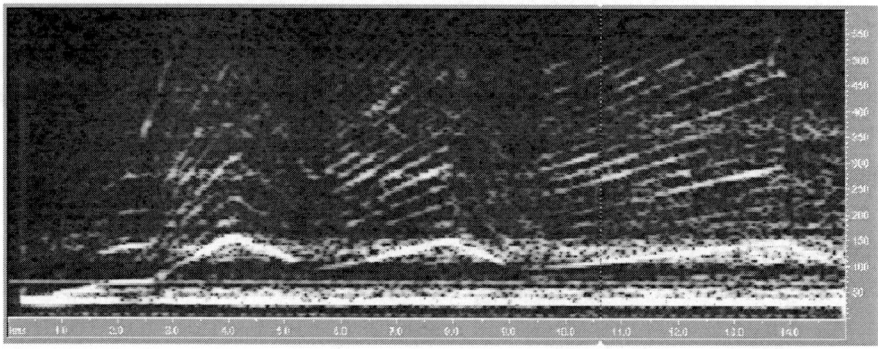

Fig. 8.6. Sonograma de ruido interior en aceleración de un SS.

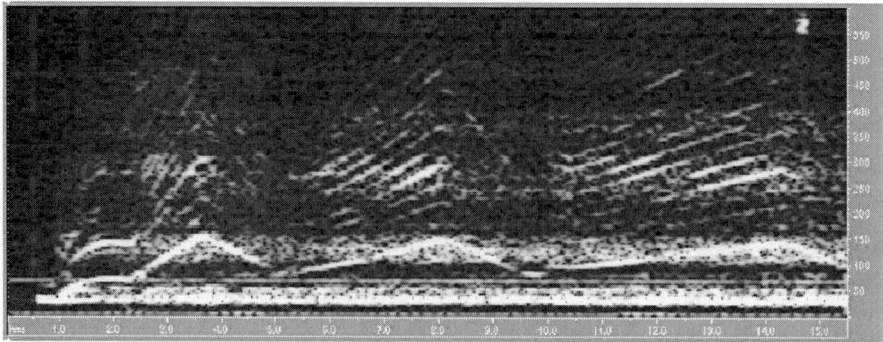

Fig. 8.7. Sonograma de ruido interior en aceleración de un AA.

Estos sonogramas corresponden al ruido interior del vehículo. Se trata del mismo motor pero con distinto escape. La gráfica empieza por la parte izquierda, donde el vehículo empieza a acelerar. Se observa de abajo arriba, una línea horizontal, que es el ruido de muy baja frecuencia, que no presenta componentes tonales ligadas con el motor. Esta baja frecuencia puede ser debida a las oscilaciones y movimientos del micrófono dentro del coche. Seguidamente una línea que sube y baja dibujando formas triangulares, es el segundo orden motor.

Nótese como la forma triangular que corresponde a la posición de la frecuencia del segundo orden motor se va alargando a medida que se sube de marcha, ya que la capacidad de aceleración va disminuyendo a medida que aumenta la velocidad del vehículo, al llevar engranada una marcha más larga. La pendiente creciente del triángulo es el incremento de las r.p.m. debido a la aceleración, mientras que la pendiente decreciente del triángulo se corresponde con el cambio de marcha, y la correspondiente disminución del régimen de giro del motor.

Por encima del segundo orden motor podemos observar los armónicos superiores, y como a medida que aumenta el orden del armónico, éste sube más rápidamente en frecuencia. El sonido del AA tiene una menor amplitud en la componente de segundo orden, mientras que es mayor en los armónicos superiores, cosa que en el SS es al revés. El sonido más deportivo del AA se manifiesta en el mayor contenido armónico (líneas inclinadas). El ejemplo ilustra que el sonido percibido de los dos vehículos es bastante diferente. Se puede observar como el "carácter" deportivo del sonido no se manifiesta para cualquier régimen de giro. Esta cuestión es bastante importante: algunos fabricantes prefieren que el sonido de su producto sea deportivo para unos determinados regímenes de giro del motor. Para otros regímenes, se busca un mayor confort. Por ejemplo, en las aceleraciones y arrancadas, se puede notar el carácter deportivo, pero circulando por autopista a un régimen casi constante, el conductor puede quedar aturdido y cansado por el nivel de ruido de baja frecuencia tan elevado.

El ejemplo ilustra como el mismo motor ofrece sonoridades diferentes en función del diseño del escape. Para conseguir un sonido distinto se realiza un diseño del silenciador a medida, pensando en las bandas de frecuencias que se desea enfatizar y en cuales se desea atenuar, sin olvidar que el nivel global dB(A) no puede superar un máximo permitido. Es decir, hace falta un diseño acústico eficiente que asegure una calidad acústica. Debe tenerse en cuenta que los silenciadores reactivos tienen un margen de frecuencias de trabajo limitado. En estos casos se utilizan marmitas de volumen variable.

8.9. Ruido de frenos.

Los frenos en sí mismos no deben generar ruido. Si es así, indican un mal funcionamiento de este dispositivo. El ruido en el momento de frenar el vehículo puede ser debido a diferentes factores:

- Por un desgaste de las pastillas de los frenos que hace que el soporte de acero de las pastillas entre en contacto con la superficie del disco.
- Por la pérdida o degradación de los elementos amortiguadores (muelle de presión) que absorben las vibraciones de las pastillas de freno.

Actualmente la mayoría de los vehículos llevan frenos de disco, y las pastillas de freno "pinzan" al disco por las dos caras, realizando una presión que consigue reducir la velocidad del vehículo. En el fenómeno de rozamiento de las pastillas de freno sobre el disco se producen diversos fenómenos. Básicamente tiene lugar un rozamiento que implica un desgaste de los dos componentes, aunque es superior en las pastillas. En los fenómenos de deslizamiento es conocida la aparición de fenómenos vibratorios no lineales, que comportan que el deslizamiento entre las dos superficies no sea constante. Esta no regularidad en el rozamiento genera vibraciones sobre las pastillas del freno.

Las pastillas de freno están guiadas por un soporte, y son desplazadas por dos cilindros hidráulicos, accionados por el pedal sobre el que actúa el conductor. El contacto entre el cilindro y las pastillas es por presión, cosa que posibilita que la pastilla tenga una cierta libertad para vibrar, y ciertamente la pastilla vibra siempre. Para evitar este fenómeno se ponen unos muelles de presión, a los lados de la pastilla, que actúan de "amortiguador", y evita que las pastillas de freno vibren libremente excitando el disco y radiando éste el ruido al aire. Cuando las pastillas se gastan en exceso, el soporte de la pastilla de freno llega a tocar el disco, produciéndose un ruido y una vibración mecánica que se nota al volante. Sin llegar a este extremo, el ruido que se suele escuchar con cierta frecuencia en autobuses y metro, no es debido al excesivo desgaste si no a un deficiente mantenimiento de los frenos. La componente de frecuencia es bastante pura y está situada entre 4 KHz y 8 KHz, motivo por el cual resultan tan molestos.

En el caso de autobuses y camiones, algunos modelos más antiguos van equipados con frenos de tambor. Este sistema de frenado se basa en un tambor cilíndrico solidario a la rueda, donde por la parte interior del tambor rozan unas pastillas de forma curvada. El ruido se produce por la aparición de vibraciones no lineales. En este caso la vibración queda bastante amortiguada por la forma del tambor y de las propias pastillas de freno. Los frenos llamados de tambor son más silenciosos aunque menos efectivos en su capacidad de frenado. La figura 8.8. muestra el ruido de frenada de un autobús urbano cuando llega a una parada. Se muestra la evolución de nivel y frecuencia con el tiempo. Se observan claramente las dos componentes tonales con niveles sonoros muy elevados. En este caso a la banda de 4 KHz el nivel supera los 100 dB. Estas señales de corta duración (pocos segundos) son fácilmente perceptibles por el oído.

FRENADA DE UN AUTOBÚS URBANO

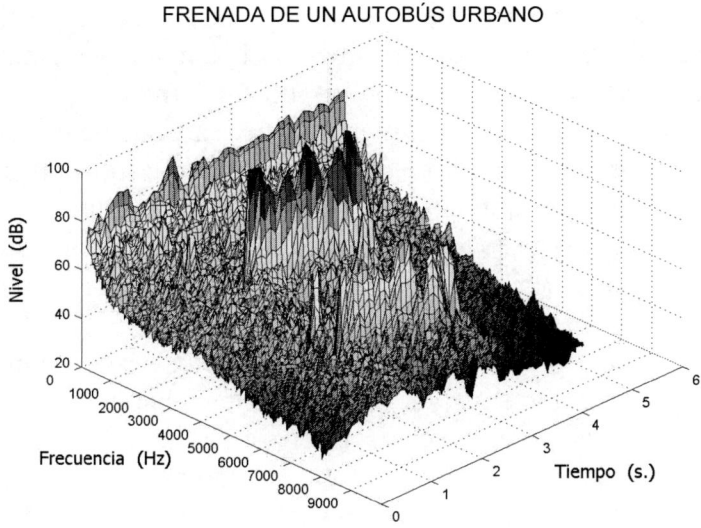

Fig. 8.8. Ruido de frenos generado por un autobús urbano.

8.10. Ruido aerodinámico.

Otra fuente de ruido de los vehículos es el ruido aerodinámico, que se produce con la interacción de la carrocería del vehículo y el aire que lo rodea. La presencia de elementos que sobresalen de la estructura del vehículo, provoca la aparición de turbulencias que originan señales con un contenido espectral de alta frecuencia. En algunos casos pueden presentar componentes tonales claras. Estas turbulencias y los ruidos que originan únicamente se producen a grandes velocidades, que no es el caso de la circulación urbana dentro de las ciudades. El concepto que se aplica a la mayoría de los vehículos a motor es que sean aerodinámicos, con un gran predominio de formas redondeadas y ausencia de superficies planas verticales. Con una buena aerodinámica se consigue un menor consumo de combustible cuando el vehículo se desplaza por una carretera o autopista. Este factor aerodinámico se mide con el coeficiente aerodinámico (Cx), y además de reducir el consumo de combustible, también permite obtener mejores prestaciones, especialmente en cuanto a la velocidad máxima que puede desarrollar el vehículo.

8.11. Ruido de rodadura.

Desde hace muchos años, los fabricantes de neumáticos y de vehículos automóviles han sido capaces de satisfacer las necesidades de los usuarios desarrollando sus propias tecnologías. Las carreteras estaban pensadas para unas velocidades y unas exigencias que hoy en día han sido superadas. Los vehículos actuales son mucho más seguros. El diseño de los neumáticos hasta hace poco tiempo no tenía en cuenta el ruido generado, debido a que otras fuentes de ruido como el escape o el motor superaban de mucho el ruido de rodadura. Actualmente los usuarios piden en los neumáticos más seguridad, más confort, y se entiende por confort no únicamente la eliminación de vibraciones del vehículo, sino la menor generación de ruido, es decir, una circulación más silenciosa, sobre una superficie que no ponga resistencia al paso del vehículo, que tenga un consumo ajustado, que no desgaste los neumáticos, que no desgaste los vehículos, que sea seguro en caso de lluvia, y en definitiva toda una serie de condicionantes que "a priori" parecen un poco contradictorios los unos con los otros.

Satisfacer todas estas demandas de la sociedad está en manos de los constructores de carreteras, de los fabricantes de vehículos, y los fabricantes de neumáticos. Reducir el nivel de ruido ocasionado por un vehículo es muy laborioso. Bajar 1 dB(A) el ruido puede parecer poca cosa, pero puede representar un coste muy importante para el fabricante. Debe tenerse en cuenta que existen muchas fuentes de ruido dentro de un vehículo. En cambio reducir unos 3 dB(A) el nivel de ruido de los vehículos en promedio es relativamente más fácil, cambiando el tipo de superficie del asfalto. El asfalto poroso o el poroelástico, ofrece una reducción sonora muy apreciable. En contra de este tipo de asfalto, tenemos su mayor fragilidad delante de las exigencias del tráfico pesado. Con estas acciones todos los vehículos se benefician de una reducción de ruido importante, mientras que actuando sobre los vehículos de forma individual, los resultados quedan diluidos por la presencia de otros vehículos más antiguos sin las nuevas medidas correctoras.

El ruido generado por la acción de las ruedas rodando sobre la superficie de la carretera puede tener una importancia primordial en el ruido total del vehículo, cuando éste circula a determinada velocidad. A velocidades del orden de 50 km/h, y circulando el vehículo con una marcha larga y sin aceleración fuerte, el ruido de rodadura es el ruido dominante. Para velocidades superiores a los 80 Km/h el ruido de rodadura, juntamente con el aerodinámico, son los ruidos más importantes radiados por el vehículo. En superficies mojadas el ruido de rodadura es dominante, y la velocidad a la que el ruido de rodadura es dominante es menor.

En la actualidad el ruido de rodadura es un aspecto fundamental en la investigación para la reducción de los niveles sonoros de los vehículos, ya que la disminución progresiva de los ruidos de motor, escape y admisión han dejado que la contribución del ruido de rodadura sea cada vez mayor. Desde finales de los 90 se realiza una prueba complementaria a la homologación de vehículos, evaluando el ruido generado por el neumático. La tabla 8.1 resume los métodos normalizados existentes.

NOMBRE DEL MÉTODO	PRINCIPIO DE FUNCIONAMIENTO	NORMA
Coast-By (CB)	Vehículo lanzado a velocidad casi constante, motor parado y caja de cambios en punto muerto.	ISO 13325
Controlled Pass-By (CPB)	Vehículo se aproxima a la zona de medida a velocidad constante en 3ª marcha. Aceleración a fondo en un intervalo de 20m. Medida del nivel máximo.	ISO 362
Statistical Pass-By (SPB)	Vehículos que circulan delante del micrófono en circulación normal. Se clasifican por el tipo de vehículo, y velocidad. Se tiene en cuenta el nivel máximo emitido, para cada vehículo. Con una regresión simple, se evalúa el nivel medio de ruido a las velocidades de referencia de 50, 80 y 110 Km/h.	ISO 11819-1
Close Proximity (CPX)	Se mide el ruido de los neumáticos en campo próximo. Estos van montados generalmente dentro de un receptáculo con ruedas. Las velocidades de referencia son: 50, 80 y 110 Km/h.	ISO 11819-2
Trailer Coast-By (TCB)	Medida del ruido de los neumáticos en campo próximo. Un vehículo pesado arrastra el carro con dos ruedas de prueba. Se aplica una corrección para compensar el ruido del vehículo tractor. Se mide el valor máximo.	ISO 13325
Laboratory Drum (LD)	El vehículo está inmóvil y las ruedas giran sobre unos tambores con un recubrimiento asfáltico o rugoso. Todo el conjunto está en campo libre, o cámara anecoica. Todo el ensayo está perfectamente controlado, por ejemplo temperaturas del asfalto y neumático.	CEE/WP 29

Tabla 8.1. Métodos normalizados para evaluar el ruido de neumáticos.

Existen dos métodos estandarizados para evaluar el ruido del neumático:
- ISO 11819-1 que se basa en la medida en campo libre con la técnica del "pass-by".
- ISO 11819-2 que es el método de medida en campo cercano.

Hasta hace pocos años el diseño de un neumático tenía como principales criterios de diseño, la seguridad, la duración, la tracción, la deformación, etc. Ahora hay que añadir el ruido. Las exigencias acústicas parecen incompatibles con las características de los materiales empleados y las tecnologías actuales.

El concepto actual de neumático cambiará completamente en un futuro. De hecho, los primeros cambios aparecerán en los vehículos ya que irá desapareciendo la rueda de recambio.

La tabla 8.1. muestra los estándares que actualmente se utilizan para evaluar el ruido de los neumáticos. El tipo de neumático y el tipo de asfalto son dos características muy importantes a tener en cuenta. El ruido producido por la interacción neumático - asfalto es debida a cuatro factores principalmente.

1. El ruido de impacto del neumático sobre la calzada cuando este gira.
2. El ruido de "air pumping" que es el aire que queda atrapado dentro de la huella del neumático y que sale con violencia cuando este gira, produciendo un ruido.
3. Contacto de la goma con el asfalto. Las condiciones de tracción y/o de frenada determinan el nivel de este ruido. En los casos extremos, cuando las ruedas patinan, ya sea por una aceleración brusca, o por una frenada brusca, el ruido aumenta muy rápidamente.
4. Vibración de la carcasa del neumático (torus noise).
5. Vibración de la llanta.

El diseño de un neumático debería armonizar los siguientes requisitos:

REQUERIMIENTOS MECÁNICOS   REQUERIMIENTOS ACÚSTICOS

◆ Tracción mecánica   ◆ Bajo ruido
◆ Seguridad   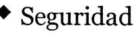   ◆ Ausencia de componentes tonales
◆ Durabilidad   ◆ Confort vibracional

En general los requerimientos mecánicos no van en la misma dirección que los requerimientos acústicos, de manera que un neumático que "agarra" bien, actualmente es ruidoso. Conceptualmente el neumático ha evolucionado hacia un producto que ofrece unas mejores prestaciones mecánicas que hace unas décadas. Sin embargo, a nivel de ruido emitido por ejemplo, una mayor sección del neumático implica actualmente un mayor nivel de ruido emitido.

8.11.1. Generación del ruido de rodadura.

Para adoptar soluciones que permitan reducir el ruido de rodadura hace falta conocer muy bien el origen de este ruido. El ruido de rodadura se produce por dos tipos de fenómenos bien diferentes, aunque muy relacionados entre sí:

1. Ruido generado por vibraciones en el neumático.

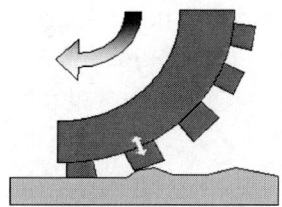

Vibraciones radiales. Al rodar sobre la superficie asfaltada las irregularidades son parcialmente absorbidas por el propio neumático. Estas vibraciones aparecen sobre la superficie de contacto del neumático y dependen del grado de dureza de las islas de goma que forman el dibujo, y de su tamaño. Estas vibraciones se originan por interacción con irregularidades de tipo positivo sobre el asfalto o bien también por el propio contacto entre el neumático y el asfalto.

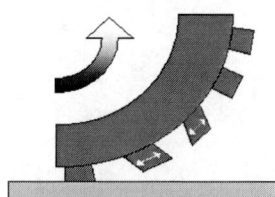

Vibraciones tangenciales. Las islas del dibujo vibran tangencialmente debido al efecto de tracción del neumático, tanto en aceleración como en frenada.

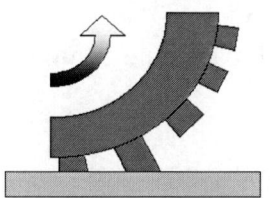

Efecto de adhesión. La goma del neumático se adhiere al asfalto. Esto provoca una deformación de las islas del dibujo en forma de alargamiento y una posterior vibración radial. El compuesto de goma utilizado es muy importante en este efecto.

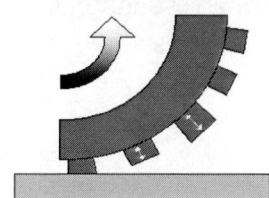

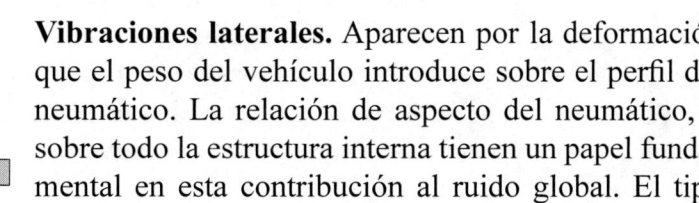

Vibraciones laterales. Aparecen por la deformación que el peso del vehículo introduce sobre el perfil del neumático. La relación de aspecto del neumático, y sobre todo la estructura interna tienen un papel fundamental en esta contribución al ruido global. El tipo de neumático define en gran medida la mayor o menor contribución de este factor.

2. Ruido originado con el movimiento y los fenómenos aerodinámicos.

Efecto "air pumped out". Al girar el neumático, el aire que queda dentro del espacio del dibujo, sale con violencia debido a que queda aplastado momentáneamente por el neumático.

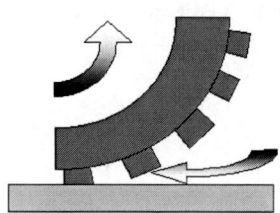

Efecto "air sucked in". Al girar el neumático, éste recupera su forma original, aspirando el aire cercano a la superficie del neumático

"Horn effect". Tanto a la entrada como a la salida del neumático, el perfil de éste y el suelo forman una geometría de sección creciente con la distancia, cosa que favorece la adaptación de impedancias, y en consecuencia un mayor nivel de ruido proyectado. Sería realmente como una bocina, de aquí su nombre.

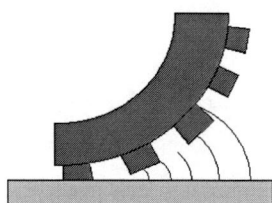

Resonadores de tubo. La parte del dibujo del neumático que comunica con el exterior forma resonadores que se encuentran generalmente sintonizados a $\lambda/4$.

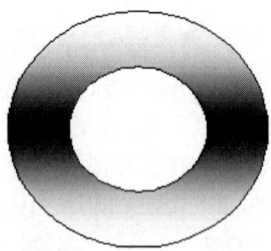

Resonancia de la cavidad del neumático (Torus noise). El volumen de aire interior del neumático es una de las causas más importantes del ruido generado por éste. Esta cavidad es excitada por la rodadura del neumático sobre el asfalto.

8.11.2. Tipo de neumático.

En función del dibujo de la superficie de rodadura, podemos encontrar neumáticos tractores o direccionales. La figura 8.9. muestra tres casos bien diferentes de dibujos de neumáticos.

Fig. 8.9. Dibujo de neumáticos. De izquierda a derecha, direccional, tractor y mixto.

A la izquierda se observa un dibujo longitudinal muy empleado en vehículos de transporte. Este dibujo permite dirigir muy bien el vehículo, en cambio tiene poca capacidad de tracción. Muchos vehículos pesados utilizan este dibujo en las ruedas delanteras. El dibujo central corresponde a un tractor. Justamente su nombre indica lo que se pretende: conseguir mucha capacidad de tracción, pero en contrapartida se tiene poca de dirección. Finalmente a la derecha tenemos un caso mixto donde se combinan las capacidades de tracción y direccionalidad del neumático. Conseguir un neumático que tenga la máxima capacidad de tracción y a su vez dirija bien el vehículo no es posible. El dibujo longitudinal (izquierda) es el más silencioso de los tres, ya que la goma del neumático no presenta discontinuidades al girar sobre la superficie del suelo.

8.11.3. Influencia de la velocidad del vehículo sobre el ruido de rodadura.

La velocidad del vehículo tiene una relación logarítmica con el nivel de ruido generado. El dibujo, dimensiones, presión de inflado, temperatura del neumático, temperatura del asfalto, el material y tipo de la llanta, son factores que influyen sobre el nivel de ruido global. También tiene su influencia la aerodinámica del coche.

La figura 8.10. muestra la relación entre la velocidad del vehículo y el ruido de éste, según diferentes autores. En todos los casos la ley es logarítmica. La medida del ruido de neumático debe realizarse sin ninguna otra fuente de ruido cercana. El micrófono está situado a 7,5m de distancia del centro de paso del vehículo en pista de pruebas. Este pasa en "coast down", es decir, vehículo lanzado con el motor parado y el cambio de marchas en punto muerto. La velocidad es casi constante en el momento de realizar la medida. Aunque es inevitable que la velocidad sea decreciente, la diferencia de velocidad de llegada a la zona de medida y la de salida no puede introducir diferencias apreciables sobre los niveles sonoros.

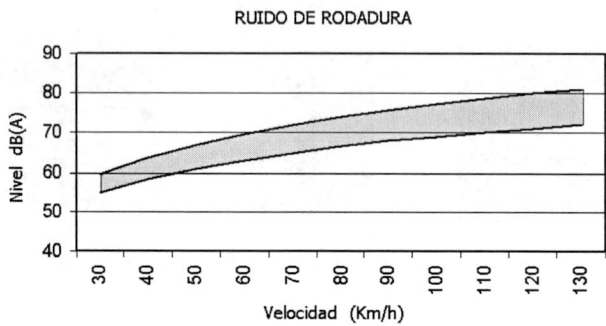

Fig. 8.10. Relación entre velocidad y el nivel global de ruido para neumáticos comerciales.

La expresión correspondiente al gráfico de la figura 8.10 es la siguiente:

$$L_A = m \cdot \log(n \cdot v) + K \tag{8.1}$$

Donde:
L_A es el pico de ruido en dB(A)
V es la velocidad con que circula en Km/h
K, n y m son constantes.
Los ensayos realizados con diversos tipos de ruedas y superficies ofrecen valores de m entre 27 y 34, valores de n entre 1/60 y 1/70, y valores de K entre 65 y 70.

8.11.4. Medida del ruido de rodadura.

La medida del ruido generado por los neumáticos tiene su dificultad añadida, ya que el vehículo debe desplazarse a velocidades conocidas. Esto introduce una serie de problemas, a saber:
1. Reduce mucho el tiempo de adquisición de señal y en consecuencia mayor dificultad para analizar correctamente el sonido.
2. La distancia entre el vehículo y el micrófono no es constante.
3. La velocidad del vehículo acercándose al micrófono lleva asociado el efecto Doppler que altera la posición de las componentes frecuenciales, incrementando el empañado espectral ("bluring").

Existen dos métodos bastante experimentados para medir el ruido de los neumáticos en pista de pruebas:

1. Campo libre. (ISO 11819-1)
2. Campo próximo. (ISO 11819-2)

1. El método de campo libre necesita de un espacio amplio y sin obstáculos en 50 m. alrededor como muestra la figura 8.11. Se trata de una pista de pruebas con el asfalto en perfecto estado y superficie totalmente plana. No hay ningún objeto vertical en 50 m a la redonda para evitar reflexiones sobre los micrófonos. El vehículo realiza sucesivas pasadas en ambas direcciones, pasando siempre por la parte central de la pista siguiendo la línea recta. Se mide simultáneamente a ambos lados.

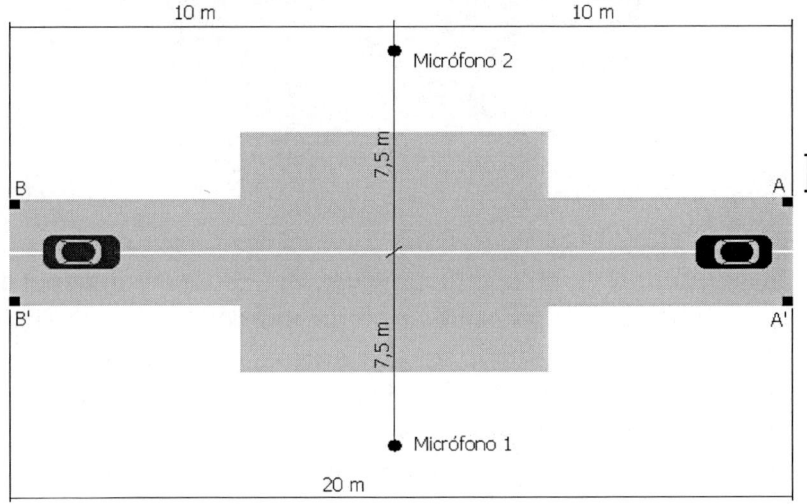

Fig. 8.11. Medidas de ruido de neumático en campo libre.

El vehículo viene por la derecha o izquierda a una velocidad conocida ligeramente superior a la que tendrá cuando pase por la línea de micrófonos. Cuando el vehículo entra por los puntos A-A' o bien B-B', debe estar en punto muerto y con el motor completamente parado. Esto conlleva un cierto riesgo ya que la dirección y los frenos del vehículo se quedan sin la asistencia de la bomba accionada por el motor, perdiendo eficacia.

2. El método de campo próximo simplifica la puesta a punto del entorno de ensayo, ya que no hace falta una extensión tan grande de terreno para realizar las medidas, ya que no hace falta mover el vehículo (cámara semianecoica).

2.1. *Método en cámara semianecoica.* El vehículo se pone sobre un banco de rodillos donde las ruedas motrices pueden girar sobre un tambor de diámetro importante (normalmente entre 0,6 m. y 2 m. de diámetro). Usualmente este banco se encuentra montado dentro de una cámara semianecoica, aunque también puede ser exterior. Con este método únicamente 2 de las 4 ruedas giran.

Fig. 8.12. Medida del ruido de rodadura sobre banco de rodillos.

Este método permite comparar fácilmente resultados obtenidos por diversos neumáticos ya que se pueden cambiar fácilmente, manteniendo siempre las mismas condiciones de la prueba. La figura 8.12. muestra un ejemplo de la medida en banco de rodillos del ruido de rodadura. Nótese la proximidad del micrófono de medida al neumático.

El principal problema de este método es que el tambor sobre el cual gira el neumático presenta siempre frecuencias de resonancia que alteran notablemente los resultados, falseando tanto los valores de ruido como los espectros obtenidos. Además, la superficie de contacto entre el neumático y el tambor y la deformación del neumático, no coinciden con las habituales debido a la curvatura que presenta el tambor. Por otro lado para velocidades superiores a los 80 Km/h la carga aerodinámica del vehículo adquiere importancia sobre la carga real que soporta el neumático, aspecto que no puede valorarse con esta prueba.

Método del remolque. Se utiliza un remolque convenientemente equipado con un habitáculo con absorbente por la parte interior para llevar los micrófonos. La carcasa del remolque hace de protección contra el viento y el ruido exterior. El remolque se lastra para que la carga estática del neumático se corresponda con la real. Este remolque es arrastrado por un vehículo debidamente silenciado, para no influir en las mediciones.

Fig. 8.13. Medida del ruido de rodadura en campo próximo. Método del remolque.

La figura 8.13. muestra el método de medida del ruido de rodadura utilizando el método del remolque. Este remolque puede tener internamente una o dos ruedas de prueba, aunque lo normal es llevar una única rueda. Cabe destacar que si se utiliza un solo neumático las medidas son más reales ya que la fuente de ruido es única. Para dotar al sistema de suficiente estabilidad, se montan dos ruedas auxiliares de motocicleta en la parte delantera. Estas ruedas tienen una superficie de contacto pequeña y no añaden ruido. Con el método del remolque se evalúa el ruido de rodadura sin tracción mecánica aplicada al neumático. La disposición de los micrófonos se muestra en la figura 8.14.

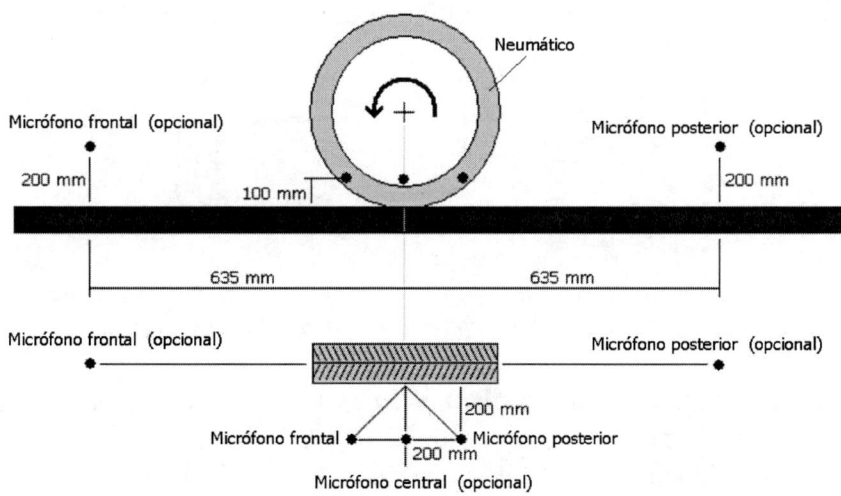

Fig. 8.14. Medida del ruido de rodadura según la norma ISO 11819-2.

La norma ISO 11819-2 determina la posición obligada de dos puntos de medida, pero permite el uso de más posiciones de micrófonos. Los marcados como opcionales, aportan más información pero estrictamente no son normativos.

8.11.5. Dibujo del neumático.

El dibujo del neumático tiene efectos más o menos directos sobre el ruido total de rodadura. Los neumáticos con dibujos transversales son sistemáticamente más ruidosos, que aquellos que presentan dibujos preferentemente longitudinales. En este sentido los nuevos diseños que aparecen en el mercado presentan un marcado perfil directriz a un lado y un dibujo tractor del otro, de manera que se combinan los beneficios de ambos diseños.

El ruido de rodadura tiene en general un espectro sin componentes tonales netas, pero con ruedas con dibujos muy transversales esto se modifica, y el golpeteo de la rueda con el asfalto hace que aparezcan componentes tonales, debido a la periodicidad del dibujo.

• Estructura de la Rueda.

Los primeros neumáticos tenían una estructura multicapa cruzada en su interior formada por cables metálicos. Estos neumáticos tenían un comportamiento mecánico no muy bueno en algunos aspectos. La aparición en el mercado de los neumáticos radiales supuso un gran avance. Este tipo de neumático asegura una superficie de rodadura menos deformable y las prestaciones mecánicas son netamente superiores. La figura 8.15. muestra las diferencias entre los neumáticos multicapa convencionales y los radiales.

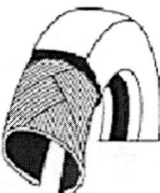 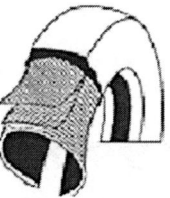

Fig. 8.15. Diferencias estructurales internas entre un neumático convencional y uno radial. Izquierda: multicapa convencional. Derecha: radial.

La estructura interna de un neumático es bastante compleja. Uno de los principales problemas en el proceso de fabricación, es la convivencia de materiales que tienen diferente coeficiente de dilatación. La estructura interna de un neumático es bastante compleja y contiene múltiples capas de distintos materiales que le dan las características mecánicas deseadas. El neumático está sometido a unos esfuerzos muy grandes y debe asegurarse que no se va a degradar rápidamente por efecto de la temperatura o solicitud mecánica. La figura 8.16. muestra una sección de un neumático radial.

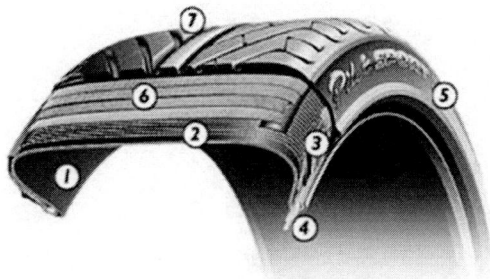

1. Recubrimiento interior.
2. Cables de fibra (1.400 cables)
3. Perfil lateral interior. Fijación a la llanta.
4. Perfil interior.
5. Protección lateral exterior.
6. Cables metálicos transversales con goma.
7. Lado de rodadura. Dibujo del neumático.

Fig. 8.16. Estructura interna de un neumático radial.

• Materiales de la banda de rodadura.

Aunque se ha comprobado que algunas composiciones de goma con histéresis alta producen aumentos ligeros del ruido de rodadura, las diferentes composiciones comerciales de goma tienen efectos despreciables sobre el ruido de rodadura. Los neumáticos más duros ofrecen unos niveles de ruido ligeramente superiores a los neumáticos con compuestos blandos.

• Desgaste de las ruedas.

En la actualidad se utilizan bandas transversales llamadas de desgaste, la misión de las cuales es indicar al conductor del desgaste del neumático. Estas bandas, que en principio no entran en contacto con la carretera, a medida que el neumático se va desgastando llega un momento en que entran en contacto con el suelo. Esto hace que el ruido de rodadura aumente, aumentando las componente tonal a bajas frecuencias. En general el desgaste de las ruedas tiene efectos sonoros y vibracionales. La disminución de la profundidad del dibujo del neumático hace que éste sea cada vez más ruidoso.

• Comportamiento del neumático.

Depende en gran medida de la estructura interna. El dibujo y el tipo de compuesto de la goma también tienen su importancia. Comparando los neumáticos multicapa convencionales con los neumáticos radiales, éstos son netamente superiores en prestaciones mecánicas. Por este motivo, la gran mayoría de neumáticos son del tipo radial. La figura 8.17 muestra de forma clara las ventajas mecánicas. Como se puede ver, el neumático radial aumenta la superficie de contacto con la carga, mientras que el convencional no. Por otro lado el radial es más insensible a los esfuerzos laterales que el convencional.

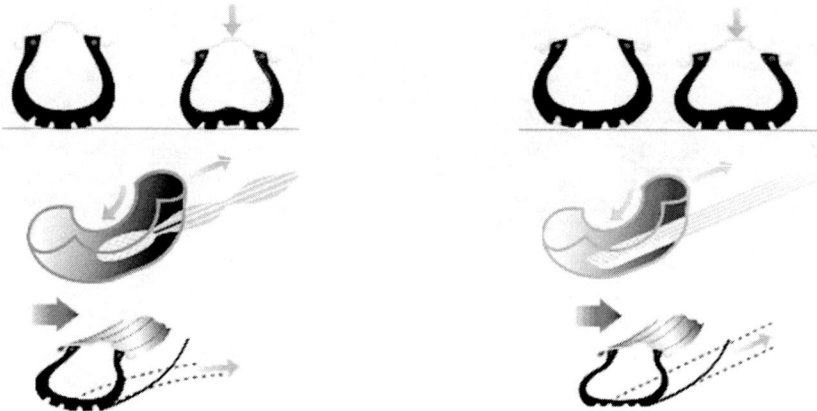

Fig. 8.17. Comparación entre las cualidades mecánicas de un neumático multicapa convencional y uno radial. Izquierda: convencional, derecha: Radial.

8.11.6. Análisis espectral del ruido de rodadura.

La evolución del ruido de rodadura para un neumático a diferentes velocidades se muestra en la figura 8.19. Nótese que el pico de máximo nivel de ruido se produce sobre los 1,1 KHz y es independiente de la velocidad. Observando detenidamente el ruido generado por el neumático, existen dos picos que se pueden ver enfatizados en mayor o menor grado. El primer pico de la señal se sitúa generalmente entre los 600 Hz y 1 KHz, que corresponde a la frecuencia generada por el corte transversal del dibujo del neumático, y que por tanto tiene una relación directa con la velocidad del vehículo. Esta primera componente en frecuencia varía su posición espectral en función de la velocidad. El segundo pico de señal, corresponde a la radiación de la estructura del neumático. Este segundo pico se origina con la radiación lateral del neumático, y por tanto depende de las dimensiones de éste y no de la velocidad de giro. La forma de ver la variabilidad de este segundo pico es comparar neumáticos de diferente dimensión. Normalmente los vehículos utilizan neumáticos de dimensiones similares, aunque no siempre iguales. Esto provoca que cuando medimos ruido de tráfico y pasan diferentes vehículos, el pico de radiación correspondiente al nivel máximo no presente un valor claramente definido. Normalmente el máximo nivel se da entre los 1 kHz y 1,2 kHz aproximadamente.

La superficie de contacto entre el neumático y la rueda es muy importante de cara al ruido de rodadura generado. El primer pico, debido al dibujo, puede destacar con mayor o menor medida dependiendo del número de cortes transversales y de la velocidad angular. La figura 8.18. muestra un caso en que la componente en frecuencia debido al dibujo del neumático está muy diluida.

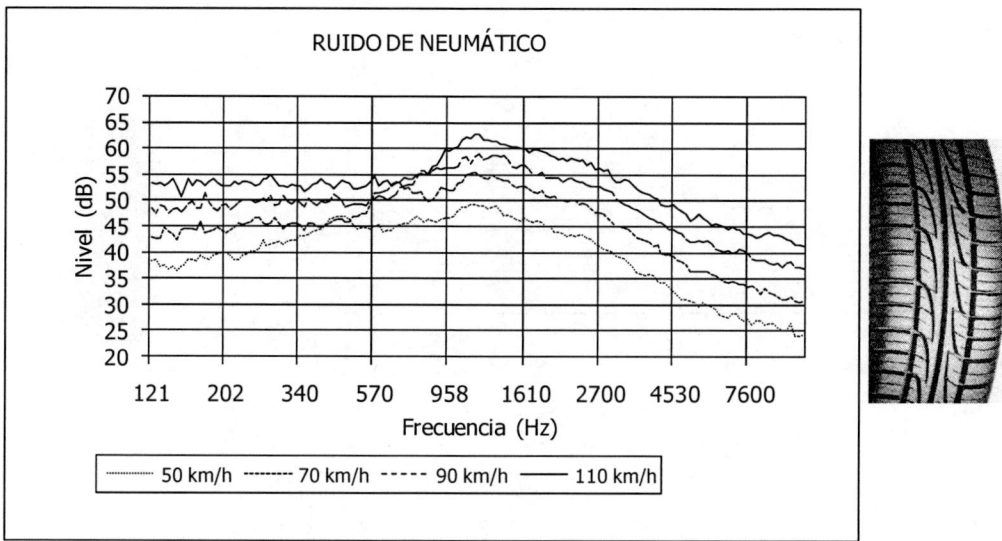

Fig. 8.18. Ruido de rodadura de un neumático con un diseño de dibujo eficiente. A la derecha, se muestra del dibujo correspondiente.

El diseño del dibujo presenta pocos cortes transversales que comunican ambos lados del neumático. En los espectros se puede apreciar la frecuencia de la cavidad del neumático (torus noise) centrada sobre los 1,1 KHz aproximadamente. A medida que la velocidad aumenta, se aprecia otro pico (50 Km/h y 70 Km/h) de frecuencia inferior, que corresponde al dibujo del neumático. En este caso el pico queda poco visible.

La figura 8.20. muestra un caso en que se puede apreciar claramente la presencia del pico generado por las secciones transversales del dibujo del neumático, y cómo este pico sube de frecuencia a medida que la velocidad de giro aumenta. Durante las mediciones realizadas en la pista de pruebas, se decía entre los ingenieros que realizaban las medidas, que el neumático de la figura 8.18. era "el silencioso". Realmente los niveles del neumático de la figura 8.19 presentan un nivel ligeramente inferior, pero la componente tonal debida al dibujo se percibe con mucha claridad, haciendo que éste "suene" más. En los ensayos se constató que las medidas no siempre llegan a reflejar la percepción real del sonido. En este caso el pico de ruido del segundo neumático es más estrecho y esto enfatiza la sensación de tonalidad y por tanto de molestia, aunque los niveles globales para el segundo neumático son inferiores.

Nótese como el "torus noise" se ve superado por el nivel del pico debido al dibujo del neumático, aumentando la sensación de sonoridad para la velocidad de 120 Km/h.

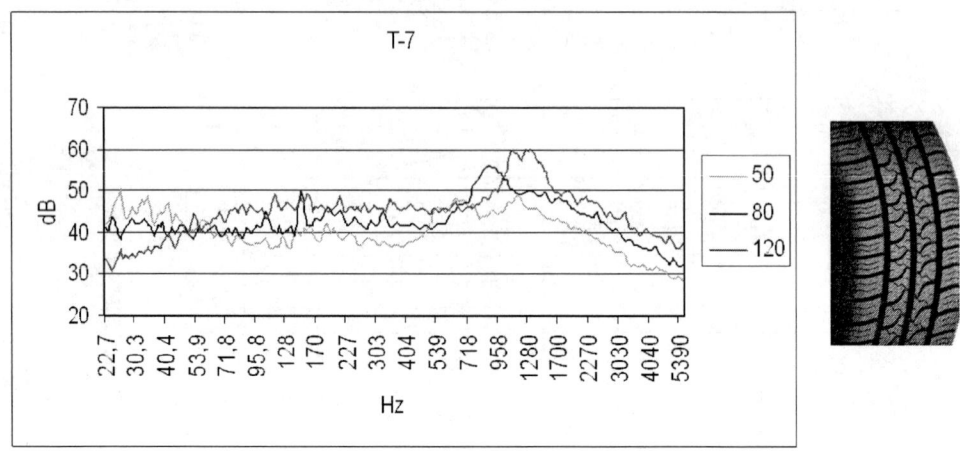

Fig. 8.19. Ejemplo de neumático con influencia del diseño del dibujo transversal.

La figura 8.20. muestra el espectro de ruido de tres neumáticos con diseño del dibujo diferente rodando a la misma velocidad de 80 Km/h y con las mismas condiciones (coche, peso, velocidad, temperatura, asfalto y llanta). Se observa que el espectro del ruido generado varía notablemente de un modelo a otro.

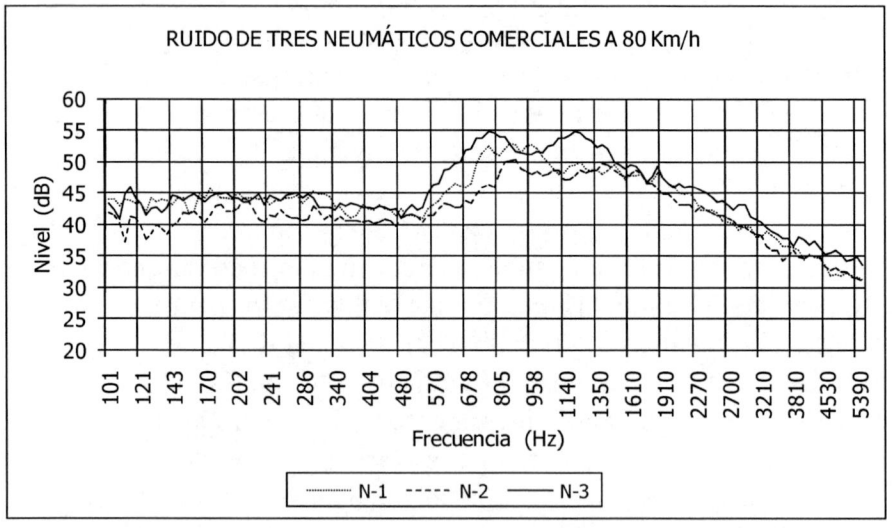

Fig. 8.20. Influencia del dibujo sobre el ruido generado por un neumático.

La figura 8.21. muestra las diferencias entre el ruido medido por tres métodos distintos. Se trata de un neumático comercial nuevo, montado en el mismo vehículo, con la misma carga, misma climatología, y a la misma velocidad. El punto de medida en los tres casos era el mismo para poder comparar resultados.

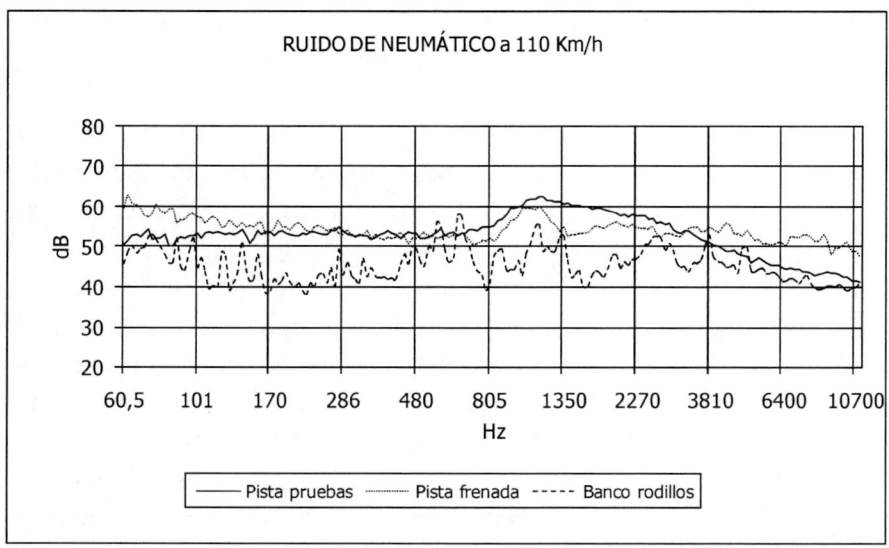

Fig.8.21. Nivel de ruido generado por un neumático medido con tres métodos distintos.

La pista de pruebas tiene un asfaltado no poroso. Se trata de una superficie plana sin obstáculos ni fisuras en el asfaltado. La pista de frenada es la utilizada para las pruebas de los sistemas ABS. En estas pruebas además se suele mojar la pista para disminuir al máximo la adherencia del neumático sobre el suelo. En este caso la pista está seca, para evitar modificar en exceso las condiciones de rodadura del neumático y por tanto obtener una calidad de ruido distinta. Esta pista está cubierta con elementos cerámicos con un bajo coeficiente de rozamiento. El banco de rodillos está situado en un entorno sin obstáculos y al exterior. El tambor tiene un diámetro aproximado de 1,5 m. El vehículo se encuentra inmovilizado, y las ruedas motrices (delanteras) giran sobre el tambor. En este caso es el tambor el que hace girar a las ruedas, para evitar que el ruido del motor influya en las mediciones. De los tres métodos este último es el que más se aparta de las condiciones normales de circulación, y además es el que ofrece unos resultados completamente distintos.

Como se puede apreciar hay cierta similitud entre el espectro de la señal medida en la pista de pruebas y en la pista de frenada. Se destaca en la pista de frenada que el pico del dibujo del neumático queda más definido. En esta prueba el ruido era claramente más elevado, sin embargo nótese que el pico está unos 2 dB por debajo del nivel obtenido en la pista de prueba con asfalto. En el ruido en la pista de frenada, las bandas de frecuencias por encima de los 3,2 KHz aportan mucha energía debido a la mayor superficie de contacto entre el neumático y el suelo. Finalmente destacar que las mediciones en banco de rodillos arrojan un resultado muy decepcionante, ya que no se parecen en absoluto a los otros registros. Se observan picos que corresponden a las resonancias internas del tambor del banco de rodillos.

8.11.7. El neumático de referencia.

El neumático sin dibujo, utilizado en algunas competiciones sobre suelo seco, ofrece la mayor superficie de contacto posible entre el neumático y el asfalto. Este neumático resulta muy atractivo para la competición, por las ventajas que aporta. Desde el punto de vista acústico, se considera que la ausencia de dibujo hace que el neumático sea considerado el más silencioso. Por ello se considera el neumático liso "slick" como el neumático de referencia o el más silencioso. En las mediciones siguiendo la norma ISO se comprueba que un neumático con dibujo siempre ofrece un nivel de ruido superior a un neumático liso.

Sin embargo, tras unas pruebas con estos neumáticos montados en un vehículo, las sensaciones no parecen coincidir con lo expuesto anteriormente. La figura 8.22 muestra una comparativa realizada con el mismo vehículo circulando sobre la misma pista de pruebas, con la misma carga, con las mismas condiciones climáticas y a una velocidad de 70 Km/h (vehículo lanzado). Se muestran los resultados de 7 neumáticos nuevos de la misma sección y relación de aspecto, montados con la misma llanta, comparados con un neumático liso de idénticas dimensiones y montado también sobre la misma llanta. Como se puede observar ciertamente el nivel máximo del neumático liso es menor a los de un neumático con dibujo. Sin embargo la energía radiada por el neumático liso es muy superior a la energía radiada por un neumático con dibujo. Nótese la mayor área entre las bandas de 1.400 Hz a 5.000 Hz que contribuyen a una mayor sonoridad para el neumático "slick".

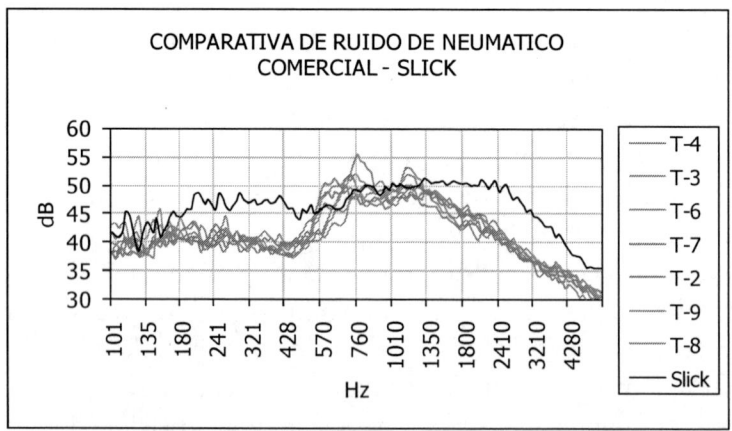

Fig. 8.22. El nivel de ruido de pico de un neumático "slick" es menor que uno convencional con dibujo, pero produce una sensación de molestia mayor.

A mayor superficie de contacto entre el neumático y el asfalto, mayor nivel de ruido. Esta afirmación deberá matizarse con el tipo de dibujo que presente el neumático. Se puede comprobar pues que la actual normativa sobre ruido de neumáticos va en la dirección equivocada. Con la norma ISO 11819-2 se mide el nivel de ruido máximo (pico) generado por el neumático, pero el oído humano no trabaja con valores de pico sino con energía. Con las pautas que marca la norma ISO 11819-2, va a ser imposible conseguir reducir de forma eficiente el nivel de ruido de rodadura. Tenemos un claro ejemplo en el neumático de referencia "slick", según las mediciones ISO el más silencioso, según el oído, el más ruidoso. Nótese además que decir que el neumático que ofrece más superficie de contacto es el más silencioso es absurdo, ya que entonces se podría llegar a afirmar que a menor superficie de contacto más nivel de ruido y por consiguiente, cuando el contacto entre el neumático y asfalto tienda a cero, el nivel de ruido tenderá al máximo, aspecto que contradice la realidad.

8.11.8. Directividad del ruido de rodadura.

El ruido de rodadura presenta diferentes focos de ruido. En la interacción entre el neumático y el asfalto, se producen muchos fenómenos que generan vibraciones. No todas las vibraciones que se generan se transmiten con suficiente energía al espacio. Por un lado es necesario que haya una superficie radiante, y por otro lado una buena adaptación de impedancias con el medio que rodea a ese elemento. La adherencia del neumático sobre la superficie asfaltada parece incrementar el nivel de ruido por su parte posterior, de manera que los niveles cuando éste se aleja del punto de medida decrecen más lentamente, como se puede observar en la figura 8.23.

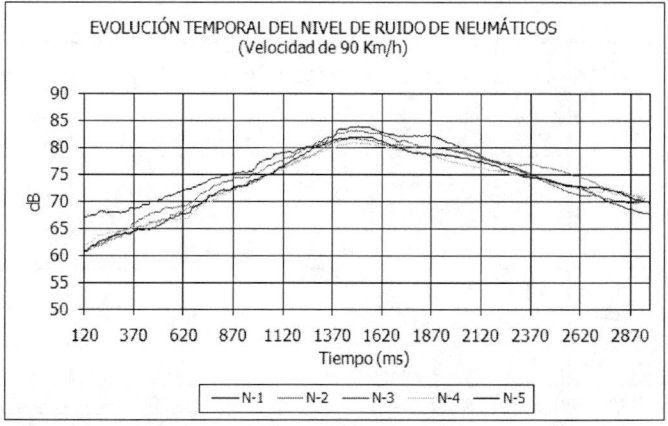

Fig. 8.23. Los neumáticos ofrecen una cierta directividad posterior.

El interior del guardabarros encierra una cavidad semiabierta al exterior, que permite a la suspensión del vehículo trabajar correctamente. En esta cavidad se obtienen niveles de ruido notables debido a la proximidad del neumático. En algunos modelos de automóvil, este ruido llega con facilidad al interior del vehículo, especialmente por las ruedas de la parte posterior puesto que se encuentran generalmente dentro del habitáculo, no así las delanteras porque están dentro del compartimento motor.

A pesar de poner absorbente dentro de la cavidad del guardabarros, los niveles de ruido exteriores no varían. Sí en cambio los niveles de ruido interiores. Resulta muy curioso que absorbiendo parte de la energía radiada por los neumáticos, no se obtenga una reducción en los niveles de ruido en el exterior. De esta experiencia se deduce que para reducir el nivel de ruido de los neumáticos debe actuarse sobre la superficie de contacto entre el neumático y el asfalto, cambiando sus propiedades. Intentar absorber la energía acústica no aporta en principio beneficios en el ruido exterior. También interponer una barrera entre esta superficie de contacto y el punto observador sería una solución. Esto requeriría utilizar unos faldones situados en los pasos de rueda, a los lados del vehículo que taparan completamente la rueda hasta el suelo.

8.11.9. Tipo de asfalto.

El asfalto está formado por diferentes capas de materiales áridos con aglutinante a base de elementos bituminosos, o bien de hormigón. Existen diferentes tipos y clases de asfaltos. La superficie visible es la más importante de cara al usuario, ya que es la que soporta inicialmente todas las inclemencias, agua, nieve, tierra, impactos, etc. Podemos hacer una primera clasificación del tipo de asfalto que queda reflejado en la tabla 8.2.

	DENOMINACIÓN	HORIZONTAL	VERTICAL
TEXTURA O RUGOSIDAD	MICRO-TEXTURA	0 - 0,5 mm	0 - 0,2 mm
	MACRO-TEXTURA	0,5 - 50 mm	0,2 - 10 mm
	MEGA-TEXTURA	50 - 500 mm	1 - 50 mm
REGULARIDAD SUPERFICIAL	ONDAS CORTAS	0,5 - 5 m	1 - 20 mm
	ONDAS MEDIAS	5 - 15 m	5 - 20 mm
	ONDAS LARGAS	15 - 50 m	10 - 200 mm

Tabla 8.2. Dimensiones de las irregularidades geométricas del asfalto.

La *micro-textura* depende de la textura superficial de los áridos y del hormigón de sustentación. Esta superficie condiciona la adherencia de las ruedas del vehículo sobre la superficie. También es la responsable del desgaste de los neumáticos, es la que condiciona el ruido de alta frecuencia, y finalmente, es la que condiciona la rotura de la película de agua.

La *macro-textura* depende de la formulación del material, de los tratamientos superficiales, de las pequeñas degradaciones de la superficie, ocasionadas por el desgaste con el paso de los vehículos, o bien por la acción de algún agente degradante, como puede ser el agua, el hielo, la tierra, el polvo, etc. y también depende de los dispositivos drenantes. La macro-textura condiciona las proyecciones de agua, la adherencia de la superficie del asfalto con el neumático, el drenaje, la resistencia a la rodadura, el ruido de baja y alta frecuencia, y las propiedades ópticas sobre la superficie, principalmente cuando llueve.

La *mega-textura* depende de las degradaciones, de los procesos constructivos, y de los tratamientos puntuales, y condiciona el confort, en cuanto a las vibraciones que se pueden transmitir al vehículo, el control y la estabilidad, ya que las ruedas pueden perder adherencia con la superficie del asfalto, problema que se ve agravado si el estado de los amortiguadores no es del todo satisfactorio. Condiciona también las acumulaciones de agua y el ruido de baja frecuencia.

8.11.10. Influencia de las condiciones climatológicas.

La presencia de agua sobre la superficie de la carretera debe considerarse como un factor importante en el aumento del ruido de rodadura. La presencia de agua siempre comporta un aumento del nivel de ruido, a la misma velocidad del vehículo. En ocasiones, la velocidad es menor y también el ruido.

En la mayoría de casos el agua incrementa de forma drástica el ruido de rodadura con valores que oscilan entre 1 y 10 dB(A), en función del dibujo de la rueda y del tipo de carretera. Este aumento tan drástico puede explicarse a través del espectro del ruido generado. Se distingue entre suelo mojado y seco. En general con el suelo seco se obtienen menores niveles de ruido, como podemos ver a la figura 8.24. Como se puede observar, el asfalto drenante es el que desde el punto de vista acústico da mejores resultados.

Además de la reducción de ruido el asfalto drenante, permite una buena evacuación de la capa de agua, evitando que se produzca el efecto espejo. El conductor observa una superficie mate, prácticamente igual que en estado seco.

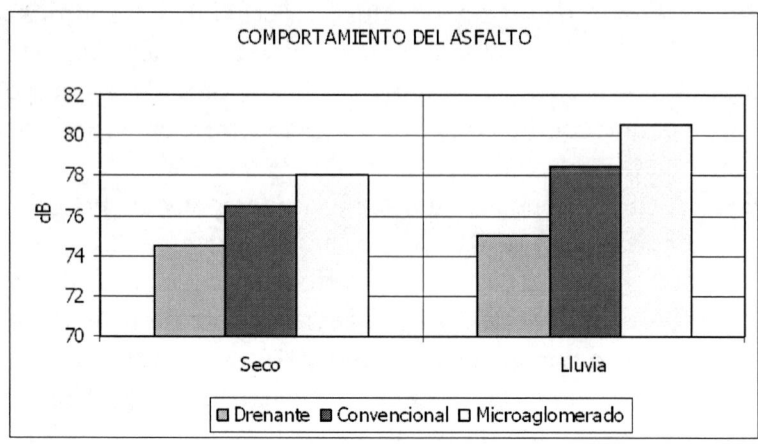

Fig. 8.24. Influencia de la lluvia sobre el ruido de rodadura.

Además de la mejora visual, la ausencia de capa de agua, favorece un mejor contacto entre el neumático y la superficie. El ruido generado se incrementa proporcionalmente menos que con otro tipo de pavimentos. La incorporación de asfaltos de tipo drenante disminuye el ruido a las vías urbanas. Hay que tener en cuenta que en una gran ciudad pueden haber distintos tipos de vías de circulación. Unas son rápidas (velocidad limitada a 80 Km/h) que circunvalan la ciudad a modo de anilla y permite el desplazamiento a puntos alejados sin pasar por el centro. En principio en estas vías no hay regulación semafórica por lo que se espera un ruido continuo. La mayoría de vías de circulación urbana tienen limitada la velocidad a 50 Km/h, aunque van apareciendo zonas 30, donde la velocidad se limita a 30 Km/h. Esto permite la convivencia en la circulación de vehículos más lentos. En algunas ciudades, en las zonas más céntricas con mucho comercio el acceso de vehículos suele estar restringido. La figura 8.25. muestra la evolución del nivel Leq 24h en las Rondes de Barcelona.

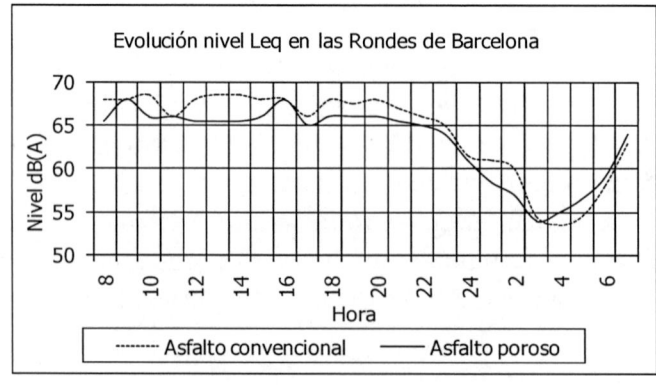

Fig. 8.25. Reducción de ruido con asfaltado poroso.

La reducción de ruido observada se sitúa entre los 2 y 3 dB(A). El bajo nivel de ruido mostrado a pesar de la elevada densidad de circulación, puede ser debido a una distancia del punto de medida respecto de la vía de circulación, apreciable. Medidas hechas en otros puntos de las Rondes concretamente en la salida 7, y con densidades de circulación muy similares, presentan unos niveles de ruido bastante superiores, aproximadamente unos 10 dB(A) más. Comparando las dos curvas de la figura 8.28. se observa que en algunos momentos la reducción de ruido es nula. En estos puntos el tráfico estaba colapsado y al no haber ruido de rodadura, la mejora del asfaltado poroso respecto del convencional es nula. En el gráfico se compara el ruido con asfalto convencional y el ruido con asfalto poroso para el mismo tramo.

Asímismo la reducción de ruido en las zonas 30 (velocidad limitada a 30 Km/h) puede ser menor, ya que el ruido del motor adquiere más importancia respecto del ruido de los neumáticos. Con una reducción de velocidad de 50 Km/h a 30 Km/h, el ruido debido a la rodadura disminuye unos 6 dB(A), valor bastante interesante. Paradójicamente, con esa reducción de velocidad la mejora del asfalto, a nivel de reducción sonora, es mínima, por lo que la inversión efectuada ya no es tan ventajosa. Para mantener una estabilidad de marcha del vehículo a 30 Km/h, se debe utilizar una marcha corta, en algunos casos la segunda velocidad. Eso podría suponer un incremento de ruido y de consumo de combustible que se traduce en más contaminación. El mayor nivel de ruido del motor, puede hacer que finalmente la reducción de ruido real de una zona 30 se quede en unos 3 o 4 dB(A), siendo igualmente interesante.

La conservación y puesta a punto de la mecánica del vehículo pueden influir mucho sobre el nivel de ruido. Los coches híbridos parecen ser una buena opción en estos casos, ya que pueden circular con propulsión eléctrica durante gran parte del tiempo en circulación urbana.

La aplicación de una capa porosa sobre el asfalto mejora la absorción acústica y reduce el ruido de rodadura. Si aumentamos el grosor de esta capa la absorción aumenta ligeramente pero queda casi-constante aunque el grosor sea considerable. Por otro lado el incremento de absorción conseguido no es rentable ya que el coste es muy superior, y además los vehículos pesados deforman rápidamente la superficie. Los elementos asfálticos porosos presentan unas irregularidades negativas, que permiten un buen drenaje del agua sin que se produzca el conocido efecto espejo. La superficie de rodadura puede llegar a ser muy lisa, con la ausencia de protuberancias de signo positivo.

El asfalto poroso presenta una absorción acústica máxima alrededor de 1KHz, y menor a otras frecuencias, mientras que el asfalto convencional tiene una absorción acústica muy baja y prácticamente constante con la frecuencia.

En la figura 8.26, se observa la diferencia de absorción acústica entre ambos asfaltos. Las medidas están hechas con la técnica del tubo de Kundt. Que la absorción del asfalto poroso sea máxima cerca de 1 kHz, justamente donde los neumáticos radian más ruido, ha sido una coincidencia que ayuda a minimizar el ruido generado por los neumáticos.

Estos resultados coinciden con un trabajo publicado el año 1989 que hace el primer un estudio teórico de la previsión de la absorción del asfalto en función de los tres parámetros principales, que son la porosidad, la resistencia al flujo de aire, y la rugosidad de la superficie. Las medidas prácticas se realizan con dos métodos bien diferenciados. El método de Kundt en laboratorio con una muestra de asfalto, y la respuesta impulsiva medida "in situ" sobre la carretera.

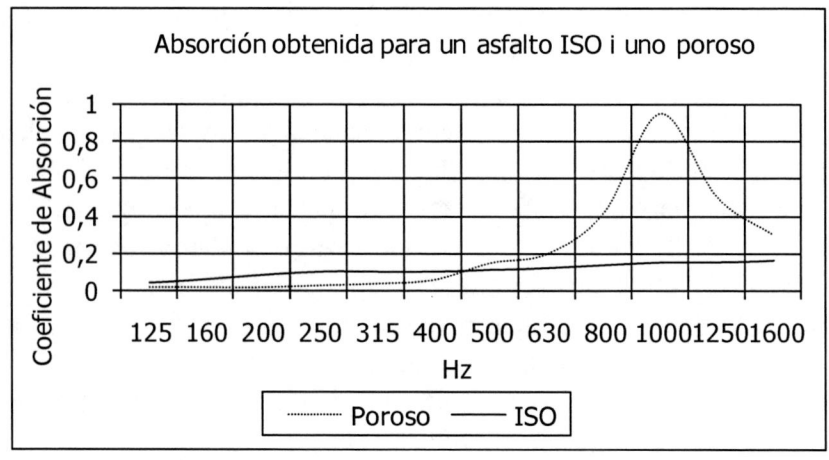

Fig. 8.26. El asfalto poroso presenta una absorción centrada en 1 KHz.

Como fuente excitadora se utiliza una pistola de 8 mm con carga explosiva y sin munición, para producir el impulso. Los resultados los podemos ver en la figura 8.27. Estos resultados corresponden a un tipo de asfalto que combina una cierta elasticidad con la porosidad, con la idea de que el ruido de impacto entre el perfil del neumático y la superficie asfáltica sea menor. El estudio, presentado por TRACSA-BEUGNET el año 1989, aporta una absorción acústica menor, en cambio las reducciones de ruido son más espectaculares. Esencialmente la mejora aportada hace referencia al tipo Drainochape, asfalto poro-elástico. La composición interna resulta muy interesante desde el punto de vista del reciclado, ya que utiliza como base el caucho reciclado procedente de los neumáticos viejos. Este caucho, después de ser convenientemente triturado, se mezcla con el asfalto y un aglutinante en proporciones adecuadas. El resultado es un asfalto con una impedancia acústica más baja.

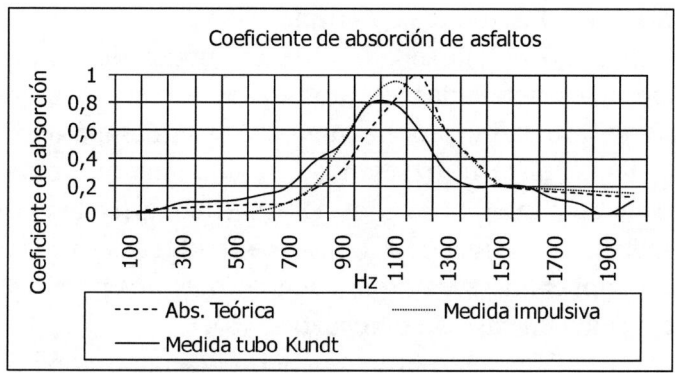

Fig. 8.27. Comparativa entre los resultados obtenidos mediante diferentes técnicas de medida del coeficiente de absorción de asfaltos.

Debe tenerse en cuenta que los asfaltos porosos sean elásticos o no, tienen dos limitaciones: los vehículos pesados que a su paso deforman la superficie, y la contaminación ambiental (polvo, barro) que tapa progresivamente los poros de la superficie, perdiendo eficacia. El peor caso se da cuando la porosidad de la superficie del asfalto se va tapando progresivamente por la aparición de tierras que se van compactando con el paso de los vehículos.

Las medidas se hicieron en la ciudad de Lille al norte de Francia, concretamente en la población de Marcq-en Baroeul. Esta carretera está formada por dos carriles en cada dirección, y separados por una zona con césped. Se han comparado dos tramos de esta carretera, un primer tramo con el suelo de hormigón hecho con losas (presencia de juntas), y el segundo trozo con asfalto convencional y una capa de asfalto poro-elástico encima. Los resultados los podemos ver en la figura 8.28. Se debe destacar que la reducción conseguida oscila entre 0,5 dB(A) y 10 dB(A), obteniéndose la mayor reducción sonora a las frecuencias más elevadas.

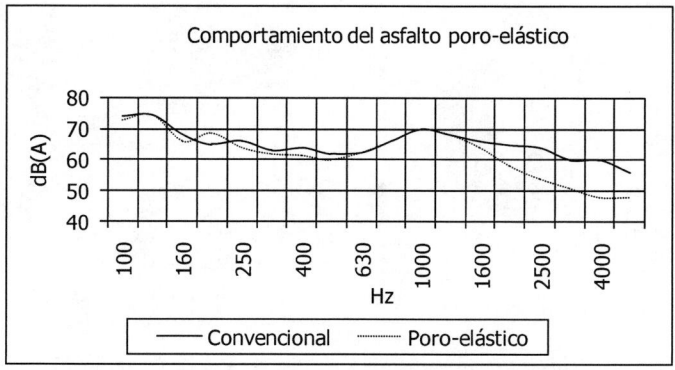

Fig. 8.28. El asfalto poro-elástico mejora las prestaciones acústicas.

8.12. El futuro del neumático actual.

El ruido originado por la rodadura de los neumáticos de los vehículos sobre las superficies asfaltadas es motivo de estudio e investigación. El primer cambio se producirá próximamente con la desaparición de la rueda de recambio, debido a la utilización de neumáticos que disponen de una superficie de rodadura interior de goma (PAX Michelin) o bien de una cámara interior de emergencia (AIRCEPT Firestone-Bridgestone). Estas soluciones técnicas se están aplicando a las ruedas de los vehículos pesados, para ofrecer una mayor seguridad en caso de pinchazo.

En el sistema PAX cuando el neumático presenta una pérdida súbita de presión, la goma interior permitirá rodar al vehículo sin romper la carcasa del neumático. Este problema se agrava con el peso del vehículo. Al sistema AIRCEPT la cámara de aire interior se expande, y facilita que el neumático mantenga una presión de inflado suficiente para circular. La figura 8.29. muestra dos sistemas similares para evitar que la rueda se quede sin aire perdiendo estabilidad el vehículo. Con la rueda pinchada se puede circular a una velocidad moderada (80 Km/h), y el vehículo puede pararse sin problemas.

Con el sistema PAX la rueda pinchada gira sobre una superficie de goma maciza situada rodeando a la llanta por la parte interior, evitando que ésta pince a la cubierta del neumático llegando incluso a cortarlo y a entrar en contacto directo con el asfalto. La evacuación de calor de la goma maciza interior limita la velocidad a que puede girar el neumático para que esta goma no se degrade excesivamente.

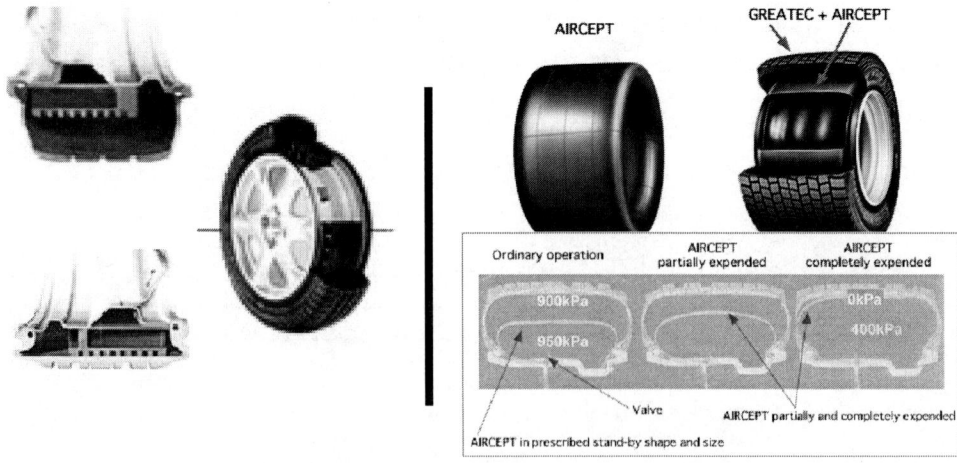

Fig. 8.29. Izquierda: sistema PAX de Michelin.
Derecha: sistema AIRCEPT de Firestone/Bridgestone.

Con el sistema AIRCEPT, se mantiene una cámara de aire, por lo que la evacuación de calor es mejor. Sin embargo la presión de hinchado efectivo es más baja y por tanto debe moderarse también la velocidad del vehículo.

8.13. Estado del arte sobre el ruido de rodadura.

El aumento considerable de la potencia de los motores que llevan los vehículos actualmente, permite circular a mayor velocidad a pesar de las limitaciones que existen en este sentido. Las mejores carreteras y la notable mejora de las prestaciones acústicas en el diseño interior de los vehículos precisan de diseños cada vez más silenciosos de todos los componentes del vehículo. Hoy en día la principal fuente de ruido de los vehículos son los neumáticos. La sensación de velocidad que transmite un vehículo nuevo no es la misma que en los vehículos de hace una o dos décadas. El elevado confort interior, la suavidad de funcionamiento, y el hecho de que sin pisar apenas el acelerador el coche circula a 80 km/h, son las causas por las que la sensación de velocidad es menor de la real, aspecto propicia a ir en general más rápido de lo permitido. Además, el aumento de potencia de los propulsores, ha propiciado que los vehículos actuales lleven unos neumáticos con unas dimensiones cada vez mayores para poder transmitir con eficacia la tracción necesaria. Tal circunstancia enfatiza más el ruido de rodadura, y es la causa principal de que este ruido emitido por los vehículos cuando circulan por carretera o autopista, aumente constantemente.

Es evidente que la superficie de la carretera es fundamental para controlar el ruido de rodadura de los neumáticos. Las superficies rugosas o con ciertas irregularidades no son adecuadas. Pero tampoco lo son las superficies completamente lisas. Digamos que la superficie más eficiente es la que presenta irregularidades negativas en su superficie, siendo ésta completamente plana. Tal circunstancia como se ha visto anteriormente la tienen los asfaltos porosos, llamados también sonorreductores.

La presión de inflado de los neumáticos tiene una influencia generalmente despreciable sobre el ruido generado. Únicamente si el neumático está muy desinflado o excesivamente inflado, se genera un incremento de ruido. Por ejemplo pasando de una presión de inflado de 1 Bar a 4 Bares, el nivel de ruido aumenta 0,5 dB(A) para un tipo de neumático concreto.

Los elementos de la geometría del dibujo del neumático tienen una influencia muy importante en el nivel de ruido emitido. Además las islas de goma del dibujo excitan a la carcasa cuando el neumático rueda sobre la carretera. La geometría del dibujo, como muestra la figura 8.33, de las islas de goma se puede clasificar en tres grupos:

1. Configuración alineada (izquierda fig. 8.30). Las islas de goma de forma rectangular están perfectamente alineadas respecto el lado de rodadura del neumático. El ruido generado está dominado por una marcada componente tonal.
2. Configuración desalineada (centro fig. 8.30). Las islas de goma son rectangulares pero de diferentes dimensiones de manera que se rompe la simetría del dibujo del caso anterior.
3. Configuración con decalado (derecha fig. 8.30). Las islas de goma son de tipo trapezoidal. Existe una alineación para permitir la evacuación del agua, y también del aire, que queda atrapado entre el dibujo del neumático y la calzada.

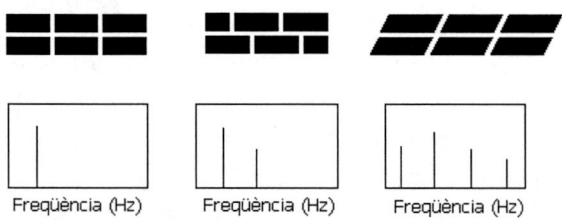

Fig. 8.30. Influencia de la concepción primaria del dibujo del neumático sobre el ruido emitido por éste.

La mayoría de pruebas y medidas de control que se realizan utilizan neumáticos nuevos o casi nuevos, mientras que la mayoría de vehículos que circulan por las calles de las ciudades, presentan un cierto desgaste, aspecto que no se tiene en cuenta en las pruebas. Se puede decir que en general los neumáticos nuevos son más silenciosos que los viejos, aunque existen muchos factores que deben tenerse en cuenta. La figura 8.31. muestra la influencia del desgaste de un neumático sobre el ruido generado.

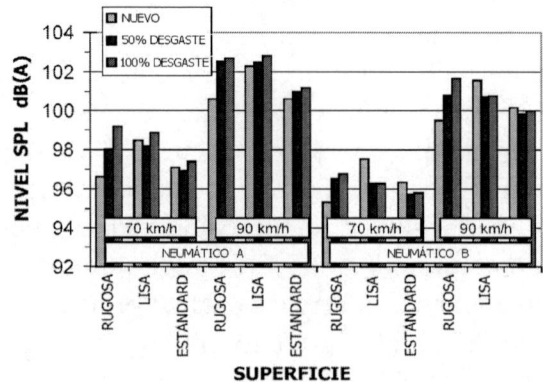

Fig. 8.31. Influencia del desgaste del neumático sobre el ruido generado.

Para realizar esta prueba se dispone de tres juegos de neumáticos de tipo A y de tipo B. El neumático de tipo A es uno de altas prestaciones, mientras que el de tipo B es de invierno. El desgaste del neumático se ha realizado en fábrica mediante cepillado de la banda de rodadura, de manera que el desgaste es uniforme, y esto no se ajusta exactamente a la realidad. La ventaja es que se elimina un parámetro más de incertidumbre en las pruebas.

Como se puede apreciar en la figura 8.31. las tendencias generales son coincidentes. Así por ejemplo la superficie estándar resulta la más silenciosa, mientras que tanto la rugosa como la lisa son más ruidosas. Cabe destacar el caso del neumático A rodando por la superficie rugosa. El mayor nivel de ruido corresponde al neumático más desgastado. Este efecto está claramente relacionado con el efecto "air pumping", y con la mayor dureza de las islas de la goma al disminuir el grosor de éstas. Asímismo las diferencias observadas son de 1 ó 2 dB(A). Si se observa la distribución espectral del ruido mostrada en la figura 8.32, las diferencias son bastante más espectaculares. Las diferencias en alguna frecuencia pueden llegar a ser superiores a los 5 dB(A).

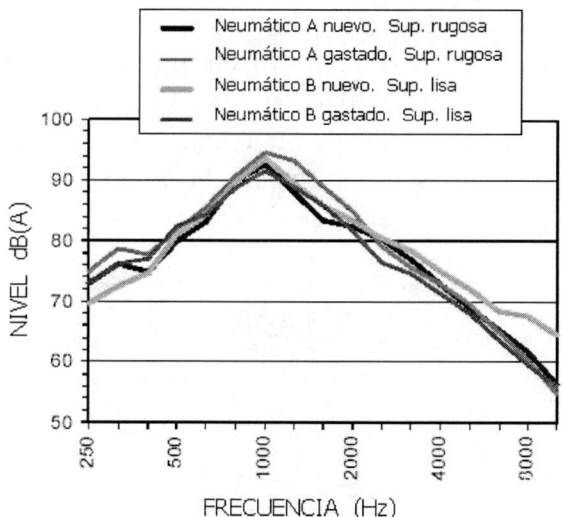

Fig. 8.32. Distribución espectral del ruido de neumáticos nuevos en comparación con neumáticos desgastados, para dos superficies.

En la generación del ruido de rodadura intervienen muchos mecanismos, el diseño y la concepción primaria del neumático sufrirá cambios muy importantes en los próximos años. El cambio en el diseño de las ruedas de los vehículos será bastante espectacular. El concepto de llanta se prevé que cambiará radicalmente. Este elemento pasará de ser un componente muy rígido a ser un componente que presenta una cierta flexibilidad en alguna de sus partes. El neumático como actualmente lo conocemos desaparece y queda reducido a una banda de rodadura de goma maciza. El efecto amortiguador de la cámara de aire del neumático para absorber pequeñas irregularidades de la carretera, pasará a ser responsabilidad de la llanta. Todos estos avances precisan de un requisito muy importante: una disminución de la velocidad del vehículo. Dicha disminución vendrá impuesta por la necesidad de emisión cero de partículas al aire y por el uso de energía alternativa al combustible de origen fósil.

La figura 8.33. muestra un prototipo de rueda de nueva generación. Gracias a la curvatura de los radios de la llanta, ésta presenta cierta flexibilidad. Como se puede observar se elimina completamente la cámara de aire de los neumáticos, una de las principales contribuciones al ruido de rodadura.

Las prestaciones mecánicas no serán las mismas que con una llanta convencional. El diseño de los vehículos automóviles irá hacia una concepción más racional donde el bajo consumo de un combustible cada vez más escaso y la emisión cero de partículas serán los principales objetivos. Aunque esto conllevará unos diseños más silenciosos y respetuosos con el medio ambiente, a cambio de unas prestaciones mecánicas previsiblemente inferiores. Hay que tener presente que los dispositivos electrónicos de seguridad actualmente desarrollados para el automóvil, pueden suplir algunos aspectos de seguridad mecánicos. La tendencia actual de aumentar la potencia sin límite de los motores no tiene mucho sentido cuando la velocidad está limitada, y la emisión de gases cada vez es más restrictiva.

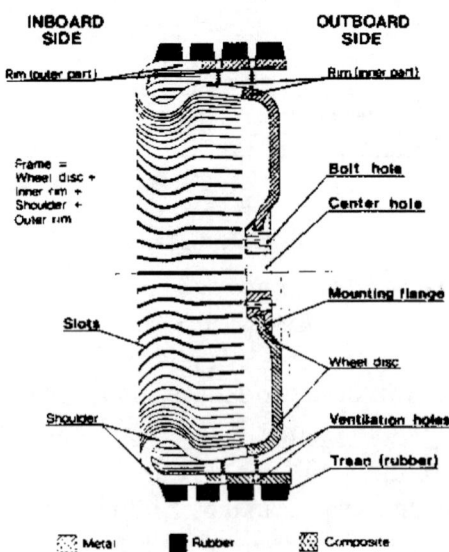

Fig. 8.33. Nueva generación de llantas y neumáticos para vehículos.

8.14. Vehículos eléctricos.

La substitución del propulsor de combustión interna por un motor eléctrico aporta muchas ventajas. Ausencia de ruido y de vibraciones del motor, ya que es eléctrico, ausencia de contaminación tanto de gases como acústica, parece que es la solución a los problemas de contaminación. Pero algunos aspectos deben controlarse. Recientes experiencias con vehículos con propulsión eléctrica, apuntan la necesidad de controlar acústicamente los sistemas de regulación de potencia de los motores. Estos reguladores electrónicos generan ruidos de bajo nivel pero de alta frecuencia claramente perceptibles. Estos ruidos pueden ser silenciados eficazmente. Se pueden minimizar los efectos aerodinámicos con un buen diseño, aunque un vehículo con propulsión eléctrica de momento no permite conseguir velocidades muy elevadas ya que penaliza mucho la autonomía de éste. Asímismo lo que no se puede conseguir de momento, es eliminar totalmente el ruido de rodadura.

Los neumáticos se dimensionan en función del tipo de vehículo y de sus prestaciones mecánicas. Los vehículos eléctricos actuales tienen una fuente de energía limitada y que requiere un tiempo de recarga, por lo que su autonomía es muy limitada si ofrece prestaciones mecánicas muy brillantes. Por otro lado la interacción neumático - asfalto, es independiente del tipo de propulsor, ya sea eléctrico o de combustible. Los coches eléctricos, normalmente suelen llevar neumáticos de anchura inferior a la de los modelos de gasolina, ya que la velocidad máxima de estos vehículos no es muy elevada. Este aspecto permite una reducción efectiva del ruido radiado por el neumático. Por otro lado un vehículo totalmente silencioso sería muy peligroso, ya que no estamos acostumbrados a esta particularidad. Cabe destacar por ejemplo los casos de las colisiones entre peatones y bicicletas, que en general se producen porque el peatón no se percata de la presencia de la bicicleta. Por tanto, paradójicamente, el silencio puede resultar peligroso, y el transporte terrestre siempre deberá hacer un mínimo de ruido para "indicar" su posición al resto de usuarios, especialmente en circulación urbana.

8.15. Ruido generado por camiones.

Estos vehículos llevan motorización diésel, el régimen de funcionamiento de los cuales (menos revolucionados que los motores de gasolina) provoca que el ruido generado presente unas componentes importantes de baja frecuencia. Otra diferencia respecto de los motores de gasolina es el nivel más elevado de ruido generado, debido a las distintas fuentes mecánicas como la caja de cambios o el diferencial.

Motor	Potencia	Cilindros	Peso (Tn)	cm³	r.p.m.	Nivel Sonoro	
						Estándar	Tratado
Diésel	96	6	7.49	6.128	2.800	90	77
Diésel	188	V8	26	12.763	2.500	88	76
Diésel	63	4	5-6	3.782	2.800	87	77
Diésel	255	6	38	12.950	2.100	91	79
Diésel	255	V10	16	15.950	2.500	90	80

Tabla 8.3. Mejora obtenida con un encapsulamiento del motor y transmisión dentro de un compartimiento adecuado.

La tabla 8.3. muestra un ejemplo del ruido generado por este tipo de vehículos, donde se puede comparar por un lado el ruido del vehículo original, y por otro el ruido una vez realizados determinados tratamientos consistentes en encapsular el motor y tratar la caja de cambios. Esta información ilustra los niveles de reducción que se pueden obtener. Los valores sonoros se han grabado a 7,5 metros de distancia.

La principal fuente de ruido es el propulsor, juntamente con la transmisión, especialmente cuando el vehículo está cargado. El ruido de escape genera un elevado nivel de baja frecuencia, una de las características más notables de este tipo de vehículos, y que medido en dB(A), queda bastante diluido.

8.16. Autobuses.

Los autobuses son uno de los medios de transporte públicos más utilizados en las ciudades. Los modelos más modernos incorporan elementos de confort que hacen mucho más agradable su uso. Desde el punto de vista de ruido, éste viene gobernado por la presencia del propulsor diésel o de gas y una radiación de energía muy importante de bajas frecuencias. Es frecuente observar la vibración de los cristales de una ventana con el paso de un autobús. La figura 8.37. muestra un ejemplo de ruido de autobús medido en una calle muy ancha a 8 metros de distancia. Nótese los dos picos de ruido correspondientes al segundo y cuarto orden motor 80 Hz y 160 Hz respectivamente.

Siendo un vehículo que debe realizar continuamente paradas y arrancadas, no parece que en su diseño se haya tenido en cuenta tal circunstancia. El espectro de ruido máximo y mínimo generado por un autobús urbano se muestra en la figura 8.34.

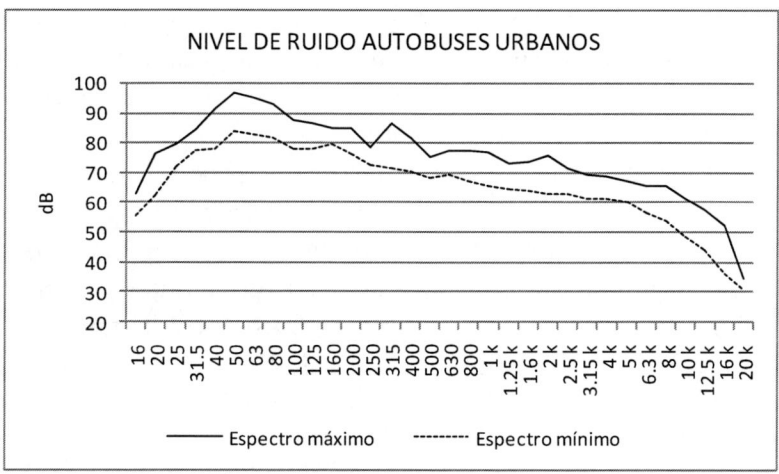

Fig. 8.34. Nivel máximo y mínimo de ruido de un autobús moderno medido a 8 m.

La gráfica 8.34 muestra el nivel de ruido correspondiente a un modelo bastante nuevo, con pocos meses de circulación. Nótese como el espectro muestra unos niveles en bajas frecuencias radiados por el autobús muy elevado. Esta medición se ha realizado en la acera de una calle bastante ancha. Disminuyendo la anchura de la calle aumenta en general el nivel de ruido. Dentro de los domicilios se pueden obtener niveles de ruido en las bandas de 80 Hz y 160 Hz superiores a los 60 dB, con las ventanas cerradas. Esto dificulta poder escuchar correctamente la música o la TV, o incluso poder hablar o descansar con normalidad.

Vivir sobre una parada de autobús o en un cruce de calles donde hay semáforos acentúa el número de quejas por ruido. Un caso particular por desgracia muy frecuente es observar como los autobuses que llegan al final del trayecto no paran los motores. La baja frecuencia generada atraviesa perfectamente las fachadas de los edificios cercanos y permanece dentro de las habitaciones provocando molestias a sus ocupantes. Estas molestias no siempre son percibidas de forma clara por las personas y esencialmente pueden producir malestar y dolor de cabeza. Es un ruido que cuando cesa, (generalmente porque el vehículo inicia la marcha) se traduce en una sensación de alivio. Se dice que el ruido de un autobús es menor al ruido equivalente de todos los coches que sustituye. Tal afirmación no es exacta. Esencialmente hay dos motivos; todos los coches que sustituye el autobús no caben en el espacio que éste ocupa, lo cual significa que las fuentes acústicas están más dispersas y por consiguiente hay un nivel de ruido bastante inferior en el punto de medida. En segundo lugar porque el paso de un autobús genera unos grandes desniveles de ruido y eso aumenta considerablemente la sensación de molestia. Es especialmente notable el ruido generado por éste medio de transporte en entornos urbanos con calles estrechas donde la reverberación enfatiza los niveles sonoros. Y en tercer lugar los coches no radian la energía de baja frecuencia tan elevada de un autobús.

Autobuses hay de muchos tipos y marcas distintas. La figura 8.35 muestra unos ejemplos. A la izquierda se muestra un autobús de un solo cuerpo y a la derecha un autobús articulado. Los autobuses modernos suelen ser de piso bajo, que significa que se puede acceder fácilmente a su interior, y no hay que subir escaleras como en los antiguos. Esto facilita también el acceso de minusválidos, ya que algunos modelos llevan suspensión hidráulica que puede inclinar al vehículo para facilitar su acceso con silla de ruedas.

Fig. 8.35. Imágenes de autobuses urbanos actuales.

Debido a la baja altura del piso, el motor que antiguamente se alojaba en una posición delantera o central, actualmente va alojado al final. Cuando el autobús se acerca, aparentemente hace poco ruido, pero es cuando se aleja cuando se nota el estruendo.

Fig. 8.36. El propulsor en un autobús moderno se encuentra en la parte posterior.

El espectro de ruido generado medido a una distancia de 4 metros, se muestra en la figura 8.37. El gráfico muestra dos situaciones distintas, cuando el autobús pasa a una velocidad prácticamente constante, y cuando el autobús acelera para iniciar su marcha. Nótese el elevado nivel de presión acústica generado, especialmente a bajas frecuencias.

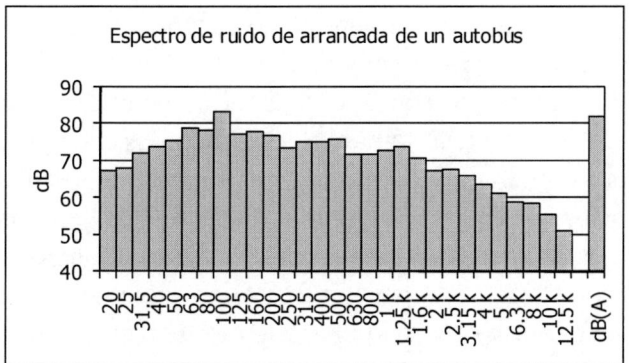

Fig. 8.37. Espectro de ruido de un autobús moderno cuando arranca.
Medición efectuada a 4 m. de distancia.

El ruido del autobús destaca claramente de entre el resto de vehículos que circulan por una ciudad. Uno de los aspectos que produce más molestia es el ruido de frenos. En función del uso y del mantenimiento del vehículo, este ruido puede ser más o menos apreciable. La figura 8.38 muestra el ruido en la frenada de un autobús. Nótese la componente de frecuencia de 4 KHz como se destaca claramente del resto de frecuencias.

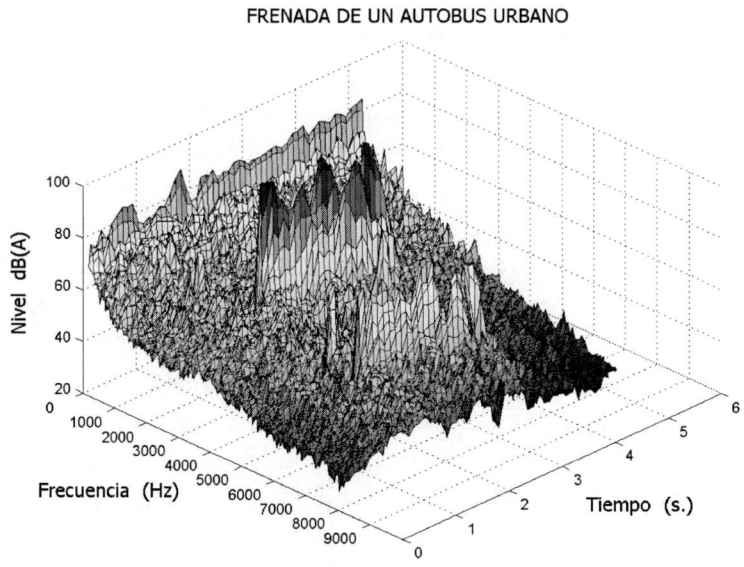

Fig. 8.38. Espectro de ruido del sistema de frenado con deficiencias de un autobús. Se observa un pico de señal muy acusado a 4 KHz y a 6,2 KHz.

8.17. Ruido de motocicletas.

Los vehículos de dos ruedas presentan un grave inconveniente que es la falta de espacio para poder colocar un buen silenciador, y un buen encapsulamiento del motor. El grupo propulsor siempre es de gasolina, y puede ser de dos tipos diferentes; de 2 tiempos o 4 tiempos. Los motores de 4 tiempos ya se han comentado anteriormente, y son los motores que llevan las motocicletas de gran cilindrada y últimamente también de cilindradas menores. Los vehículos más modestos en cilindrada y potencia generalmente suelen llevar motores de 2 tiempos. La principal diferencia entre un motor de dos tiempos y un de cuatro tiempos está en el ciclo de trabajo. Tal como indica su nombre, un dos tiempos tiene dos ciclos o estados: compresión/explosión y expansión/aspiración. Cada vez que el eje del motor hace una vuelta, tenemos una explosión en la cámara de combustión. En estos motores, la gasolina lleva mezclado el aceite que evitará que el motor quede clavado. Las proporciones de aceite pueden ir entre el 2% y el 5%. Mecánicamente es un motor más sencillo, ya que no lleva válvulas ni todos los mecanismos de accionamiento asociados. Por tanto, la mecánica del motor de dos tiempo es más silenciosa.

El escape de los gases en un motor de 2 tiempos juega un papel muy importante, ya que de su diseño depende el rendimiento y comportamiento del motor. La salida de gases va conectada a una cámara de expansión de abertura gradual que "aspira" el aire quemado del interior del cilindro. El régimen a que lo hace y cómo lo hace harán que el motor presente una determinada potencia y la forma en que ésta aparece. Esta cavidad está "sintonizada" para que el motor pueda llegar a un régimen de giro elevado. Con este tipo de motores es muy frecuente el cambio del sistema de silencioso original por un de tipo "competición" por parte del usuario, que permite obtener unas prestaciones mecánicas notablemente superiores. Estas mayores prestaciones siempre llevan asociado un mayor nivel de ruido.

En el caso de estudiar el ruido de motocicletas se deberá considerar el elevado número de tipo de motores, usos y modos de conducción de este tipo de vehículos. Su contribución al ruido ambiental generado por el tráfico rodado puede llegar a ser importante si el número de vehículos es remarcable, ya que en determinados procesos como la aceleración, los vehículos con modificaciones en el silenciador pueden llegar a generar niveles sonoros superiores a los que producen los vehículos pesados. Este hecho unido a los modos de conducción "agresivas", hace que este tipo de vehículos pueda considerarse altamente molesto.

El espectro sonoro de las motocicletas generalmente presenta la misma apariencia que en otros vehículos, pero el régimen de giro normalmente es bastante elevado y esto provoca una frecuencia fundamental y unos harmónicos más elevados que los que producen los coches a gasolina, y notablemente más elevados que los motores diésel de los vehículos pesados. Por tanto las frecuencias emitidas por las motocicletas están en unas bandas de frecuencia más elevadas y más audibles por el oído humano.

Actualmente la aparición de motores de 4T de pequeña cilindrada, permite obtener ciclomotores más silenciosos. La fabricación de motores de 2T de pequeña cilindrada desaparece, por la elevada contaminación por humos. Además el nivel de ruido generado por un ciclomotor con motor de 4T es apreciablemente inferior al de un ciclomotor con motor de 2T de potencia similar. No solamente los niveles son más bajos sino también la sensación de molestia disminuye considerablemente. Al utilizar un motor de 4T el diseño del tubo de escape no tiene la misma importancia sobre el rendimiento del motor. Por ello la necesidad de los usuarios de cambiar el tubo de escape por uno de prestaciones más elevadas va a disminuir. Esta circunstancia permite pronosticar que los ciclomotores trucados disminuirán los próximos años. Las figuras 8.39. y 8.40. muestran la evolución espectral.

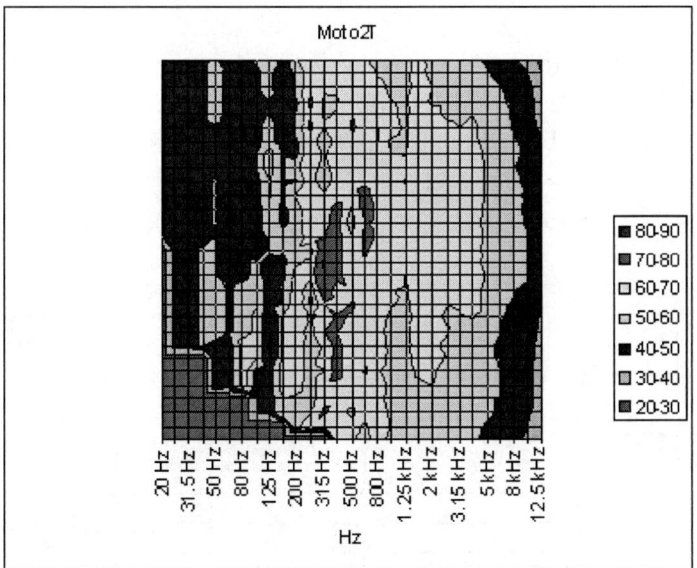

Fig. 8.39. Evolución espectral del ruido generado por un ciclomotor con motor de 2T en el proceso de "arrancada".

Se puede apreciar como en el motor de 4T el nivel de ruido se desplaza a las bajas frecuencias y tiene un nivel más bajo que el ruido generado por el motor de 2T con componentes de frecuencia más elevadas y de mayor amplitud.

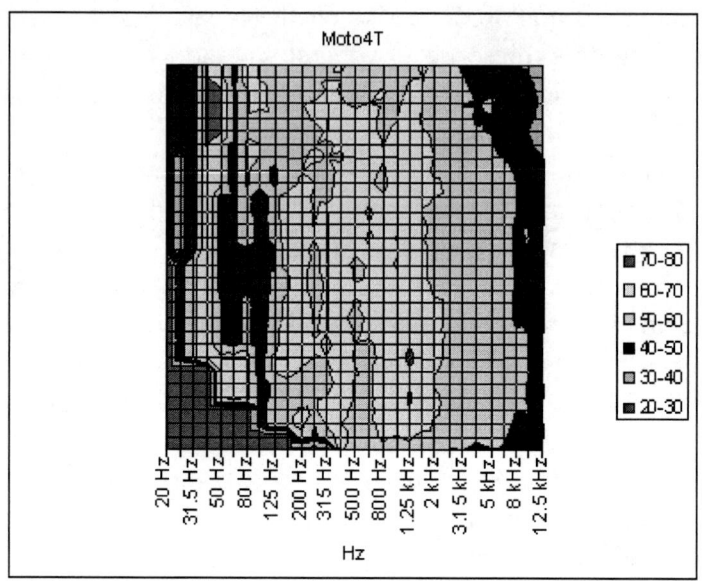

Fig. 8.40. Evolución espectral del ruido generado por un ciclomotor con motor de 4T en el proceso de "arrancada".

Para caracterizar los niveles sonoros se dispone del test específico CE 78/1015, 97/24/CE. Las medidas pueden realizarse en campo libre con el vehículo circulando o bien en campo cercano (reglamento 51). Como ejemplo de la gran diversidad de niveles sonoros que pueden generar este tipo de vehículos, la tabla 8.3 muestra los valores declarados por el fabricante.

CILINDRADA	dBA	r.p.m.	DISTÀNCIA (m)
50	65	3.400	7,5
50	94	3.750	0,5
125	94	5.000	0,5
125	92	5.000	0,5
250	92	5.500	0,5
250	89	3.875	0,5
500	94	3.500	0,5
500	86	4.750	0,5
600	91	6.250	0,5
650	85	3.750	0,5
750	94	5.250	0,5
750	97	4.250	0,5
900	97	6.000	0,5
1.100	85	3.750	0,5
1.100	91	4.000	0,5

Tabla 8.3. Ruido emitido por motos.

La más ruidosa de las motos mostradas es una de 50 cc con 94 dB(A) medidos a 0,5 m. (campo cercano). Otro modelo de 1.100 cc radia 85 dB(A) a 0,5 m. Por tanto no es la cilindrada lo que hace una moto más ruidosa que otra.

Los motor de 2T son más sencillos en concepción mecánica y de funcionamiento, pero tienen diversos inconvenientes.

a. Son más contaminantes que los motores de 4T.
b. El diseño del tubo de escape es fundamental para el rendimiento del motor.
c. Su funcionamiento es más irregular.

El segundo aspecto es especialmente crítico respecto del ruido. Para obtener unas buenas prestaciones mecánicas de un motor de 2T, hay que hacer un diseño del tubo de escape que "aspire" los gases de su interior. Debe haber un equilibrio, ya que un exceso de aspiración puede aumentar mucho el consumo sin mejorar las prestaciones mecánicas. Ese exceso de consumo se traduce también en un incremento de la contaminación de gases, ya que se expulsa mezcla por el escape sin explosionar. Las dimensiones, y formas de un escape de altas prestaciones mecánicas son bastante conocidas. Para no perder eficacia, se utilizan silenciadores del tipo resonador, que mejoran la respuesta del motor especialmente a regímenes de giro elevados. En general es difícil obtener motores de 2T de baja cilindrada con prestaciones mecánicas notables y que además, sean silenciosos.

La figura 8.41. muestra a la izquierda un silencioso de motor de 2T. La forma y el volumen de las diferentes secciones está diseñada para obtener las máximas prestaciones mecánicas del motor. A la derecha podemos observar como el tubo de escape de un motor de 4T es más sencillo. En este caso se trata de un tubo de sección constante que acaba con un silenciador. No obstante la forma y distancias de confluencia de los diferentes colectores de escape de los cilindros sí que resulta importante de cara a obtener un buen rendimiento mecánico del motor.

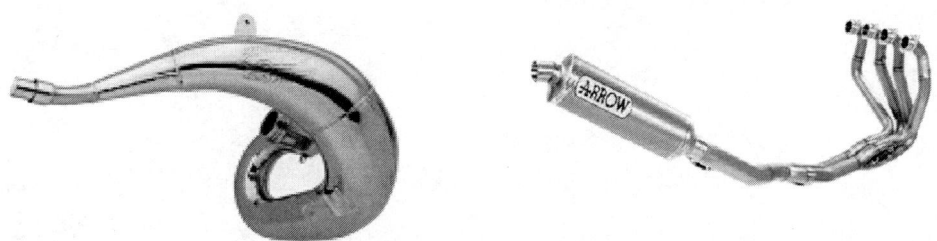

Fig. 8.41. A la izquierda, tubo de escape de un motor monocilíndrico de 2T. A la derecha escape de un motor tetracilíndrico de 4T.

En este sentido con el motor 4T es más fácil obtener unos buenos rendimientos, y de forma más silenciosa. Los sistemas de silencioso son bastante más efectivos y generan un sonido menos agresivo que el del motor 2T. Nótese que en el escape del motor de 2T (izquierda fig. 8.44) la expansión del tubo no debe confundirse con el silencioso. El tubo mostrado no tienen ningún silencioso. La expansión actúa de cámara resonante para "aspirar" los gases quemados dentro del cilindro. El silenciador propiamente dicho se colocaría a la salida del tubo de escape (a la izquierda de la foto).

8.18. Influencia del modo de operación de los vehículos.

El ruido generado por un vehículo depende por un lado del tipo de vehículo y por otro del modo de operación que esté realizando, y de su conducción. Obviamente si el vehículo presenta modificaciones mecánicas, éste puede ser siempre más ruidoso independientemente del tipo de conducción. El modo de conducción es el que presenta una mayor influencia, y afecta especialmente al ruido generado por el motor del vehículo. La influencia de las r.p.m. del motor vienen dadas por:

- La velocidad del vehículo.
- La marcha empleada.
- Uso constante de aceleraciones y desaceleraciones.
- Uso de velocidad constante.

A bajas velocidades y en condiciones de tráfico real no existe una dependencia entre la velocidad del vehículo y el ruido generado, pero si que dependen del tipo del vehículo. Se pueden apreciar diferencias de hasta 15 dB(A) entre vehículos pesados de 3 ejes y vehículos de gasolina, y de 10 dB(A) entre vehículos pesados de 2 ejes y vehículos de gasolina.

Cuando se producen cambios en la velocidad de circulación de un vehículo, el ruido generado depende de la aceleración o desaceleración, y de la velocidad inicial del vehículo. Existen estudios semi-empíricos que estiman el ruido generado por vehículos ligeros (<1.525 kg) y pesados (>1.525 kg), a partir de la aceleración y de la velocidad inicial.

$$L_{A_{ligeros}} = 33,2 + 23,8 \log v + 10,6a - 0,08a^2 - 5,73 \cdot a \cdot \log v \qquad (8.1)$$

$$L_{A_{pesados}} = 48,5 + 18,9 \log v + 7,5a - 0,11a^2 - 4,29 \cdot a \cdot \log v \qquad (8.2)$$

Donde:
a es la aceleración.

v es la velocidad inicial del vehículo.

Si consideramos situaciones reales de tráfico, se pueden obtener los valores de la figura 8.42. para ilustrar las posibles diferencias de ruido, en función del tipo de conducción (agresiva, normal y suave).

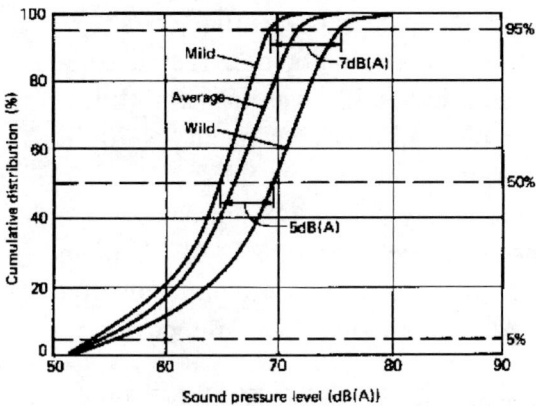

Fig. 8.42. Nivel de ruido producido en función del tipo de conducción.

Si consideramos el percentil 50, la diferencia está cercana a los 5 dB(A), mientras que si consideramos el percentil 95, la diferencia es de 7 dB(A), es decir, cada vehículo con una conducción agresiva, equivale desde el punto de vista acústico aproximadamente a 6 coches con conducción normal.

8.19. Efectos de la reducción del ruido en otros aspectos.

Muchos de los aspectos relacionados con la reducción de los niveles sonoros están relacionados con otros aspectos, quizás más importantes que el propio ruido. Como ejemplo, la reducción de ruido puede afectar a la eficacia y el consumo de los motores, el confort interno, etc. El consumo de carburante puede aumentar por el incremento de peso del vehículo, la aerodinámica y la eficacia del motor.

Tipo de Vehículo	Reducción dB(A)	Nivel dB(A)	Incremento de peso (kg)	% Peso	Incremento Consumo (%)
Coches	6-7	74	15-60	2,5	1,2-3,5
Camiones	8-9	78	40-70	0,7-1,5	1,0
	3-9	84	15-40	<0,1	-
Camiones Pesados	7-12	80	100-300	<1,0	0,2-2,4
Autobuses	9-10	80	100-150	1,0	1,0

Tabla 8.4. Mejoras acústicas aplicadas a diferentes vehículos, incremento de peso y de consumo de carburante asociados con la mejora.

Cualquier programa de reducción de ruido suele pasar por el incremento de peso del vehículo (peso de los materiales aislantes con los cuales se encapsulan algunos componentes del motor o del compartimiento motor). El aumento de peso se traduce en un aumento del consumo. Además el cierre del motor hace que este esté peor refrigerado y por tanto aumenten los problemas mecánicos. La tabla 8.4. resume estas situaciones.

La tabla 8.5. muestra la evolución del nivel de ruido máximo permitido en la UE desde la década de los 70 hasta la fecha. Inicialmente estaba prevista una reducción del ruido de los coches hasta los 70 dB(A) para el año 2.000. Desgraciadamente a principios de los 90 se "descubrió" que el ruido de los neumáticos ya superaba este valor y por tanto no era viable exigir un máximo a un vehículo automóvil por debajo de los 74 dB(A) cuando el ruido de rodadura se sitúa muy cercano a estos valores. Llegar a los 70 dB(A) únicamente será posible si se consiguen neumáticos más silenciosos.

Tipo de Vehículo	1972	1982	1988/90	1995/96
Automóvil de Pasajeros	82	80	77	74
Autobús Urbano	89	82	80	78
Camión Pesado	91	88	84	80

Tabla 8.5. Nivel de ruido máximo permitido en la UE para vehículos a motor.

En el caso del ruido de motocicletas algunos países tienen sus propias reglamentaciones, pero son casos puntuales que irán desapareciendo por la aplicación obligada de la Directiva Europea publicada el año 2002.

Motocicletas y Vehículos de 3 ruedas	1980	1989	1994
<80 cc	78	77	75
<175 cc	80-83	79	77
>175 cc	83-86	82	80

Tabla 8.6. Nivel de ruido máximo emitido por motocicletas.